世界史
366日
事典

今日は何の日?

〈著者〉

アンドレア・ミルズ Andrea Mills　作家、編集者。20年以上にわたって書籍や雑誌、ウェブサイトに執筆してきた。今までに35冊以上出版し、賞を受賞している。*Giraffe Bath, True or False?: Big Questions, Unbelievable Answers*など著書多数。

メガー・グプタ Meghaa Gupta　作家、編集者。*A History of Independent India*, *A Home of Our Own*などの著作がある。

ウパマニュ・ダス Upamanyu Das　編集者兼ライター。子ども向けのノンフィクションが得意分野。

ザイナ・ブダリー Zaina Budaly　編集者兼ライター。さまざまな本の編集と執筆を担当している。

アマンダ・ワイアット Amanda Wyatt　編集者兼作家。

〈訳者〉

武井摩利 たけい まり　翻訳家。東京大学教養学部教養学科卒業。主な訳書として、R・カプシチンスキ『黒檀』（共訳、河出書房新社）、M・D・コウ『マヤ文字解読』、T・グレイ&N・マン『世界で一番美しい元素図鑑』（創元社）など。

Original Title: On this Day: A History of the World in 366 Days

A Penguin Random House Company
Japanese translation rights arranged with
Dorling Kindersley Limited, London
through Fortuna Co., Ltd. Tokyo.
For sale in Japanese territory only.
Printed and bound in China

世界史 366日事典－今日は何の日？

2023年4月1日　第1版第1刷発行

著　　者　アンドレア・ミルズ、メガー・グプタ、ウパマニュ・ダス、ザイナ・ブダリー、アマンダ・ワイアット
訳　　者　武井摩利
発 行 者　矢部敬一
発 行 所　株式会社 創元社　https://www.sogensha.co.jp/
〈本　社〉〒541-0047 大阪市中央区淡路町4-3-6
Tel.06-6231-9010(代)　Fax.06-6233-3111
〈東京支店〉〒101-0051 東京都千代田区神田神保町1-2 田辺ビル
Tel.03-6811-0662(代)

© 2023, Printed in China
ISBN978-4-422-20278-5　C0022

目 次

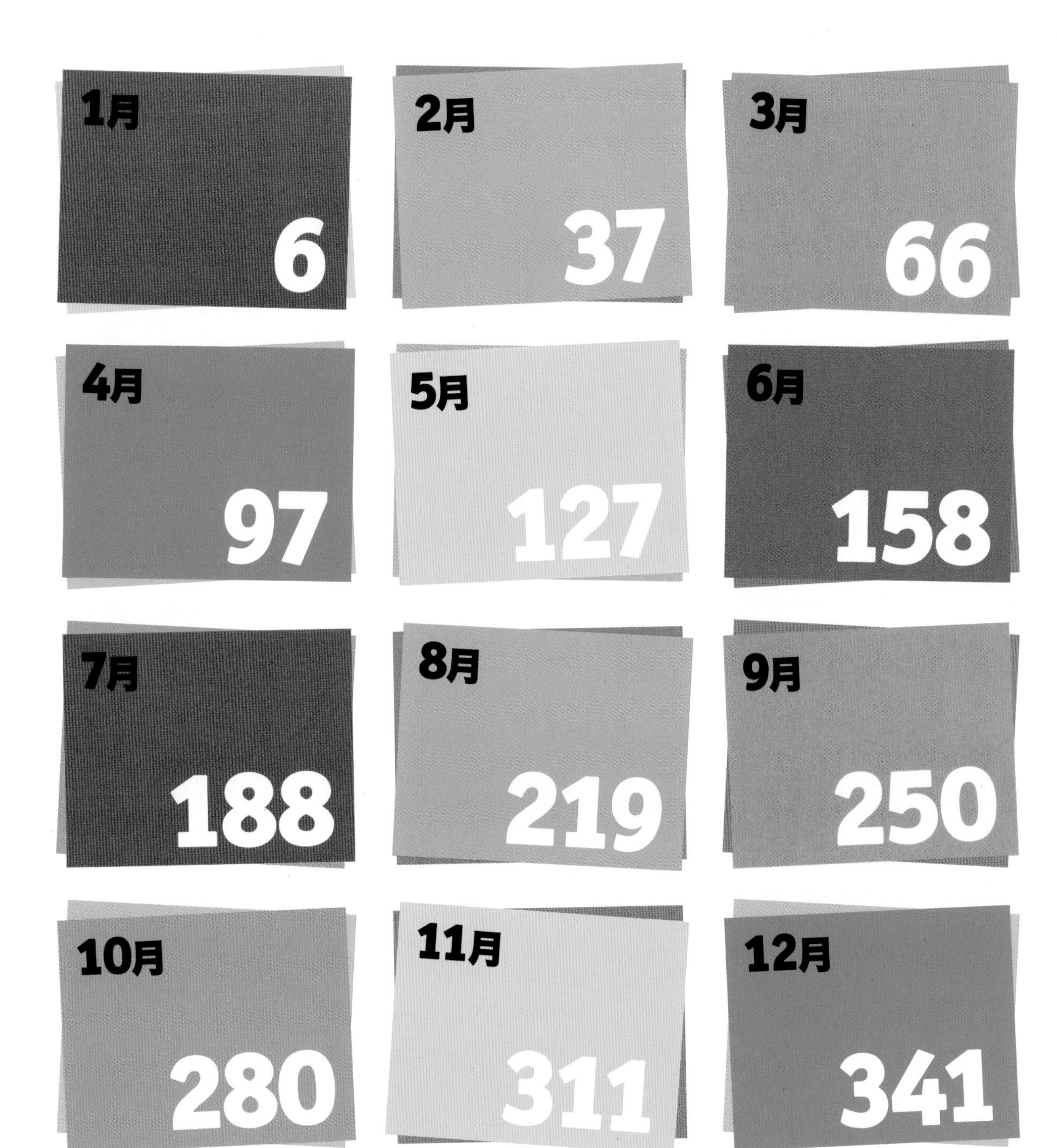

はじめに

世界のさまざまな文化は、いったいどうやって1日1日を「1ヵ月」や「1年」にまとめる方法を考え出したのだろう？　いちばんよくあるまとめかたは、夜空に浮かぶ月の満ち欠けの周期（約30日）を利用した太陰暦と、地球が太陽のまわりを1周する周期（365日と少し）を利用した太陽暦だ。

世界共通の暦

いま、世界の大部分の国は、日常生活を送るうえでは、グレゴリオ暦と呼ばれる太陽暦を使用している。しかし、宗教行事や伝統的な祭には、太陰暦にのっとって行われるものがかなりある。ヒンドゥー教のディワーリー、キリスト教のイースター、イスラームのラマダン、ユダヤ教のローシュ・ハシャナー〔新年祭〕などの祭が毎年同じ日にならないのは、そのためだ。

ユリウス・カエサル（Julius Caesar）は、ユリウス暦に自分の名前にちなむ月（英語ではJuly=7月）を作らせた。

私たちがいま使っている暦は、古代ローマに源がある。紀元前46年、古代ローマのユリウス・カエサルが、太陽年に合ったできるだけ正確な暦を作るよう命じた。この「ユリウス暦」は紀元前45年1月1日から使われはじめ、1年は365日で、4年ごとに1日（各年0.25日ずつ）、うるう日が追加された。ローマ帝国がヨーロッパから北アフリカ、アジアの一部までを領土にしたことで、その地域全体でユリウス暦が広く使われるようになった。

アステカ文明の「太陽の石」。何に使われたのかはわかっていないが、アステカの暦の各月やその他の周期をあらわすシンボルが刻まれている。

2月29日は、昔はうるう日ではなかった。ユリウス暦のうるう日は、2月24日の次にはさみこまれた。

グレゴリウスの暦改革

16世紀になると、実際の太陽年とユリウス暦が10日くらいずれてしまっていた。これは、1年の長さがぴったり365.25日ではなく、365.24日に近いためだった。そこで、ローマ・カトリックの教皇グレゴリウス13世は、1582年にグレゴリオ暦を導入した。その際には、太陽暦に合わせるために10日間が削られた。つまり、1582年は10月4日（木）の翌日が10月15日（金）になったのだ。

それから数世紀の間に、ユリウス暦を使っていた国のほとんどがグレゴリオ暦に移行したが、ロシアとギリシャは20世紀まで暦を切りかえなかった。ユリウス暦とグレゴリオ暦の日付が違うということは、同じ出来事のあった日付が、ユリウス暦の国とグレゴリオ暦の国とで最大10日以上ずれてしまうということだ。この本では、ユリウス暦であれグレゴリオ暦であれ、基本的には当時その国で使われていた暦の日付で、出来事を記している〔ただし日本や中国などの出来事は西暦に直して書かれている〕。

忘れられた歴史

それぞれが違う暦で歴史を記録すると混乱が起きることがあるが、歴史に関連して私たちが出会う問題はそれだけではない。伝統的に、歴史は権力を持つ者たちによって書かれてきたため、権力からはじかれた人たちの物語はあまり記録されてこなかった。しかし近年、こうした「失われた歴史」を取りもどし、女性や黒人などの物語をより多くの人々に伝えようとする動きがさかんになっている。この本には、そういう人たちの物語をできるだけたくさん載せるよう努めた。

黒人歴史月間（2月）には、公民権運動家のソジャーナ・トゥルース（写真）をはじめとする、歴史に残る黒人の物語に光をあてる。

エイダ・ラブレスの日（10月第2火曜）は、コンピューター技術のパイオニアを讃えるとともに、STEM（科学・技術・工学・数学）分野にたずさわるすべての女性を応援するために、2009年に定められた。

1月

1

紀元前 **45**

ユリウス暦

古代ローマで、支配者ユリウス・カエサルにちなんで名づけられた新しい暦が使われはじめた。この暦での1年の長さは、いま私たちが知っているのと同じ365日で、4ヶに一度366日になった。

この日が誕生日

1894 サティエンドラ・ナート・ボース イギリス領だった時代のインドで生まれた数学者・物理学者。有名な物理学者アルベルト・アインシュタインはボースの友人で、ボースの理論を発展させる研究を行った。

1959

キューバ革命

6年近く続いたキューバ政府と反政府勢力との内戦が終結。革命軍の指導者フィデル・カストロ（右手を上げている人物）がバティスタ政権を倒し、バティスタはドミニカ共和国に亡命した。権力を握ったカストロは、2008年まで49年間キューバの最高指導者の座にとどまる。

他にもこんな出来事が

1801 イタリアの天文学者ジュゼッペ・ピアッツィが、準惑星ケレス（火星と木星の間にある小惑星帯で最大の天体）を発見。

1863 南北戦争中のアメリカで、リンカーン大統領が奴隷解放宣言に署名。何百万人もの奴隷が自由の身になった。

1892 米国のニューヨーク港にあるエリス島の移民局が、ヨーロッパからの移民の入国手続きを開始。第1号は、アイルランドの少女アニー・ムーア（17歳）。

2002

ユーロ誕生

ヨーロッパの新しい共通の通貨「ユーロ」の流通が始まる。欧州連合（EU）加盟国のうち12ヵ国が、紙幣と硬貨を自国通貨からユーロに切りかえた。

1月

10

1863 鉄道が地下を走る

英国のロンドンで、世界初の地下鉄（メトロポリタン線）が開通。開業初日には、蒸気機関車が引っぱる列車に乗って、約３万人が地下の旅を体験した。

他にもこんな出来事が

1929 ベルギーの漫画家エルジェが、週刊紙の子供向け付録『20 世紀子ども新聞』で、漫画『タンタンの冒険』の連載を開始。

1946 英国のロンドンで、第１回国連総会が開催された。51ヵ国が参加。

1946 米陸軍通信部隊が、レーダーの強度を調べるため、月面にレーダーの電波をあてて反射させる実験（ダイアナ計画）を行い、電波がはね返ってきたことを確認した。

この日が誕生日

1924 マックス・ローチ 米国の黒人ジャズ演奏家・作曲家。歴史上最も影響力のあるジャズ・ドラマーのひとり。

1901 石油が出た

米国テキサス州スピンドルトップ・ヒルの掘削現場で、原油が噴出。米国の石油産業はここから始まった。噴出原油は１日に 10 万バレルにのぼり、９日後にようやく制御できるようになった。

1985 電気自動車

英国の発明家クライヴ・シンクレアが、バッテリーで走る電気自動車「シンクレア C5」を発売。ペダル式のこの車は、実用的でなく安全性も低いと批判されたが、環境にやさしい電気自動車という考え方は時代を先取りしていた。

1月
11

他にもこんな出来事が

532 ビザンツ帝国のコンスタンティノープルで、戦車競走をきっかけに、1週間にわたる民衆の反乱が起こる（ニカの乱）。

1851 中国で太平天国の乱が起こる。清王朝と、キリスト教系の宗教教団「太平天国」の間で戦われた内戦は、14年続く。

1964 米国の公衆衛生局長官ルーサー・テリーの報告書が発表され、初めて喫煙と肺がんが関連づけられた。

1922

インスリン注射

糖尿病の治療に、初めてインスリンというホルモンが使われた。インスリン注射を受けた最初の人物は、カナダの14歳の少年レナード・トンプソン。

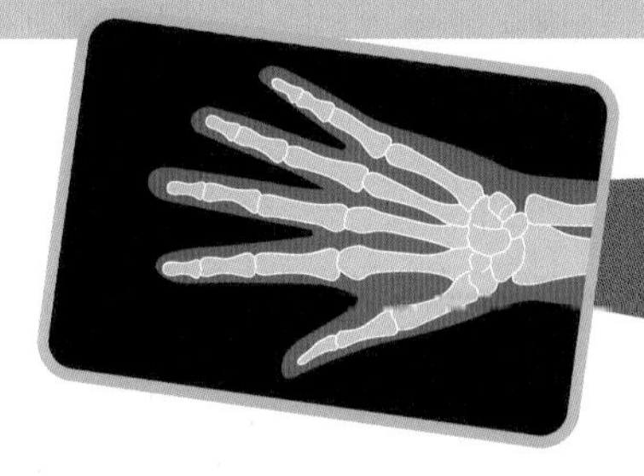

1896

X線写真

英国の医師ジョン・ホール＝エドワーズが、患者の手に刺さった針を調べるために、世界で初めて治療目的でのX線撮影を行った。今では、医師は日常的にX線を使って人体の内部を観察している

この日が誕生日

1885 アリス・ポール 米国の、女性権利拡大運動の活動家。警察の暴力や投獄にあっても非暴力を貫き、性別に関係なく平等な参政権を認める「アメリカ合衆国憲法修正第19条」の成立に力を尽くした。

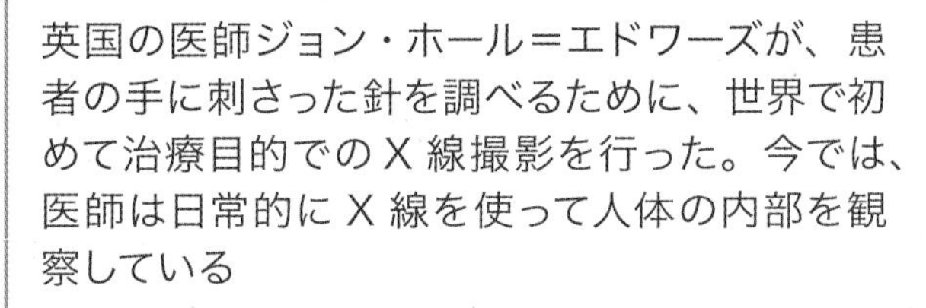

2020

種族を救ったカメ

ゾウガメのディエゴが引退し、太平洋のガラパゴス諸島に戻った。それまでディエゴは、全世界で15匹まで減っていたゾウガメの人工繁殖計画で活躍していた。彼を含む3匹のオスのおかげで、ゾウガメの数は2000匹以上まで増えた。

2014 ラップ長時間記録

米国のフロリダ州で、「KJ-52 フリースタイル・チーム」が、即興の歌詞で歌うフリースタイル・ラップの連続パフォーマンスに挑戦し、12 時間 2 分という記録を樹立。

他にもこんな出来事が

1528 グスタフ 1 世がスウェーデン王として即位。以後 37 年におよぶ治世で、近代スウェーデン国家の基礎を築いた。

1962 米陸軍のヘリコプターが、数百人の南ベトナム政府軍空挺部隊を目標地点に輸送（チョッパー作戦）。ベトナム戦争で初めての、米軍の本格的参戦だった。

2010 ハイチで大地震が発生。死者は 23 万人以上にのぼった。

この日が誕生日

1863 スワミ・ヴィヴェーカーナンダ インドのヒンドゥー教僧侶。宗教的寛容と世界平和を、特に若者に広めた。インドでは彼の誕生日が「全国青年の日」として祝われている。

1995 オオカミの復活

米国のイエローストーン国立公園に、カナダのジャスパー国立公園から 8 頭のハイイロオオカミが移送された。米国のハイイロオオカミはこの 70 年前に狩猟で絶滅したため、それを復活させる試みだった。

1967 人体の冷凍保存

米国の心理学教師ジェームズ・ベッドフォード博士が、がんで死亡。将来生き返って進んだ医療を受けることを期待した彼の遺体は、世界で初めて、クライオニクス（人体冷凍保存法）で冷凍保存された。

1月

13

1871

歯医者のドリル

米国の歯科医で発明家のジョージ・グリーンが、最初の歯科用電動ドリルの特許を出願。この技術により、高速で連続的に歯を削れるようになった。

1942 緊急脱出

第２次世界大戦中、史上初めて射出座席（飛行機からの緊急脱出装置）が使われた。ドイツのパイロット、ヘルムート・シェンクが、故障したジェット戦闘機からの脱出に成功した。

この日が誕生日

1596 ヤン・ファン・ホーイェン オランダの画家。生涯を通じて主にオランダの風景を描き、1200点以上の油絵と1000点以上のスケッチを残した。

2008 カヤックでの冒険

オーストラリアのジェームズ・カストリッションとジャスティン・ジョーンズが、２人乗りカヤックによる最長航海の記録を樹立。彼らは、62日間かけてオーストラリアからニュージーランドまでの3200kmを漕ぎ進んだ。

他にもこんな出来事が

1910 初めての一般向けラジオ放送。米国ニューヨークのメトロポリタン・オペラ・ハウスから、オペラ公演が生中継された。

2018 米国のハワイ州の住民や旅行者に、誤って「弾道ミサイルが迫っている」という警告メッセージが送信され、パニックが起こった。

2020 1969年にオーストラリアに落下したマーチソン隕石に、地球誕生以前（70億年前）の物質が含まれていることが判明。

サマー・オブ・ラブ

1967

「ヒューマン・ビーイン」という集会が米国サンフランシスコの公園で開催される。型にはめられない生き方を掲げた詩人、ミュージシャン、学生らのヒッピー・ムーブメント「サマー・オブ・ラブ」へとつながった。

1897

アコンカグア登頂

南北アメリカ大陸の最高峰・アルゼンチンのアコンカグア山（標高 6960m）に、スイスの登山家マティアス・ツルブリッゲンが世界で初めて登頂した。

1997

古代の学園

ギリシャの考古学者たちが、紀元前４世紀の哲学者アリストテレスの学園（リュケイオン）とみられる遺跡をアテネで発見。アリストテレスはこの学園で若者たちに哲学や科学や詩を教えた。

この日が誕生日

1943 シャノン・ルシッド 米国の女性宇宙飛行士。ロシアの宇宙ステーション「ミール」に179日滞在し、宇宙生活が人体におよぼす影響を調べた。

他にもこんな出来事が

1761　第３次パーニーパットの戦い。パーニーパット（今のインド北部の都市）で、アフガン人の軍隊がマラーター同盟と戦闘になり、数千人の兵士が死亡。

2005　欧州宇宙機関の探査機ホイヘンスが土星最大の衛星タイタンにパラシュートで着陸し、写真撮影と観測を行う。小惑星帯より外の惑星の衛星に探査機が着陸したのは初めて。

1月

15

1797

トップ・ハット

ある都市伝説によれば、帽子職人のジョン・ヘザリントンがこの日に新しいデザインの帽子「トップハット」をかぶってロンドンの街を歩いたところ、群衆がそれを見ようと群がり、何人かの女性が気を失う大騒ぎになったという。

この日が誕生日

1929 マーティン・ルーサー・キング・ジュニア
米国の黒人牧師・社会活動家。公民権運動の指導者としての功績によって1964年にノーベル平和賞を受賞した。

ハドソン川の奇跡

2009

米国のパイロット、チェズリー・サレンバーガーが、離陸して間もなくエンジントラブルに見舞われた飛行機をハドソン川に不時着水させ、乗客・乗員合わせて155名全員の命を救った。

エリザベス1世

1559

25歳のエリザベス1世の戴冠式が、ロンドンのウェストミンスター寺院で行われた。彼女が女王としてイングランドとアイルランドを治めた45年間は、平和と進歩と繁栄の黄金時代といわれた。

他にもこんな出来事が

1919 米国マサチューセッツ州ボストンで、糖蜜の入ったタンクが破裂して21人が死亡する大惨事が起きた。

1962 ギリシャで「デルヴェニ・パピルス」発見。後に紀元前340年のものと判明し、ヨーロッパで発見された最古の写本となった。

1967 米国のロサンゼルスで、スーパーボウル（アメリカンフットボールの優勝決定戦）が初めて開催された。やがて、米国最大のスポーツイベントになる。

1月 16

2006 アフリカ初の女性大統領

エレン・ジョンソン・サーリーフがリベリア大統領に就任。アフリカで初めて、選挙で選ばれた女性大統領が誕生した。

他にもこんな出来事が

1913 インドの数学者シュリニヴァーサ・ラマヌジャンが、英国のケンブリッジ大学の数学者G・H・ハーディに手紙を送る。そこには、当時の数学者が解明できていなかった問題の証明や、未知の公式が書かれていた。ラマヌジャンはケンブリッジ大学に招かれ、数学に大きな貢献をする。

1979 イラン皇帝モハンマド・パフラヴィー（パーレビ）が、イスラム革命勢力による抗議デモや騒乱を受けてイランを出国し、亡命。

1547 イヴァン雷帝

16歳のイヴァン4世が、ロシアで初めてツァーリ（皇帝）として戴冠。後年は恐怖政治を行い、気に入らない者を次々に処刑して恐れられた。

この日が誕生日

1932 ダイアン・フォッシー 米国の霊長類学者・自然保護活動家。アフリカのルワンダの森で20年間マウンテンゴリラの研究を行い、後にその経験を記した『霧のなかのゴリラ』を出版した。

378 ティカルの奪取

石に彫られた碑文によると、シヤフ・カック（「火が生まれた」）という名の戦士がマヤ文明の都市ティカル（現在のグアテマラにある）を征服した。それまでの支配者チャック・トック・イチャーク（「ジャガーの前足」）は死に、新しい王朝が始まった。

1月

17

1921 身体をまっぷたつ

英国のマジシャンP・T・セルビットが、ロンドンで世界初の人体切断イリュージョンを行った。切られたアシスタントのベティ・バーカーが生きているのを見て、観客はほっとした。

1893 ハワイ最後の女王

米軍によるクーデターでハワイのリリウオカラニ女王が退位し、王制が廃止された。その後ハワイは米国の50番目の州となる。合衆国政府は後に、このクーデターについて謝罪している。

この日が誕生日

1964 ミシェル・オバマ 米国の黒人弁護士・作家。夫のバラク・オバマが合衆国大統領に就任したことで、米国史上初の黒人のファーストレディとなった。

1987 生きた化石の撮影

「生きた化石」と呼ばれる珍しい魚シーラカンスの泳ぐ映像が、初めてインド洋でカメラに捉えられた。なお、シーラカンスの発見自体は1938年（362ページ参照）。

他にもこんな出来事が

1920 合衆国憲法修正第18条（いわゆる禁酒法）により、米国内で飲料用アルコールが販売禁止になる。13年後に廃止。

1991 イラク軍のクウェートへの侵攻を受けて、米国主導の多国籍軍がイラクを空爆。湾岸戦争が始まる。

1997 ノルウェー人探検家ベルゲ・オウスランが、世界で初めて南極大陸の単独徒歩横断に成功。64日かかった。

他にもこんな出来事が

1871 普仏戦争（プロイセンとフランスの戦争）でプロイセンが勝利してドイツを統一し、ドイツ帝国が成立。

1912 英国の探検家ロバート・ファルコン・スコットが南極点に到達。しかし、ノルウェーの探検家ロアール・アムンセンが約１ヵ月前に到達していたことが判明する（354 ページ）。スコット隊はベースキャンプへの帰路で全員死亡した。

2002 西アフリカのシエラレオネで、11 年間続いた内戦が正式に終結。

1593

ノンサライの戦い

タイのナレースワン王がビルマ（現ミャンマー）の皇太子と象に乗っての一騎打ちで戦い、勝利してビルマの侵攻を止めた。この日は現在、タイ王国軍記念日になっている。

1943

スライス禁止

第２次世界大戦中の米国で、スライスしたパンの販売が禁止される。設備とコストの節約が目的だったが、国民に不評で、禁令は２ヵ月しか続かなかった。

この日が誕生日

1884 エレナ・アリスメンディ・メヒア メキシコの女性権利運動家。メキシコ革命の際、負傷者の手当てをする中立的な組織「白十字」を創設した。

1911

洋上での着艦

航空機が初めて船の甲板に降りた。米国人パイロットのユージン・イーリーは複葉機「カーチスモデル D」を巧みに操り、サンフランシスコ湾に停泊中の装甲巡洋艦ペンシルヴェニアの飛行甲板への着艦を成功させた。

1月

19

他にもこんな出来事が

1817 チリをスペイン植民地から独立させるため、チリの亡命愛国者とラプラタ諸州連合（現在のアルゼンチン）の軍がアンデス山脈を越えてチリに入る。

1981 イランが米国人52人を人質にしていた米国大使館人質事件が、アルジェリアの仲介もあって終結。

1991 クウェートに侵攻したイラク軍が油井への放火やパイプラインの開放を行い、大規模な環境破壊が起きた。

1966

インドの女傑

インディラ・ガンディーが、インド初の女性首相になる。彼女は穀物の生産を増やし、インドが他国に食糧を依存する割合を減らした。1966年から77年と、80年から1984年の暗殺までの2度首相を務めた。

1915

飛行船での空爆

第1次世界大戦で、ドイツが飛行船ツェッペリンL3を初めて爆撃に使用。爆弾を落とされた英国のグレート・ヤーマスで2人が死亡した。ツェッペリンの空襲による英国での死者は約500名とされる。

1986

新種のウイルス

Brain（ブレイン）という最初期のコンピューターウイルスが、パキスタンでコンピューター販売会社を経営するアルウィ兄弟によって作られた。

この日が誕生日

1839 ポール・セザンヌ フランスの画家。40年間に200点以上の静物画、900点以上の油絵、400点以上の水彩画を描いた。

1946 ドリー・パートン 米国の歌手・作曲家。3000曲以上を作曲し、カントリーミュージックの人気を高めた。

1月 20

2009

オバマ大統領

バラク・オバマが第44代合衆国大統領に就任し、米国初の黒人大統領となった。弁護士であり、地域の問題に取り組む活動家でもあった彼は、8年間にわたって政権を担った。

1892

バスケの誕生

米国のマサチューセッツ州スプリングフィールドにあるYMCA学校の2チームが、同校の体育教師が考案したバスケットボールの公式試合を初めて行った。

1885

ジェットコースター

米国のコニーアイランドのラマーカス・トンプソンが、初めてジェットコースターの米国特許を取得。彼のスイッチバック式コースターの時速はたった9kmだった。

他にもこんな出来事が

1788 英国からの流刑囚736人と看守を乗せた最初の船団がオーストラリアのボタニー湾に入港。流刑植民地の建設が始まる。

1942 ナチス・ドイツの幹部が集まり、ヨーロッパのユダヤ人をポーランドの絶滅収容所に送るという「ユダヤ人問題の最終的解決」を話し合った。

2014 韓国でクレジットカード会社3社から延べ1億人分以上の個人情報が流出し、大騒ぎになった。

この日が誕生日

1910 ジョイ・アダムソン オーストリア出身の自然保護活動家。ケニアで野生動物保護活動を行う中で、親をなくしたライオンの子「エルザ」を育て、野生に帰した。

1793

断頭台の露と消える

フランス革命で捕えられ、国民公会で有罪を宣告されたフランス国王ルイ16世が、ギロチンで処刑された。革命広場（現在のコンコルド広場）には、かつての絶対君主の最期を見ようと数千人が集まった。

1976

音よりも速く飛ぶ

超音速旅客機コンコルドが、初飛行から7年を経て、ロンドン（英国）とパリ（フランス）を結ぶ定期路線で運航を開始した。コンコルドは、音速の2倍にあたる時速2179kmで飛ぶことができた。

1911

ラリー・モンテカルロ

第1回モンテカルロ自動車ラリーが開催される。この時は、11ヵ所から出発した23台の自動車が、ヨーロッパを横断してゴールのモナコを目指した。ラリーは最新の自動車技術を世に紹介する機会でもあった。

他にもこんな出来事が

1924 ソヴィエト連邦の指導者ウラジーミル・レーニンが死去。保存処理された彼の遺体は、今もモスクワの赤の広場にある霊廟（れいびょう）で公開されている。

2017 米国の160都市をはじめ、世界各国で400万人が、米大統領ドナルド・トランプの女性蔑視発言に抗議するデモ「ウィメンズ・マーチ」に参加。

2020 オーストラリアのヤラババ・クレーターを作った小惑星の衝突が22億年前だったと研究者が発表。地球上で発見された最古の小惑星衝突跡。

この日が誕生日

1920 エロル・バロウ 1966年に英国から独立したカリブ海の島国バルバドスの初代首相。バロウの誕生日は、彼の死後、バルバドスの祝日になった。

この日が誕生日

1912 アウグスト・ストリンドベリ スウェーデンの劇作家・小説家。生涯に60本以上の戯曲を書いた。

他にもこんな出来事が

1517 リダニヤの戦い。オスマン帝国のセリム1世が、エジプトを支配していたマムルーク朝を破り、エジプトを占領する。

1824 アフリカのアシャンティ王国が、今のガーナの海岸部で英国軍を破る。アフリカ側が植民地勢力に勝利した、数少ない例のひとつ。

1997 米国のオクラホマ州で、ロケットから落下した金属片がロッティ・ウィリアムズという女性に当たる（ケガはなかった）。宇宙ゴミ（スペースデブリ）が人に当たった唯一の例。

1506

教皇の衛兵

スイスが、ローマ教皇ユリウス2世を守るため、ローマ・カトリックの教皇庁が置かれたバチカンに150人のスイス人衛兵を送った。現在も、スイスから派遣された衛兵が鮮やかな色の制服を身につけてバチカンをパトロールしている。

2006

ボリビア大統領

エボ・モラレスが、先住民として初めて南米ボリビアの大統領に就任。アンデス山脈中部に暮らす先住民アイマラ族の出身で、2019年まで大統領を務めた。

1879

ズールー戦争

アフリカ南部での支配地拡大を目論んで、今の南アフリカ共和国東部にあったズールー王国に侵攻していた英軍が、イサンドルワナの戦いで、長槍を主な武器とするズールー軍に敗北した。しかし、戦争は最終的には英国の勝利で7月に終わる。

この日が誕生日

1910 ジャンゴ・ラインハルト ロマ出身のジャズ・ミュージシャン。火事で手の指２本に障害を負ったが、ギタリスト兼作曲家としてヨーロッパ中で名声を得た。

1939 エド・ロバーツ 米国の社会運動家。小児まひのため車椅子生活だった彼は、カリフォルニア大学で初の車椅子の学生となり、障害者の権利を確立するためにさまざまな活動をした。

チャレンジャー海淵

1960

地球の海で最も深い場所であるマリアナ海溝チャレンジャー海淵の底まで、人類が初めて潜水した。潜水艇トリエステ号に乗り、5時間をかけて1万912m潜航したのは、スイスのジャック・ピカールと米国のドン・ウォルシュ。

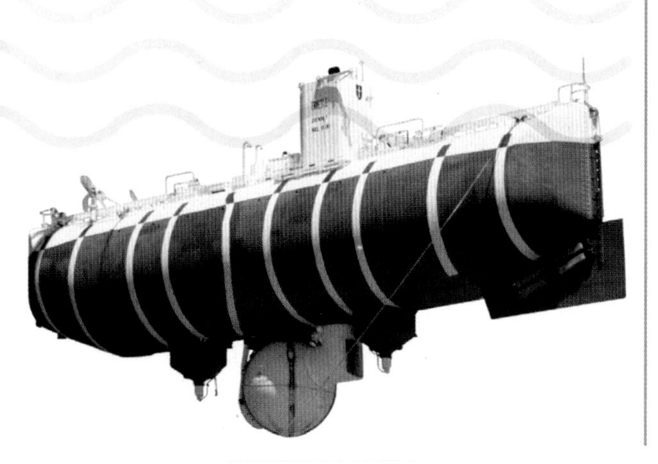

飛べ、フリスビー

1957

米国の発明家ウォルター・フレデリック・モリソンが、新発明の投げて遊ぶ円盤形のおもちゃの権利をワムオー（Wham-O）社に売却。フリスビーの名で売り出された商品は、世界中で大人気になった。

他にもこんな出来事が

1556 中国で華県（かけん）地震が発生。歴史に記録された中では最大の約83万人という死者を出した巨大地震だった。

1719 神聖ローマ皇帝カール６世が、２つの独立した領邦国家を併合してリヒテンシュタイン公国を作った。

2020 英国の科学者が、エジプトの神官のミイラの声帯を3Dプリントで作り、古代エジプト人の声を初めて“再生”した。

1368

明（みん）王朝

中国で、朱元璋（しゅげんしょう）が皇帝として即位し、明王朝が始まる。明はその後300年近く中国を支配した。

41

皇帝
クラウディウス

古代ローマで、圧政に耐えかねた側近たちが暴君カリグラを暗殺。カリグラの伯父のクラウディウスが新皇帝として即位した。クラウディウスは有能な指導者で、彼の時代にローマはブリタンニア（今の英国）南部を征服した。

この日が誕生日

1864 マルグリット・デュラン フランスの女性解放運動家。すべての作業を女性だけで行う新聞を創刊し、また、働く女性のための組織作りを支援した。

1984 マッキントッシュ発売

アップル社が、第1世代のパーソナルコンピューター Macintosh（マッキントッシュ）（現在の Mac）を 2500 ドル（当時の為替レートで 60 万円弱）で発売。

1848 ゴールドラッシュ

米国のカリフォルニアを流れるアメリカ川沿いで、製材所の仕事をしていたジェームズ・W・マーシャルが金（きん）のかけらを発見。これ以降、一攫千金を夢見る人々が金を探しに押し寄せることになる。

他にもこんな出来事が

1859 アレクサンドル・ヨアン・クザが、ヨーロッパ南東部のモルダヴィアとワラキアを統一。これによりルーマニア公国が成立した。

1986 宇宙探査機ボイジャー２号が天王星に８万 1800km まで接近し、天王星の衛星を新たに５つ発見。

2006 ウォルト・ディズニー社が、映画『トイ・ストーリー』で知られる CG アニメーション制作会社ピクサーを買収すると発表。

1995

ミサイル危機

ノルウェーの観測用ロケット「ブラック・ブラント XII」を米国のトライデントミサイルと誤認したロシアが、報復核攻撃の準備に入った。幸い核ボタンは押されずにすんだが、同様の事態の再発を避けるため、研究用ロケット発射の連絡の手順が見直された。

1921

ロボット

チェコの作家カレル・チャペックのSF戯曲『R.U.R』がプラハで初演され、登場する人型の人造人間をさす「ロボット」という言葉が初めて使われた。この言葉はチャペックの造語で、「強制的労働」や「苦役」を意味するチェコ語 robota（ロボタ）が語源。

この日が誕生日

1759 ロバート・バーンズ スコットランドの国民的詩人。『オールド・ラング・ザイン』をはじめ約300編の詩を書いた。誕生日はバーンズ・ナイトとして祝われる。

他にもこんな出来事が

1890 米国のジャーナリスト、ネリー・ブライが、72日間という記録的な短期間での世界一周を達成（324ページも参照）。

1971 ウガンダでイディ・アミンがクーデターで権力を握った。史上まれに見る残忍な支配者として8年間の独裁を行う。

2011 アラブ世界の各所で起こった民衆の反政府行動「アラブの春」に触発され、エジプトでも腐敗と抑圧に対する抗議運動が始まった。

2004

火星に生命が？

NASAの火星探査車オポチュニティが火星に着陸。以後14年にわたってデータを収集・送信した。最も画期的な発見は、火星にかつて水が存在したらしい証拠である。これにより、火星に生命が存在していた可能性が示された。

1月

26

1926

テレビの試験放送

スコットランド人発明家ジョン・ロジー・ベアードが、ロンドンの研究所で50人の科学者を前にテレビの送受信を初めて公開実演し、成功させた。やがて、テレビは世界中の家庭で娯楽の中心となる。

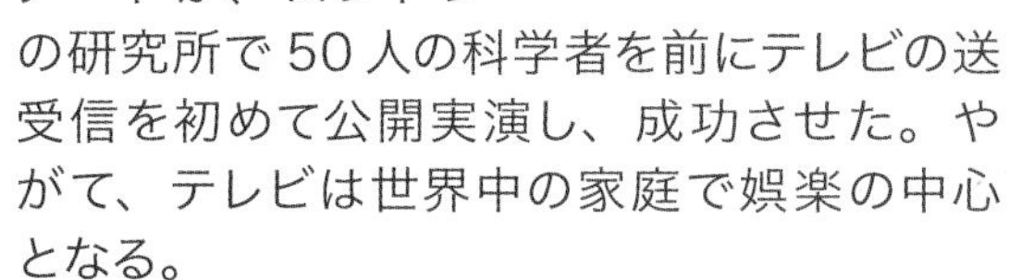

この日が誕生日

1944 アンジェラ・デイヴィス 米国の社会活動家・著述家。公民権、人種間の平等、女性の権利などを求める運動で大きな役割を果たした。

1924

冬の最初の金メダル

フランスのシャモニーで開催された第1回冬季オリンピックで、スピードスケート500mに出場した米国のチャールズ・ジュートローが金メダル第1号に輝いた。この時のメダルは米国ワシントンDCのスミソニアン博物館に展示されている。

1905

カリナン・ダイヤモンド

南アフリカ共和国のカリナン鉱山で、3106.75カラットという世界最大のダイヤモンド原石が発見された。その後9つの大きな石にカットされ、最大のものは英国の王笏にはめ込まれて、「グレート・スター・オブ・アフリカ（偉大なアフリカの星）」と呼ばれている。

他にもこんな出来事が

1564 トリエント公会議で、教皇ピウス4世とカトリック教会の主な高位聖職者が、教義の再確認と教会の自己改革に合意。

1950 インド憲法（336ページ）が発効し、インドが共和国となる。インドではこの日が共和国記念日として祝われている。

1972 地上1万160mで旅客機が爆発し墜落したが、セルビア人客室乗務員ヴェスナ・ヴロヴィッチが奇跡的に生還。

1945

アウシュヴィッツの解放

ナチスがユダヤ人や政治犯を収容し殺害していたアウシュヴィッツ強制収容所を、ソ連軍が解放。生き延びた収容者7000人以上と、数百の遺体が発見された。この日は現在、国際ホロコースト祈念日とされている。

他にもこんな出来事が

1868 日本で鳥羽・伏見の戦いが勃発（慶応4年1月3日）。この騒乱を経て徳川幕府は終わりを迎え、明治時代が始まる。

1967 宇宙での核兵器使用や軍事活動を禁止する「宇宙条約」に、米国、英国、ソヴィエト連邦の3ヵ国が署名。

1973 米国、南ベトナム、南ベトナム共和国臨時革命政府、北ベトナムの4者がベトナム戦争終結を約したパリ和平協定に調印した。

2010

アップル iPad（アイパッド）

サンフランシスコで、アップル社のスティーヴ・ジョブズCEOが、アップル初のタブレットコンピューターを発表。大画面で、ゲームや電子書籍や動画を楽しみやすくなった。

この日が誕生日

1756 ヴォルフガング・アマデウス・モーツァルト オーストリアの作曲家。生涯に600曲以上を作曲し、世界で最も影響力の大きい作曲家のひとりとなった。

1944

レニングラード包囲戦

ソ連軍はこの日、ドイツ軍をレニングラードから撤退させることに成功し、約900日間に及んだレニングラード包囲戦が終結した。第2次世界大戦で最も長く続いたこの戦いでは、市民100万人が飢えや病気で死亡した。

1月

28

1896

スピード違反第1号

英国ケント州のウォルター・アーノルドが、自動車のスピード違反で有罪判決を受けた最初の人物になる。時速13kmで走行していた彼は、自転車で追いかけてきた警官に捕まった。制限時速の3.2kmを超えたとして、1シリング（現在の貨幣価値で約4ポンド）の罰金が科された。

1951

バミューダミズナギドリ

太西洋のバミューダ諸島で、17世紀に絶滅したと思われていたバミューダミズナギドリを地元の少年デヴィッド・ウィンゲートが発見。彼は後に自然保護活動家になった。

画期的なブロック

1958

デンマークのレゴ®グループが、「おもちゃを組み立てる部品」の特許を出願。レゴ®ブロックは今も当時の特許にもとづいて作られており、毎年およそ750億ピースが売れている。

他にもこんな出来事が

1671 イングランド出身の海賊ヘンリー・モーガンとその手勢1500人がパナマを襲撃し、首都に侵攻して財宝を略奪した。

1871 プロイセン王国を中心としたドイツ諸国がパリに進軍してフランスに圧勝、休戦協定が結ばれて普仏戦争が終結した。

1986 スペースシャトル・チャレンジャー号が、打ち上げ73秒後に補助ロケットの不具合により空中分解。乗組員7名全員が死亡。

この日が誕生日

1608 ジョヴァンニ・アルフォンソ・ボレッリ イタリアの科学者。バイオメカニクス（生物の構造、機能、運動を研究する学問）の基礎を作ったといわれる。

1912 ジャクソン・ポロック 米国の抽象表現主義の画家。画布に絵の具をまき散らす描き方で有名。

1月

29

1845

大鴉（おおがらす）

米国の作家エドガー・アラン・ポーのミステリアスな物語詩『大鴉（おおがらす）』が『イブニング・ミラー』紙に掲載され、ポーは一躍有名になった。

1978

フロンガス禁止

スウェーデンが、フロンガス類のうちクロロフルオロカーボン類（CFC）をスプレー缶の噴射剤として使うことを世界で最初に禁止した。太陽の有害な紫外線から地球の生命を守っているオゾン層を、CFC が破壊することがわかったため。

自動車の誕生

1886

ドイツの技師カール・ベンツがガソリンで走る三輪自動車を発明し、ベルリンで特許を取得。特許番号 37435 として認められた彼のこの発明から、自動車産業がスタートした。

この日が誕生日

1881 アリス・エヴァンス 米国の科学者。牛乳やチーズに含まれる細菌の研究を行い、乳製品の低温殺菌（パスチャライズ）処理の発展に貢献した。

1954 オプラ・ウィンフリー 米国のテレビ司会者。貧しい黒人家庭に生まれ、トークショーの司会で人気を博して億万長者となり、慈善事業に多額の寄付をしている。

他にもこんな出来事が

1892 米国でコカ・コーラ社が設立される。コカ・コーラは、世界で最も売れている清涼飲料水のひとつ。

2002 米大統領ジョージ・W・ブッシュが一般教書演説で、イラン、イラク、北朝鮮を「悪の枢軸」と表現した。

2018 映画『ブラック・パンサー』がロサンゼルスでプレミア上映。マーベル作品では初の、主要キャストと監督が黒人の映画。

1月

30

この日が誕生日

1913 アムリタ・シェール＝ギル ハンガリー生まれのインド人画家。彼女はフランスのパリで美術を学び、インドに戻って、東洋と西洋の様式が融合した現代インド美術を生み出した。

テト攻勢

1968

ベトナム戦争中、テト（旧正月）の時期に、南ベトナムの各地で政府や米軍の施設に北ベトナム兵がゲリラ攻撃。米国大使館も一時占拠された。南ベトナム国民に、米国の介入に対する反乱を焚きつけるもくろみがあった。

不沈船

1959

安全で沈まない船という触れ込みのデンマークの客船「ハンス・ヘトフト」が、最初の航海の帰路で氷山にぶつかって沈没。救命浮輪が１個見つかっただけで、乗員・乗客 95 名は誰ひとり助からなかった。

他にもこんな出来事が

1649 イングランド王チャールズ１世が反逆罪で有罪となり、ロンドンのホワイトホール宮殿前に集まった群衆の前で処刑された。

1933 アドルフ・ヒトラーがドイツ首相に就任。独裁政治への道を進みはじめる。

1948 インド独立運動の指導者マハトマ・ガンディーが、ニューデリーでヒンドゥー教過激派の男に暗殺される。78 歳だった。

初の近代的吊り橋

1826

英国本土（ウェールズ北西海岸）とアングルシー島の間を車で行き来できるように結ぶ「メナイ吊り橋」が開通。世界初の近代的な吊り橋で、全長は約 400m。

1月

31

2015 ゴルフ界の若き星

米国フロリダ州で行われた女子ゴルフのコーツ・ゴルフ選手権で、ニュージーランドのリディア・コ（17 歳）が 2 位入賞。これにより、翌日付の女子ゴルフランキングで、史上最年少での世界 1 位を獲得した。

他にもこんな出来事が

1865 米国全土で奴隷制を廃止することを定めた合衆国憲法修正第 13 条が、議会で可決された。

1990 ソ連に初めてマクドナルドのハンバーガーショップがオープン。モスクワのプーシキン広場の店に人々が押し寄せた。

2020 英国が、47 年間加盟してきたヨーロッパ連合（EU）から離脱（いわゆるブレグジット）。このあと年末までは移行期間となる。

この日が誕生日

1797 フランツ・シューベルト オーストリアの作曲家。ピアノ曲と独唱の歌曲を中心に、約 1500 の作品を作曲した。

1981 ジャスティン・ティンバーレイク 米国の歌手・俳優。少年時代から脚光を浴び、成長後もトップスターとして活躍。

アラビアオリックスの復活 1982

絶滅寸前だったアラビアオリックスが、数十年にわたる保護活動と飼育下での繁殖努力を経て、オマーンの砂漠の保護区に 10 頭再導入され、個体数の回復が始まった。

2月

1

1985 エイリアンをさがして

地球外知的生命体探査（SETI）協会が、宇宙に存在する他の生命体の探査を開始。SETIは現在も、地球外生命体の活動の証拠を発見することを主な目的とする米国で唯一の組織である。

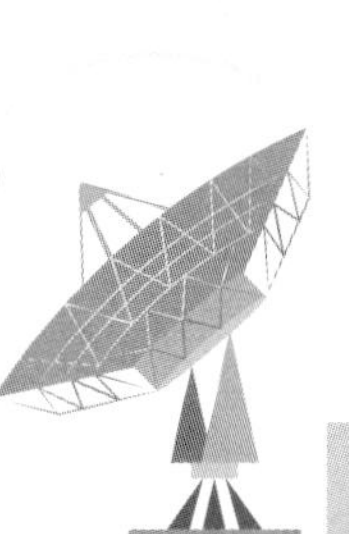

この日が誕生日

1878 ハヨーシュ・アルフレード ハンガリーの水泳選手。近代オリンピックの金メダリスト第１号で、生涯で金２個と銀２個を獲得した。

1902 ラングストン・ヒューズ 米国の黒人詩人・小説家。ハーレム・ルネサンス運動の創始者で、労働者階級の黒人の生活を文学で表現した。

1960 グリーンズボロの抗議行動

米国ノースカロライナ州グリーンズボロのウールワース店舗内のランチカウンターで、４人の黒人学生がサービスを拒否されて座り込み、人種分離に対する抗議行動を始めた。これをきっかけに、差別に反対する座り込みがグリーンズボロから全国各地に拡大した。

他にもこんな出来事が

1895 トランスヴァール共和国（現在の南アフリカ）のポール・クリューガー大統領が、プレトリアのファウンテンズ・バレーをアフリカ大陸初の自然保護区に指定。

2003 スペースシャトル・コロンビア号が帰還途中に米国テキサス州上空で爆発し、乗員７名が死亡。打ち上げ時に燃料タンクからはがれた断熱材が主翼前縁を直撃し、耐熱システムが破壊されたのが原因。

2009 ヨハンナ・シグルザルドッティルがアイスランド首相に就任。同性結婚者である彼女は、世界初のLGBTQ+の国家首脳となった。

2月

2

1709

無人島からの救出

スコットランドの海軍士官アレクサンダー・セルカークが、無人島でたったひとりで4年以上過ごした後、ようやく救出された。

この日が誕生日

1977 シャキーラ コロンビアのシンガーソングライター。ラテンアメリカスタイルの独自のポップソングで数えきれないほどの音楽賞を受賞している。

1925

ヒーローはハスキー

何頭ものハスキー犬が犬ぞりを引いて冬の雪原を1000km以上走り、米国アラスカ州ノームの町にジフテリア血清を届けた。町でジフテリアが発生したが悪天候で航空機が飛べず、治療薬を運ぶ手段が他になかったのだ。

他にもこんな出来事が

1887 米国ペンシルヴェニア州パンクサトーニーで、冬が長く続くか早く春になるかをグラウンドホッグ（リス科の動物）が予言する「グラウンドホッグ・デー」という行事が始まる。

1943 第2次世界大戦最大の激戦、スターリングラード攻防戦が、ソ連軍の勝利で終わった。

2004 スイスのテニス選手ロジャー・フェデラーが世界ランキング1位に。以後237週にわたってその座を守る。

1912

派手なスタント

米国のフレデリック・ロッドマン・ローが、史上初めて映画撮影のためのスタントを行い、ニューヨークの自由の女神像のトーチからパラシュートで降下した。

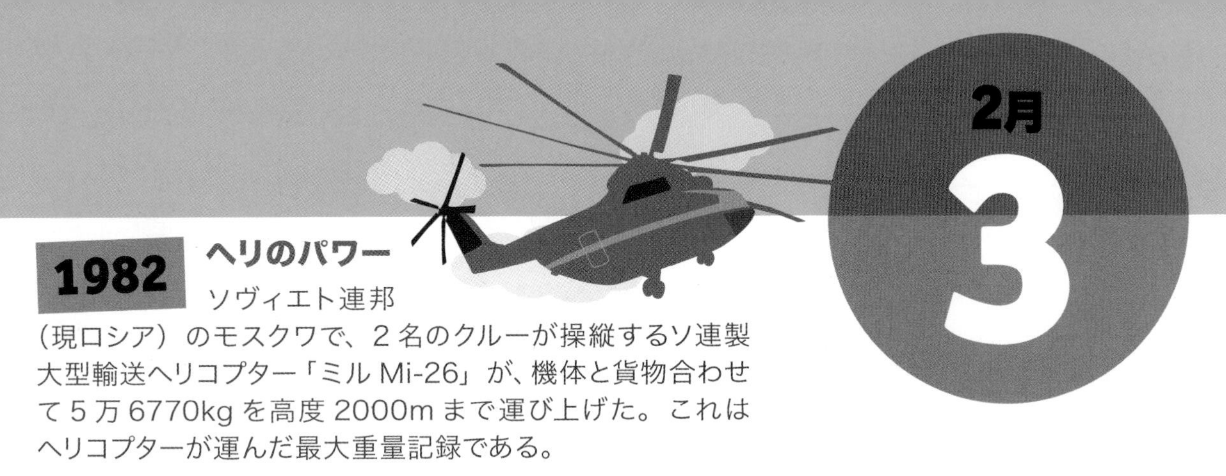

2月 3

1982 ヘリのパワー

ソヴィエト連邦（現ロシア）のモスクワで、2名のクルーが操縦するソ連製大型輸送ヘリコプター「ミル Mi-26」が、機体と貨物合わせて5万6770kgを高度2000mまで運び上げた。これはヘリコプターが運んだ最大重量記録である。

他にもこんな出来事が

1870 アメリカ合衆国憲法修正第15条が正式に承認され、黒人男性に選挙権が認められた。

1966 ソヴィエト連邦の月探査機「ルナ9号」が月面に着陸。壊れずに月に無事着陸した初めての宇宙船となった。

1972 イランで観測史上最悪の猛吹雪が始まり、9日まで続いた。4000人が死亡し、約200の村が壊滅的な被害を受けた。

1931 ホークス・ベイ地震

ニュージーランド北島のホークス・ベイ地方で大地震が発生し、258名が死亡。ニュージーランド史上最悪の自然災害だった。

この日が誕生日

1790 ギデオン・マンテル 英国の古生物学者。自分が復元している化石が絶滅した巨大動物のものだと気付き、イグアノドンと名付けた。

1970 ワーウィック・デイヴィス 英国の俳優。『スター・ウォーズ』や『ハリー・ポッター』に出演。小人症で、慈善団体「リトルピープル UK」の共同創設者。

1995 宇宙のパイロット

米国の宇宙飛行士アイリーン・コリンズが、女性として初めてスペースシャトルを操縦。ディスカバリー号をロシアのミール宇宙ステーションに接近させた。

1945

ヤルタ会談

英国のウィンストン・チャーチル首相、米国のフランクリン・ルーズヴェルト大統領、ソ連のヨシフ・スターリン首相（写真左から）がクリミア半島のヤルタで会談し、第２次大戦終結後のヨーロッパの勢力圏を決めた。

1993

夜空の日光

ロシアが、地上の日照時間を増やせるか調べる「ズナーミャ」計画の実験を行う。ロケットで反射鏡を宇宙に運び、軌道上で日光を反射させ、ヨーロッパの一部の夜空に満月程度の明るさの光を投げかけた。

この日が誕生日

1868 コンスタンツ・ジョージン・マルキェヴィチ アイルランドの伯爵夫人。女性で初めて英国議会の議員に選ばれた。

1918 アイダ・ルピノ 英国の映画俳優。ハリウッドで多くの印象的な役を演じた後、女性初の映画監督となった。

他にもこんな出来事が

960 中国で趙匡胤（太祖）が皇帝として即位。その後中国を統一し、３世紀にわたって中原（黄河の中下流域）を支配する宋王朝が始まる。

1938 ディズニー初の長編アニメーション映画『白雪姫』の一般上映が米国で始まった。カラー長編フルアニメのこの映画は大ヒットし、今も傑作として知られる。

2004 米国で、マーク・ザッカーバーグがハーヴァード大の学生向けにソーシャルネットワーキング・サイト（後のFacebook）を立ち上げ。

1936

サイクロトロンで元素合成

米国の科学者ジョン・J・リヴィングッドが、加速器（サイクロトロン）を使って放射性同位元素のビスマス210を人工的に作った。加速器による放射性元素の本格的な人工合成の幕開けだった。

1869 巨大な金塊

オーストラリアのモライアガルで、2人の英国人が世界最大の金のナゲット（天然の金のかたまり）を掘り当てる。「ウェルカム・ストレンジャー」と名付けられたこのナゲットは、重さが 72kg もあった。

1661 康熙帝の即位

中国・清朝の第４代皇帝・康熙帝が６歳で即位。彼の治世は 61 年続き、中国史上最も在位期間の長い皇帝となる。内政・外交で成果を上げ、名君とうたわれた。

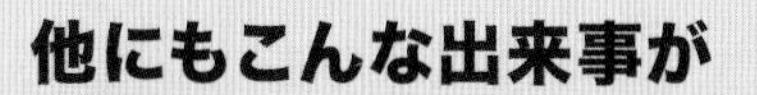

他にもこんな出来事が

1885 今のコンゴ民主共和国の場所に、ベルギー国王レオポルド２世がコンゴ自由国という名の私領を作り、ゴム採集のもうけを個人で独占した。

1953 第２次世界大戦終結から８年、ようやく英国でキャンディやチョコレートの配給制が終了。好きなだけ買えるようになった。

この日が誕生日

1985 クリスティアーノ・ロナウド ポルトガルのサッカー選手。700 得点以上をあげ、主要タイトルを 31 獲得し、世界最高の選手に贈られる「バロンドール」を５回受賞している。

1852 エルミタージュの公開

ロシアのサンクトペテルブルクで、女帝エカチェリーナ２世の美術コレクションを収めた国立エルミタージュ美術館が一般公開された。エルミタージュは現在、世界で最も壮麗で至宝ぞろいの美術館として知られる。

1921

チャップリンの『キッド』

チャーリー・チャップリンが捨てられた赤ん坊を拾って世話する浮浪者を演じ、監督も務めたサイレント喜劇映画『キッド』が公開された。彼が長編映画を監督したのはこれが初めてだった。

宇宙を旅する自動車

2018

米国のスペースX社のロケット「ファルコン・ヘビー」が打ち上げられ、ロケットから放出された電気自動車「ロードスター」は、今も太陽を楕円軌道で回る。運転席には宇宙服を着たマネキンが座っている。

2019

算数ができるミツバチ

オーストラリアのロイヤルメルボルン工科大学（RMIT）が、ミツバチが算数の基礎的な計算ができることを証明した、と発表。ミツバチは脳が小さいにもかかわらず、迷路を使った実験で足し算と引き算の原理を理解し、簡単な問題を解けるようになったという。

他にもこんな出来事が

1778 アメリカ独立戦争中、フランスのパリで、米国とフランスが同盟条約に調印。米国が自由な国家として他国から認められたのは、これが初めてだった。

1840 ニュージーランドのワイタンギで、先住民マオリと英国代表がワイタンギ条約に調印。英国はその後、この条約をもとにニュージーランドの統治権を主張する。

1993 北欧の先住民サーミが、初めて「サーミ民族の記念日」を祝う。サーミの旗の掲揚をはじめ、数百の祝典が開かれた。

この日が誕生日

1945 ボブ・マーリー ジャマイカのシンガーソングライター。レゲエ音楽を世界に広めた伝説的なミュージシャンで、社会正義や平等を訴える彼の歌は大きな影響を与えた。

1959

長時間連続飛行記録

長時間耐久飛行の世界記録が、米国のロバート・ティムとジョン・クックによって樹立される。彼らは、空中で地上からの給油や食料補給を受けながら、米国ネバダ州のグレートベイスン砂漠上空を64日22時間19分飛び続けた。

この日が誕生日

1978 オモトラ・ジャレード・エケインド ナイジェリアの女優・歌手・実業家。これまでに約300本のナイジェリア映画に出演。

1979 タワックル・カルマン イエメンの女性人権活動家。平和的なデモを訴えて民主化運動で大きな役割を果たし、2011年にノーベル平和賞を受賞。

宇宙を散歩

1984

米国の宇宙飛行士ブルース・マッカンドレスが、地球周回軌道上にあったNASAのスペースシャトル「チャレンジャー」の外に出て90分間自由に動き回り、地球上空273kmからの眺めを楽しみながら初の命綱なしの宇宙遊泳を行った。

古代の壺が粉々に

1845

紀元前1世紀に作られた古代ローマの「ポートランドの壷」(黒地に白で情景が浮き彫りされたカメオガラスの壺)が、大英博物館を訪れた男によって粉々に壊された。壺は1980年代後半に復元された。

他にもこんな出来事が

1992 西ヨーロッパの12カ国がマーストリヒト条約に調印し、ヨーロッパ連合(EU)の基礎が築かれる。

2008 南アフリカのラム・バーカイが南極のクイーン・モード・ランド沖で泳ぎ、世界最南端での水泳記録を樹立。

2014 英国ノーフォーク州ヘイズブラの足跡遺跡が、少なくとも80万年前のものと判明。アフリカ以外で最も古い人類の足跡。

1865

遺伝学

オーストリアの修道士グレゴール・メンデルが、ブリュン自然協会でエンドウマメの遺伝について研究結果を発表。彼の説は生前は認められなかったが、のちに再発見され、遺伝への理解を深めることにつながった。

この日が誕生日

1828　ジュール・ヴェルヌ　フランスの作家。『海底二万里』や『八十日間世界一周』などのベストセラーを生み出した。サイエンスフィクション（SF）の開祖のひとりとされる。

1672

光学の実験

英国の科学者アイザック・ニュートンが、ロンドンの王立協会で、プリズムを使って太陽光を屈折させ、虹のような色に分ける方法を示した。彼の研究は、光のふるまいを研究する近代光学の発展につながった。

1974

長期の宇宙滞在

米国の宇宙飛行士3人が、宇宙ステーション「スカイラブ」に84日滞在。このミッションにより、人間が長期にわたって宇宙で過ごし、作業することが可能だと証明された。

他にもこんな出来事が

1587　スコットランド女王メアリーが、イングランド女王エリザベス1世暗殺計画に加担したため、19年間の軟禁の末に斬首された。

1841　英国の発明家ヘンリー・フォックス・タルボットが、ネガからポジを作り出す画期的な写真技法「カロタイプ」の特許を取得。

1904　日露戦争が始まり、日本陸軍先遣部隊が朝鮮半島の仁川（インチョン）に上陸。海軍は、ロシアの海軍基地がある中国・旅順港に魚雷攻撃を行う。この戦争は翌年9月の講和まで続いた。

他にもこんな出来事が

1969 ボーイング 747 ジャンボジェットが、米国ワシントン州エヴァレットの空港から初飛行。航空機業界を大きく変える。

2009 エジプトの考古学者が、サッカラの地下墓地遺跡の玄室（遺体を安置した部屋）で、2600 年以上前のミイラ約 30 体を発見。

2019 ポン・ジュノ監督の韓国映画『パラサイト 半地下の家族』が、非英語圏の映画として初めてアカデミー賞作品賞を受賞。

2月

9

1971 野球殿堂入り

米国の黒人プロ野球選手リロイ・"サチェル"・ペイジが、50 年にわたる現役生活での投手としての活躍によって、黒人として初めて野球殿堂入り。

1995

ナバホ族に捧ぐ

米国のバーナード・ハリスが、地球周回軌道上で、黒人宇宙飛行士として初の宇宙遊泳を行い、氷点下の環境で宇宙服をテストした。彼はナバホの旗を持って宇宙へ行き、この宇宙遊泳をナバホ族に捧げた。

この日が誕生日

1854 アレッタ・ヘンリエッテ・ヤコブス オランダの医師・社会活動家。オランダで最初の正式な女子大学生であり、オランダで最初に医師になった女性のひとり。

1932 ゲルハルト・リヒター ドイツの芸術家。絵画や写真の分野で、幅広い様式や主題を組み合わせて作品を制作している。

ビートルマニアの熱狂

1964

英国のバンド「ビートルズ」が、米国のテレビ番組『エド・サリヴァン・ショー』に出演し、7300 万人が視聴。バンドは行く先々でビートルマニア〔ビートルズの熱狂的ファン〕の熱烈な歓迎を受けた。これ以降、英国のスターが次々に米国で名声を得る。

1942

ゴールドディスク

米国のビッグバンド、グレン・ミラー楽団の「チャタヌーガ・チュー・チュー」のレコード販売枚数が120万枚になり、レコード会社が記念に金色のシングルをミラーに贈った。これがゴールドディスクの始まり。現在、ゴールドディスクは米国で50万枚、英国では40万枚を売り上げたシングルに授与される。

1996

人間 vs コンピューター

IBM社のコンピューター「ディープ・ブルー」が、ガルリ・カスパロフとのチェス試合に勝利。チェスの世界チャンピオンに勝った初めてのコンピューターになった。

この日が誕生日

1835 クリスティアン・アンドレアス・ヴィクトル・ヘンゼン ドイツの動物学者。海中の微生物をプランクトンと名付け、それが海の食物連鎖で果たす役割を解明した。

1842 アグネス・メアリー・クラーク アイルランドの天文学者。著書『19世紀天文学史』で、ヴィクトリア朝時代の読者に天文学をわかりやすく伝えた。

他にもこんな出来事が

1763 最初の世界的な紛争である七年戦争は、ヨーロッパと北米その他の植民地で戦闘が行われたが、この日にパリ条約によって終結。

1863 米国の発明家デュボア・D・パームリーが、初めて義足の特許を取得。

2013 ローマ教皇ベネディクト16世が引退の意向を表明。1415年のグレゴリウス12世以来の、教皇の生前退位となった。

1722

海賊ロバーツの最期

「ブラック・バート」の異名を持つ向こう見ずな海賊バーソロミュー・ロバーツが、英国海軍との戦闘で死亡。彼は生前、カリブ海や南北アメリカ沖、アフリカ沖で約400隻の船を掠奪（りゃくだつ）した。遺体は部下たちの手で海に流して葬られ、ついに発見されなかった。

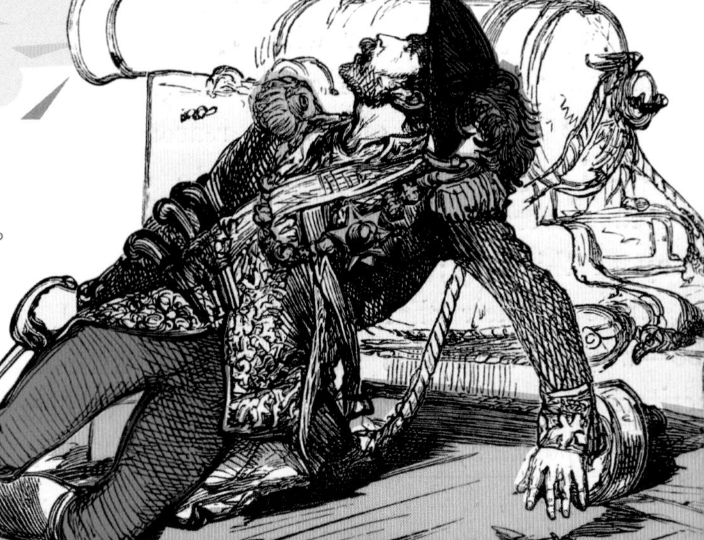

2月 11

2014

女子ジャンプ

ロシアのソチで開かれた冬季オリンピックで、初採用の女子スキージャンプ競技が行われ、ドイツのカリーナ・フォークトが金メダル。

この日が誕生日

1930 マリー・クヮント 英国のファッションデザイナー。1960年代に発表したミニスカートとホットパンツが一世(いっせい)を風靡(ふうび)した。

1972 ケリー・スレーター 米国のサーファー。サーフィン世界選手権で歴代最多の11勝。

紀元前 660

日本の建国記念日

『日本書紀』によれば、日本の初代天皇とされる神武天皇がこの日に即位したとされる（明治に入って旧暦からグレゴリオ暦に換算した日付が2月11日）。

1990

マンデラ釈放

南アフリカのアパルトヘイト（人種隔離政策）に反対して戦った黒人活動家ネルソン・マンデラが、27年間の獄中生活を経て釈放された。彼は国家反逆罪で終身刑を宣告されていた。

他にもこんな出来事が

1576 ラテラノ条約が締結され、ローマのバチカンが「バチカン市国」となる。現在も、バチカンは世界最小の国家。

1929 イランで、ルーホッラー・ホメイニー率いる革命軍が首都テヘランを掌握。イスラム革命政権が成立。

2011 エジプトのホスニー・ムバラク大統領が、30年にわたる強権政治に対する民衆の抗議を受けて辞任。

他にもこんな出来事が

1818 チリがスペインからの独立を正式に宣言。それまでの植民地支配は約300年におよんだ。

1909 米国で、人種差別をなくすことを目指して、全米有色人種地位向上協会（NAACP）が設立された。

2001 宇宙探査機NEARシューメーカーが、初めて小惑星エロスを周回して約1年間観測や画像撮影を行ったのち、この日に軟着陸に成功。

1947 ディオール登場

フランスのデザイナー、クリスチャン・ディオールが、パリで初めてコレクションを発表。『ニュールック』と評されたエレガントなジャケットや体にフィットしたドレスで世界にセンセーションを巻き起こす。

1994 ムンクの『叫び』が盗まれる

ノルウェーのオスロの国立美術館に2人組の泥棒が侵入し、ノルウェーの画家ムンクの代表作である油絵『叫び』を盗んだ。およそ3ヵ月後に犯人が逮捕されて絵は無事に発見され、美術館に戻された。

1912 ラストエンペラー

辛亥革命の結果、清国最後の皇帝・溥儀が6歳で退位を余儀なくされた。これによって、中国で2000年以上続いた皇帝による統治が終わる。溥儀の在位は3年だった。

この日が誕生日

1809 チャールズ・ダーウィン 英国の自然科学者。彼がアルフレッド・ウォレスとともに唱えた自然選択説は、科学や歴史観を大きく変えた。

1881 アンナ・パヴロワ ロシアのバレリーナ。世界を公演して回った最初のバレリーナ。特に『瀕死の白鳥』で有名。

2月13

1258 バグダード包囲戦

フラグ・ハン率いるモンゴル軍による13日間の包囲戦の末、バグダードのアッバース朝が降伏。その後、数十万人が殺害され、建物は破壊されて、イスラムの黄金時代の遺産は跡形もなく消えた。

1866 白昼の強盗

米国の無法者ジェシー・ジェームズが世界で初めて銀行強盗に成功。ミズーリ州のクレイ郡貯蓄組合から1万5000ドルを盗んだ。この犯行は、白昼堂々と行われた。

1988 クール・ランニング

カナダのカルガリーで開かれた冬季五輪のボブスレー男子４人乗りに、冬のスポーツとは無縁でトレーニングも不十分なジャマイカ代表チームが出場。最下位に終わるが、スポーツマン精神とチームの団結力を讃えられてヒーローとなる。

この日が誕生日

1879 サロージニー・ナーイドゥー インドの詩人・活動家。インド国民会議（政党）の女性議長。

1908 ポーリーン・フレデリック 米国のジャーナリスト。ネットワークニュース特派員として採用された最初の女性で、他の女性たちに刺激を与えた。

他にもこんな出来事が

1945 第２次世界大戦中、英米軍がドイツのドレスデン市への爆撃を開始。3日間の空襲で市街地6.5平方キロメートル以上が炎の海となって破壊された。

2004 白色矮星「ケンタウルス座 V886」が発見された。この星は宇宙最大の“ダイヤモンドでできた星”で、ビートルズの曲「ルーシー・イン・ザ・スカイ・ウィズ・ダイアモンズ」にちなんで「ルーシー」の愛称で呼ばれている。

2008 オーストラリアのラッド首相が、先住民アボリジニに対して、過去の政権が行った差別的政策や虐待を公式に謝罪。

1946

ENIACのお披露目

米国のペンシルヴェニア大学で、世界初の電子式汎用大型コンピューター「ENIAC」が公開された。この時のプログラムを組んだのは、全員女性のチームだった。

2016

AIロボット

米国のオースティンで、世界初の“人工知能（AI）を搭載した人型ロボット”「ソフィア」が公開され、スイッチが入れられる。彼女はスピーチをし、冗談を言い、相手への共感を示した。

他にもこんな出来事が

1779　英国の探検家ジェームズ・クックが、3度目の航海中にハワイで地元民に殺された。

1928　スコットランドの科学者アレクサンダー・フレミングが、世界初の抗生物質ペニシリンを発見。

1949　前年に独立したイスラエルの首都エルサレムで、国政選挙で選ばれた議員による初の国会（クネセト）が開かれた。

269

バレンタインデー

キリスト教信仰を捨てなかったヴァレンティヌス（バレンタイン）がローマで殉教。彼は後に恋人たちの守護聖人となった。

アクバル大帝

1556

ムガル帝国の第3代皇帝アクバルが13歳で即位。彼は、その後50年間で、ムガル帝国の支配域をインド亜大陸の大部分にまで広げた。

この日が誕生日

1914 マーガレット・E・ナイト 米国の発明家。27の特許を取得した。特に有名なのは、底が平らな紙袋。

1932

夏冬両方で金

米国のレークプラシッドで開かれた冬季五輪のボブスレー競技で、米国のエディ・イーガンが金メダルを獲得。1920年大会のボクシングでも優勝していた彼は、夏と冬の異なる種目で金メダルに輝いた唯一の人物である。

1943

銃後の女たち

第2次大戦中、米国のウェスティングハウス社の工場に、女性労働者を描いたこのポスターが提示された。「私たちにはできる」と書かれている。もともとは従業員にやる気を出させるための呼びかけだったが、やがて、女性たちの社会進出のシンボルになった。

他にもこんな出来事が

1942 第2次世界大戦中、日本軍が太平洋の重要拠点であるシンガポールを占領。連合国軍兵士数千人が捕虜となる。

2001 ヒトの全ゲノム情報（人の遺伝子の完全なセットに記された情報）が解読され、その最初のドラフト（概要版）が発表される。

2013 ロシアのチェリャビンスク上空で隕石が破裂。核爆発並みのエネルギーが放出され、衝撃波で建物が壊れ、1500人近くが負傷。

この日が誕生日

1820 スーザン・B・アンソニー 米国の女性権利運動家。社会改革者として大きな影響力を持ち、全米婦人参政権協会の会長を務めた。

1965

カナダの新国旗

カナダのオタワにある国会議事堂に、新しい国旗が初めてひるがえった。旗の中央には、何世紀も前からのカナダのシンボル、サトウカエデの葉が描かれている。

2003

怪盗団

ベルギーのアントワープ・ダイヤモンド・センターに、10段構えのセキュリティを突破して窃盗団が侵入。1億ドル相当のダイヤモンド、金、宝石類を盗み出した。後に逮捕される。

1946

民間用ヘリコプター

米国空軍で使われていた運輸・救難用ヘリコプターを民間用に改良したシコルスキー S-51型ヘリコプターが初飛行。民間企業によるヘリコプターの使用はこれが初めてだった。

この日が誕生日

1973 キャシー・フリーマン オーストラリアの陸上選手。コモンウェルス・ゲームズと五輪の女子 400m で金メダルを獲得。先住民アボリジニ初の個人種目での金だった。

他にもこんな出来事が

1857 米国連邦議会が「コロンビア盲聾唖教育施設」創設のために資金提供を承認。これにより聴覚、発語、視覚に障害を持つ生徒のための最初の学校が誕生し、現在のギャローデット大学へと発展した。

1933 米国の天文学者フリッツ・ツヴィッキーが、宇宙にダークマター（暗黒物質）と呼ばれる目に見えない物質があると推測する論文を書いた。

1945 米国で、アラスカの先住民に対する差別を防ぐための「アラスカ平等権法」が成立。

1923

ツタンカーメンの墓

英国の考古学者ハワード・カーターが、エジプトのテーベで発掘したツタンカーメン王の墓の玄室に入り、紀元前1324年以来保たれてきた貴重な遺物を発見。黄金の棺に納められた王のミイラに加えて、来世のための衣服、宝石、ゲーム、食べ物などが副葬されていた。

2月

17

1454 派手な宴会

リール（現フランス領）で、ブルゴーニュ公フィリップが、「キジの饗宴」という豪勢な宴会を開く。巨大なパイの中で楽団が演奏するなどの奇抜な余興が行われた。

1863 赤十字

スイスのジュネーヴで、アンリ・デュナンら５人の市民が、戦争の負傷者を救護するための組織として「国際負傷軍人救護常置委員会」を設立。これがのちに赤十字国際委員会となる。

この日が誕生日

1917 ワン・オド フィリピンの伝統的刺青（いれずみ）の彫師（ほりし）。彼女はこの技法を行う最後の人物である。

1963 マイケル・ジョーダン 米国の黒人バスケットボール選手。シカゴ・ブルズを率いて、北米バスケットボールリーグ NBA で６度の優勝を果たす。史上最高のバスケ選手のひとりとされる。

1972 フォルクスワーゲン・ビートル

フォルクスワーゲン・ビートルの1500万7034台目が生産ラインから出荷され、T型フォードを抜いて世界一販売台数の多い車に。コンパクトなデザインと手頃な価格で、世界中のドライバーに愛された。

他にもこんな出来事が

1936 米国で、仮面の主人公が悪と戦う漫画『ザ・ファントム』（リー・フォーク作）が新聞で連載開始。ファントムには特別な能力はないが、英雄的な行動やカラフルなコスチュームとマスクで、世界初のスーパーヒーローとなる。

1869 ロシアの化学者ドミトリー・メンデレーエフが、元素の周期表を初めて作成（日付は露暦＝ユリウス暦による）。

2008 セルビアの一部分だったコソボが、アルバニア系住民とセルビア人との長年の紛争を経て、セルビアからの独立を宣言。

2月

18

1911

航空便第1号

世界初の正式な航空便が、万国郵便博覧会の開催されたインドのアラハバードで発送される。フランス人パイロットのアンリ・ペケが、6500通の手紙を10km離れたナイニの町まで運んだ。

2015

新種のシードラゴン

西オーストラリア沖で発見された体長25cmの新種のシードラゴン（タツノオトシゴに似た魚）が、学術誌で報告される。シードラゴンの新種発見は150年ぶり。赤い体色から「ルビーシードラゴン」と名付けられた。

他にもこんな出来事が

1852 ロンドン動物園が、巨大なガラス水槽を発注。1年後、世界初の水族館「フィッシュハウス」がオープンした。

1930 米国の天文学者クライド・トンボーが、天体写真で太陽系の新惑星・冥王星（めいおうせい）を発見（2006年に準惑星に分類変更）。

1978 ハワイで第1回アイアンマン世界選手権が開催される。長距離の水泳と自転車とランニングを連続して全部こなす鉄人レース。

この日が誕生日

1898 エンツォ・フェラーリ イタリアのレーシングドライバー。高級スポーツカー製造で有名なフェラーリ社を設立した。

1930

空飛ぶ牝牛

米国で、エルム農場のオリーという牝牛が、空の上で乳しぼりをされた最初の牛になった。オリーを乗せた飛行機はミズーリ州上空を115km飛行し、その間に科学者たちが、高度が乳の出る量に影響するかを調べた。

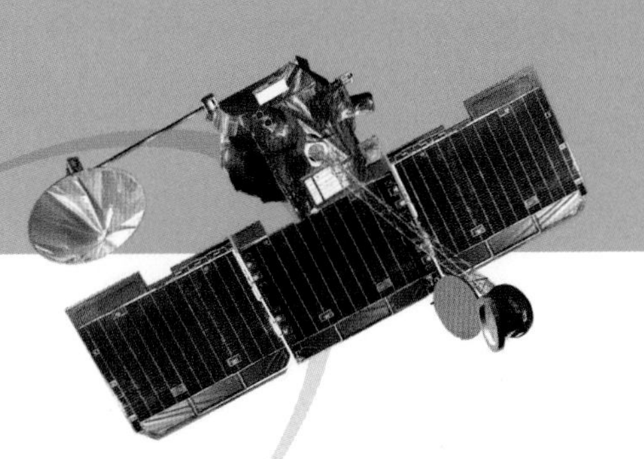

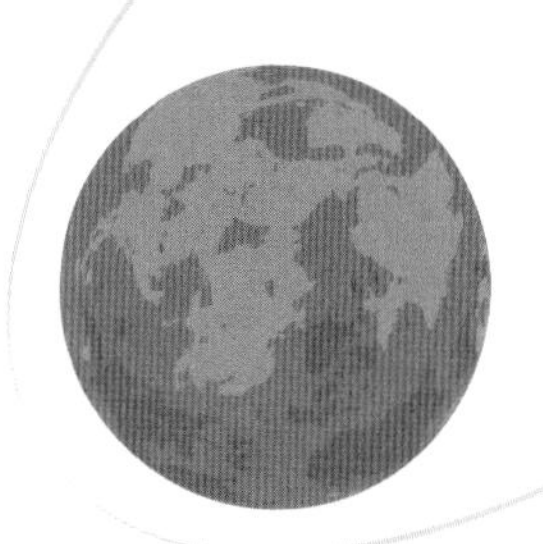

2002 火星の地図

NASAの火星探査機「2001マーズ・オデッセイ」が、火星表面の観測を開始。以来、多数の画像を送信し、火星に氷が存在する可能性を明らかにした。今も運用されており、地球以外の惑星を周回する探査機の最長稼働記録を更新中。

他にもこんな出来事が

1600 南米ペルーのアンデス山脈で、ワイナプティナ火山が噴火。周辺の村が壊滅的な被害を受け、およそ1500人の死者が出た。

1942 第2次世界大戦中、米国大統領フランクリン・ルーズヴェルトが大統領令9066号に署名。これにより日系米国人が強制収容所に移送されることになる。

2008 世界で最も長く（31年余り）国家の政治指導者の地位にあったキューバのフィデル・カストロが、国家評議会議長を辞任。

1914 特別な配達

4歳のシャーロット・メイ・ピアーストーフの両親は、米国の郵便制度を利用して、シャーロットを117km離れた場所に住む祖父母の家まで郵送した。この列車旅行は、83年後に『Mailing May（メイの郵送）』という本になった。

この日が誕生日

1473 ニコラウス・コペルニクス 地動説で知られるポーランドの天文学者・聖職者。数学・医学・経済学・翻訳・外交でも業績を残した。

1977 深海での新発見

太平洋のガラパゴス海嶺（かいれい）で、米国の潜水調査船アルヴィン号に乗った科学者たちが、深海底の熱水噴出孔を初めて発見。栄養豊富なこの熱水噴出孔の周囲には、貝類やカニやチューブワームなどが生息する特殊な生態系ができている。

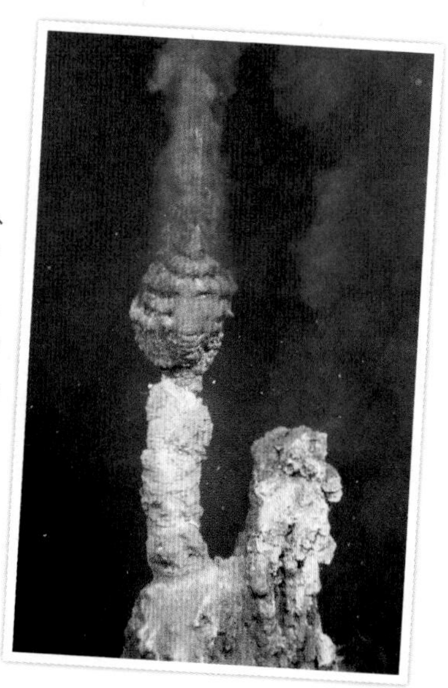

2月

20

1877 『白鳥の湖』初演

モスクワ（ロシア）のボリショイ劇場で、白鳥に姿を変えられた王女を主人公とするチャイコフスキーのバレエ『白鳥の湖』が初演された。当初は不評だったが、改訂されてから注目が集まり、今や世界で最も人気の高いバレエ演目のひとつである。

この日が誕生日

1927 シドニー・ポワチエ バハマ系米国人の俳優・映画監督。黒人で初めてアカデミー主演男優賞を受賞した。

1988 リアーナ バルバドス出身のシンガーソングライター・女優・モデル。世界的なスターで、社会貢献活動にも力を入れている。

1986 宇宙の居住施設

ソヴィエト連邦が宇宙ステーション「ミール」の最初のモジュール（構成部分）を打ち上げ。10年かけて残り6つのモジュールを追加する計画。

他にもこんな出来事が

1913 オーストラリアの首都キャンベラの建設が始まる。

1965 NASAの月探査機レインジャー8号が、月面のクローズアップ写真を初めて撮影。

2012 ロシアの科学者が、3万年前にリスが埋めた種子を組織培養したところ成長・開花したと発表。

1707

王朝の衰退

ムガル帝国で、49年間在位した皇帝アウラングゼーブが死去。彼の時代に帝国の領土は最大になり、インド亜大陸の大部分が支配域になったが、その死後は内紛や反乱が続いて帝国は衰退する。

1804 最初の蒸気機関車

英国の技師リチャード・トレヴィシックが発明した蒸気機関車が、初めて軌道の上を走った。機関車は16km近い距離を4時間と少しで走破し、10トンの鉄、5台の客車、70人の乗客を運んだ。

この日が誕生日

1933 ニーナ・シモン 米国の黒人シンガーソングライター。人種差別反対運動家でもあった。

他にもこんな出来事が

1848 ドイツの思想家カール・マルクスとフリードリヒ・エンゲルスの『共産党宣言』が出版され、以後の政治思想に大きな影響を与える。

1974 ユーゴスラヴィアの新憲法により、ヨシップ・ブロズ・チトーが「終身大統領」となる。

1995 米国の冒険家スティーヴ・フォセットが、4日間かけて熱気球による太平洋単独横断を成功させて、カナダに着陸。

1858

侵入警報機

米国の発明家エドウィン・ホームズが、ボストンの住宅に、最初の電気式侵入警報器を設置。彼は数年のうちに、防犯意識の高い人々に1200個以上の警報機を販売し、泥棒による被害を防いだ。

1965

マルコムXの暗殺

米国の黒人活動家でイスラム導師のマルコムXが、ニューヨークで撃たれて殺された。彼は、人種間の平等と正義のために戦っていた。

1997

羊のドリー

スコットランドの科学者が、世界で初めて哺乳類のクローンを誕生させ、成体まで成長させることに成功したと発表。クローン羊「ドリー」は、6 歳のメスの羊の細胞を使い、まったく同じ遺伝子を持つ個体として作られた。

他にもこんな出来事が

1848 フランス二月革命が始まる。パリで王政に反対する集会に大群衆が集まり、議会へ向けてデモを行う。

1924 米国で、飼い主と一緒に出かけた休暇先で行方不明になった後、4800km 離れた自宅に自力で帰りついた犬「ボビー」の物語が、町の新聞に掲載される。

1959 米国のレースドライバー、リー・ペティが、第 1 回デイトナ 500 レースで優勝。

1935

ハリウッド初の異人種とのダンス

米国の喜劇映画『小連隊長』が封切られる。白人子役スターのシャーリー・テンプルと、黒人タップダンサーのビル・“ボージャングル”・ロビンソンが階段で踊るシーンは、ハリウッド映画初の異人種ペアによるダンス場面だった。

この日が誕生日

1876 ジトカラ・サ 北米先住民ヤンクトン・ダコタ族の社会活動家。先住民の人権・公民権・文化を守るため、全米アメリカインディアン評議会を設立した。

2011

サッカーで大乱闘

アルゼンチンで、クライポーレ対ビクトリアノ・アレナスのサッカー試合がヒートアップし、ピッチ上で乱闘が発生。レフェリーは記録破りの 36 枚のレッドカードを出し、両チームの選手、控え選手、コーチが退場になった。

2月 23

他にもこんな出来事が

1807 大英帝国内の奴隷貿易を廃止するためにウィリアム・ウィルバーフォースが提出した「奴隷貿易法」が、英国議会で可決された。

1987 天文学者が、超新星 1987A の爆発直後の光を検知。超新星爆発の詳しい研究が初めて行われた。

2019 サッカー選手リオネル・メッシが、自身の 50 回目のハットトリックを達成。所属するスペインの FC バルセロナを勝利に導く。

1954 ポリオワクチン

米国のピッツバーグのアーセナル小学校で、児童に初めてポリオワクチンの接種が行われた。米国の医師ジョナス・ソークが開発したこのワクチンによって、何百万人もが病気から守られた。

1945 硫黄島の星条旗

第２次世界大戦末期の日米の激戦地・硫黄島で、上陸したアメリカ海兵隊が摺鉢山の頂上に星条旗を掲げ、有名な写真が撮られた。およそ１ヵ月後、日本軍の組織的抵抗は終わり、米軍が島を制圧した。

この日が誕生日

1868 W・E・B・デュボイス 米国の黒人で、社会学者・公民権運動家。全米有色人種地位向上協会（NAACP）の共同創設者。

532 アヤ・ソフィア

ビザンツ皇帝ユスティニアヌス１世が、コンスタンティノープル（現トルコのイスタンブール）に壮大なキリスト教会の建設を命じる。この大聖堂は以後 1000 年近く東方正教会の中心であった。現在はイスラムのモスクになっている。

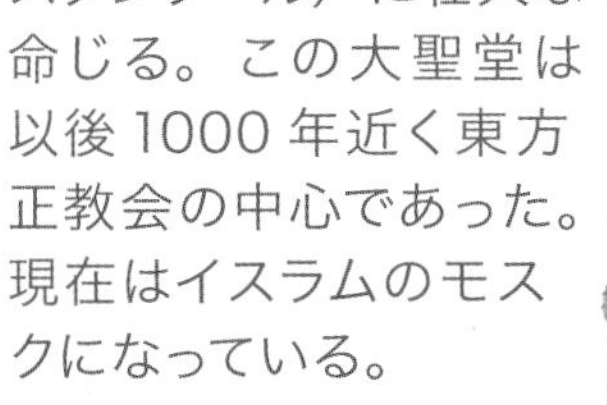

2月

24

1739

カルナールの戦い

ペルシアの君主ナーディル・シャーがインドに侵攻し、カルナールでムガル帝国のムハンマド・シャーと交戦。ナーディルが勝利を宣言し、ムガル帝国はこの敗戦をきっかけとして衰退の一途をたどる。

他にもこんな出来事が

1848 フランス二月革命（58ページ）で、国王ルイ・フィリップ1世が退位を余儀なくされる。彼はその後、「スミス氏」という一般人に変装して馬車でパリから逃亡し、英国に亡命した。

1920 ドイツのミュンヘンでナチス党員約2000人が集会を開き、綱領（基本方針）を採択。アドルフ・ヒトラーのドイツ支配への歩みが始まった。

フライング・スコッツマン

1923

英国のロンドン&ノース・イースタン鉄道が、ロンドンとスコットランドのエディンバラを結ぶ路線で「フライング・スコッツマン（空飛ぶスコットランド人）」の愛称を持つ蒸気機関車の運行を開始。試験走行で、蒸気機関車として初の時速160kmを記録した。

この日が誕生日

1304 イブン・バットゥータ モロッコの旅行家。北アフリカや中東を皮切りに、中国を含むアジアからアフリカ西部まで、30年間で通算12万kmも旅をし、旅行記を執筆した。

2018

大絵画大会

フィリピンのケソン市で開かれたフェスティバルで、1万6692人が集まって世界最大の美術レッスンが行われた。参加者は、45分のレッスンでカラフルなカーニバルのお面の色付けのしかたを学んだ。

2月
25

1951
アメリカ大陸の国別対抗戦

第１回パンアメリカン競技大会がアルゼンチンのブエノスアイレスで開幕した。中南米と北米の国々から２万5000人以上の選手が参加し、さまざまな種目のスポーツで競い合った。

他にもこんな出来事が

1570　ローマ教皇ピウス５世が、英国女王エリザベス１世をカトリック教会から破門。エリザベスが英国国教会を復権させたことが理由だった。

1870　米国ミシシッピ州の上院議員の欠員補充でハイラム・ローズ・レヴェルスが選ばれ、黒人初の連邦議会議員となる。

1992　ソ連の解体を受け、宇宙開発計画を引き継ぐためにロシアの宇宙機関ロスコスモスが創設される。

1986
ピープルパワー

フィリピンの「ピープルパワー革命」でフェルディナンド・マルコスの独裁政権が倒れ、マルコスは亡命。コラソン・アキノがフィリピン初の女性大統領に就任し、民主化が始まった。彼女は６年間の在任中に市民の自由や人権を強化した。

この日が誕生日

1841 ピエール＝オーギュスト・ルノワール フランスの画家。光と色と質感を巧みに操り、描く対象の“印象”を画布の上に表現する「印象派」のひとり。

ヘビー級の新王者
1964

米国の黒人ボクサー、カシアス・クレイ（試合後にモハメド・アリに改名）が、マイアミビーチでの試合でソニー・リストンを６ラウンドTKOで破り、世界ヘビー級チャンピオンになった。彼はその後、世界王座を３度獲得した最初のボクサーとなる。

2月

26

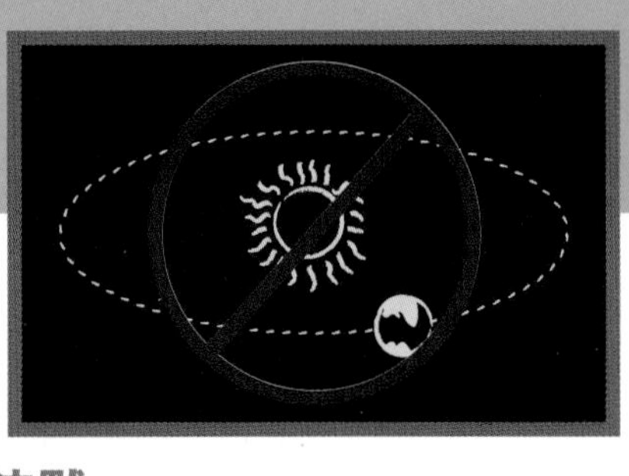

1909

キネマカラー

英国ロンドンのパレス・シアターで、初めて色のついた映画が上映された。赤と緑のフィルムと目の残像を利用するキネマカラーというこの手法は、英国の映画監督ジョージ・アルバート・スミスによって発明された。

1616

ガリレオの沈黙

ローマ・カトリック教会は、イタリアの天文学者ガリレオ・ガリレイが、地球は太陽の周りを回っているという説を説くことを禁じた。当時は、地球が太陽系の中心にあると信じられていた。

この日が誕生日

1829 リーヴァイ・ストラウス ドイツ生まれの米国の実業家。リーバイスの創業者。デニム生地を使った作業用ズボン（ブルージーンズ）のデザインで特許を取得し、製造販売した。

他にもこんな出来事が

1606 オランダの航海士ヴィレム・ヤンスが、ヨーロッパ人として初めてオーストラリアに上陸。

1935 スコットランドの物理学者ロバート・アレクサンダー・ワトソン＝ワットにより、航空機探知用のレーダーが初めて実演される。

2008 ノルウェーのスピッツベルゲン島の山中に、世界中の食用作物の種子を冷凍保存する「スヴァールバル世界種子貯蔵庫」が開設された。

1919

グランドキャニオン

米国のウッドロウ・ウィルソン大統領が、アリゾナ州のグランドキャニオンを国立公園に指定する議会法に署名。今では、コロラド川が削り出したこの巨大な渓谷に、毎年600万人の観光客が訪れる。

2月 27

1594

ブルボン朝のアンリ

アンリ４世がフランス国王として即位。ブルボン家から出た初のフランス王だった。彼の戴冠で始まった王朝は、ヨーロッパに大きな影響を与えた。アンリ４世はユグノー戦争（宗教戦争）を終結させてフランスに平和と発展をもたらし、「良王アンリ」と呼ばれた。

この日が誕生日

1956 ミーナ・ケシュワル・カマル アフガニスタンの政治活動家。女性の権利の承認と女性への教育を求めて、アフガニスタン女性革命協会を創設。また、難民の女性と子供たちのための学校を設立した。

1998

高値落札

米国ニューヨークで開かれたサザビーズのオークションで、60年以上前の1937年にウィンザー公（英国王エドワード８世の退位後の称号）の結婚披露宴で出されたケーキ１切れが、２万9900ドル（当時のレートで380万円）で落札された。売り上げはチャリティーに寄付された。

他にもこんな出来事が

1844 カリブ海のイスパニョーラ島で、ドミニカ共和国がハイチからの独立を目指し、その後12年続く闘争を開始。

1947 英国の物理学者ジェームズ・スタンリー・ヘイが、太陽が電波を発していることを発見。

1999 ナイジェリアで大統領選挙が行われた。文民大統領を選出して15年間続いた軍政から民主政権に移行するため、何百万人もが投票所で行列した。

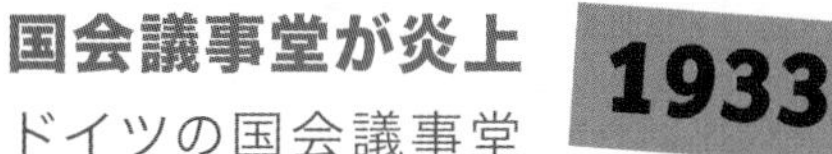

国会議事堂が炎上

1933

ドイツの国会議事堂（ライヒスターク）が放火された。ナチスの指導者で首相だったアドルフ・ヒトラーは、火災は共産主義者の反乱計画の一部だとして、自らの独裁権力を確立するために利用した。

この日が誕生日

1890 ヴァーツラフ・ニジンスキー
ロシアのバレエダンサー・振付師。独創的なアイディアと驚異的な身体能力で、バレエにおける男性の踊り手の役割を大きく変えた。

紀元前 202 漢王朝

中国で劉邦（りゅうほう）が皇帝として即位し、4 世紀に及ぶ漢王朝が始まる。農夫の子として生まれた劉邦は、長じて遊び人の侠客（きょうかく）となったが、やがて兵を率いて中国を統一し、平和と繁栄をもたらした。

DNAの二重らせん 1953

イギリスの科学者ロザリンド・フランクリンが撮影したデオキシリボ核酸（DNA）のX 線写真を手がかりに、ジェームズ・ワトソンとフランシス・クリックが DNA は二重らせん構造をしていることを明らかにし、この日発表した。DNA の塩基配列の解明は、遺伝子がどのように親子の間で受け継がれていくかの理解に役立った。

2012 古代のペンギン

ニュージーランドで発見された化石が、絶滅した大型ペンギン（学名カイルク・グレブネフィ）のものと判明。このペンギンは人間の背丈ほどもあり、ニュージーランドの大部分が海の下にあった 2700 万年前に生息していた。

他にもこんな出来事が

1897 アフリカ南東のマダガスカル島をフランス軍が占領し、保護領とした結果、マダガスカルを治めていたメリナ王国の女王ラナヴァルナ 3 世はこの日に退位を強いられ、追放された。

1935 米国の化学者ウォレス・カロザースが、強度の高い合成繊維「ナイロン」を開発。第 2 次世界大戦中はロープやパラシュート生地にも使用された。

1991 イラクがクウェートから撤退し、米国のブッシュ（父）大統領が湾岸戦争の戦闘終了を宣言。

2月 29

1964

ブラックバードのダミー

ジョンソン米大統領が、最高時速 3200km、高度 2 万 1000m で飛行可能な戦略偵察機ロッキード SR-71 ブラックバード（上のイラスト）の開発を隠すため、よく似た迎撃戦闘機 YF-12 の存在の方を公表。

この日が誕生日

1960, 1964, 1968 ヘンリクセン姉弟
ノルウェーに住むヘンリクセン家のハイディ、オラフ、ライフ=マルティンは、3 人とも、4 年おきに訪れるうるう年の 2 月 29 日に生まれた。

他にもこんな出来事が

1692 米国のセイラム村で 3 人の女性が魔女として告発され、世間が大騒ぎになって、悪名高いセイラム魔女裁判へとつながる。

1940 映画『風と共に去りぬ』でメイドを演じたハティ・マクダニエルがアカデミー助演女優賞を受賞。黒人初のオスカー獲得。

1996 ボスニア・ヘルツェゴヴィナの首都サラエヴォの包囲戦が終結。4 年近い戦闘で街は破壊され、死者は 1 万 3000 名にのぼった。

1912

「動く石」が落ちる

アルゼンチンのタンディル市にあった「ピエドラ・モベディィサ（動く石）」が、落ちて割れた（原因不明）。丘の上で絶妙にバランスを保っていたこの石は、タンディルのシンボルだった。2007 年にレプリカが設置された。

2012

世界一高い塔

着工から 4 年近くを経て、東京スカイツリーが完成。高さ 634m はタワー（塔）としては世界一の高さ。（ビルも含むと、ブルジュ・ハリファ〔9 ページ〕が 1 位。）

1896 アドワの戦い

第１次イタリア・エチオピア戦争の際、エチオピアのアドワの町付近で、装備も兵員数もまさるエチオピア軍がイタリア軍を破る。アフリカの国がヨーロッパの国による植民地化を防いだ、画期的な勝利だった。

1954

水爆実験

太平洋のマーシャル諸島のビキニ環礁で、米国が核実験を行う。15 メガトンの水爆が爆発して巨大なクレーターが残り、放射能汚染で周辺住民の健康に被害を与えた。〔日本のマグロ漁船「第五福竜丸」がこの時に被曝した〕。

他にもこんな出来事が

589 ウェールズの司教デイヴィッドが死去したとされる。彼は、異教徒の多いウェールズに修道院や教会を建ててキリスト教の教えを広めた。後にウェールズの守護聖人となり、毎年この日が聖デイヴィッドの日として祝われている。

1872 米国のイエローストーン一帯が世界初の国立公園に指定され、見事な自然の景観と野生生物が末永く保護されることになった。

1896 フランスの科学者アンリ・ベクレルが、ウランから放射線が出ていることを偶然発見した。

1873 新型タイプライター

米国のタイプライターメーカー、E・レミントン&サンズ社が、最初の近代的タイプライターの生産を開始。このタイプライターは、発明家クリストファー・ショールズが考案した QWERTY 配列のキーボードを採用した。

この日が誕生日

1868 アラスカ・パッカード・デヴィッドソン 米国の法執行官。FBI 初の女性特別捜査官になった。

1994 ジャスティン・ビーバー カナダのポップスター。歌っている動画のネット投稿がきっかけで世界的スターに。

2014 『それでも夜は明ける』

英国のスティーヴ・マックイーン監督（写真左）の『それでも夜は明ける』が、黒人監督による映画として初めてアカデミー賞作品賞を受賞。原作は、誘拐されて 12 年にわたる奴隷生活を送ったソロモン・ノーサップ（9 ページ）が 1853 年に発表した体験記。

この日が誕生日

1904 セオドア・スース・ガイゼル「ドクター・スース」のペンネームで数多くの絵本や児童文学を発表した米国の作家・画家・漫画家。作品は多くの言語に訳されている。

2018 ペンギンのコロニー

南極大陸西岸の沖にあるデンジャー諸島にペンギンの巨大コロニーがあることが判明した、と発表された。約 150 万羽のアデリーペンギンが暮らしていることが、衛星画像とドローンでの撮影と地上での調査によって初めて発見された。

1791 腕木通信

フランスの発明家クロード・シャップが、長距離でも信号を伝えられる視覚的通信システムを発明。手旗信号を大型にしたようなもので、塔の上に取り付けた長いアーム（腕木）をロープで動かしてメッセージを送った。

L

他にもこんな出来事が

1657 日本の江戸で明暦の大火が発生。江戸城も含めて江戸の町の大半が焼け、死者は数万人とされる（和暦では明暦 3 年 1月 18 日）。

1955 米国で、人種分離されたバスで白人に席を譲ることを拒否したローザ・パークス（341 ページ）より 9 ヵ月早く、15 歳の黒人少女クローデット・コルヴィンが同じ行動を取った。

1972 NASA の宇宙探査機「パイオニア 10 号」が打ち上げられた。地球の位置情報や人体の絵などを刻んだ金属板が搭載された。

1875

氷上の格闘技

カナダのモントリオールのスケートリンクで、初の屋内アイスホッケー試合が行われた。スケート靴、スティック、木製のパックを使用し、1チームのプレーヤーは9人だった。アイスホッケーは今やカナダの国民的スポーツである。

この日が誕生日

1882 エリーザベト・アーベック ドイツの教育者。第2次世界大戦中にユダヤ人をナチスからかくまい、逃亡を助けた。

1917 サミーラ・ムーサ エジプト初の女性核物理学者。原子力の平和利用の方法を見つけることに生涯を捧げた。

2017

ニンテンドースイッチ

日本の任天堂が、家庭用ゲーム機としても使える携帯型ゲーム機 Nintendo Switch（スイッチ）を発売してゲームファンを喜ばせた。発売から4年間の世界での販売台数は8000万台にのぼる。

他にもこんな出来事が

2005 米国のスティーヴ・フォセット（57ページ）が、世界で初めて飛行機で無給油単独世界一周に成功。飛行時間は67時間だった。

2014 史上最もサイズの大きいウイルスの発見が報告された。シベリアの3万年前の氷塊に含まれていたこのウイルスは、ピソウイルス・シベリクムと命名された。

2014 「世界野生生物の日」が初めて祝われた。この記念日は、地球上の動物や植物の多様性への認識を深めて保護を進める目的で、前年末に国連で定められた。

1887

奇跡の人

米国で、病気のために視力と聴力を失った6歳のヘレン・ケラーが、家庭教師アン・サリヴァンと出会う。サリヴァンはヘレンに触覚によるコミュニケーションを教え、ヘレンはやがて、障害者の教育や福祉向上の活動への尽力や著作で有名になった。

1351 アユタヤ王朝

ラーマーティボーディー１世が即位し、現在のタイのチャオプラヤー川流域にアユタヤ王朝を建てた。彼は首都を建設し、貿易を拡大し、行政や法律を整備し、勢力範囲を広げて広大な王国を統治した。

1918 スペイン風邪

米国カンザス州のフォートライリー陸軍基地で、約100人の兵士が風邪に似た症状を示した。これが、スペイン風邪の最初の症例記録だった。この伝染病は世界中に広がり、何百万人もの命を奪った。

この日が誕生日

1877 ギャレット・モーガン 米国の黒人実業家。限られた教育しか受けなかったが、ガスマスクの原型となるフードの発明、髪の毛をまっすぐにする薬品の開発、道路信号機の改良などを行った。

2020 火口の上で綱渡り

米国の冒険軽業師ニック・ワレンダが、ニカラグアのマサヤ火山の火口上での綱渡りに成功。火山ガスを吸い込まないようガスマスクを着用して臨んだ。活火山の上を横断した人物は史上初で、その模様はテレビで生中継された。

他にもこんな出来事が

1789 アメリカ合衆国の最高法規となる合衆国憲法が発効。

1951 インドのニューデリーで第１回アジア競技大会が開催された。11ヵ国が参加した。

1980 独立して間もないジンバブエで、ジンバブエ・アフリカ民族同盟のロバート・ムガベが同国初の黒人首相となった。

1977

族長の日

南太平洋のバヌアツで、初めて「族長の日」が祝われた。「族長の日」は今ではバヌアツ共和国の祝日になっており、宴会や祭りやカーニバルが行われて、族長の役割を讃え、地域の伝統的文化を守り伝えている。

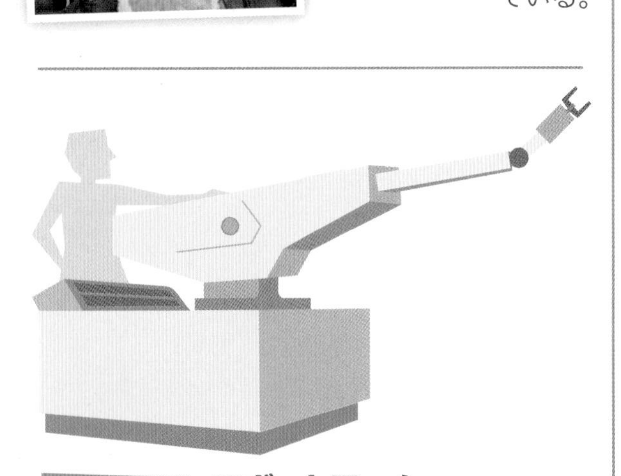

1965

ロボットアーム

米国のユニメイト社が初の産業用ロボットの特許を出願。発明家ジョージ・デヴォルの設計したこのロボットアームは、疲れを知らずに同じ作業を反復できた。これ以降、工場の生産ラインへのロボット導入が進んでいく。

1936

スピットファイアの初飛行

楕円形の翼と流線形の機体を持つ英国の戦闘機スピットファイアが、イーストリー飛行場で初の試験飛行。第２次世界大戦で英国の防空を担って名をはせることになるこの戦闘機は、高度 7000m での高速飛行を実現した。

この日が誕生日

1885 ルイーズ・ピアース 米国の科学者。致死率の高い「眠り病（アフリカ睡眠病）」の治療法発見に貢献し、治療薬の試験をベルギー領コンゴで行った。

他にもこんな出来事が

1616 ローマ教皇が、ポーランドの天文学者ニコラウス・コペルニクスの著書『天球の回転について』を禁書とする。地球が太陽の周りを回るという考え方はキリスト教会の考えに反するという理由だった。

1770 米国のボストン（当時は英国の植民地）で、英兵が群衆に発砲して５人が死亡する「ボストン虐殺事件」が起こる。

1946 英国のウィンストン・チャーチル元首相が米国の大学で講演し、ソ連の影響力による欧州の東西分断を指して、ヨーロッパに引かれた「鉄のカーテン」と呼んだ。

3月
6

ビンの中の手紙

2018

オーストラリアのウェッジ島の海岸で、世界最古のビン詰めのメッセージが発見された。メッセージの日付は1886年6月12日で、海流の調査をしていたドイツ船パウラ号からインド洋に投げ込まれたものだった。

ガーナ独立

1957

英国による植民地支配が終わり、ガーナ全土で市民が独立を祝う。ガーナはアフリカで最も早い時期に独立を達成した国のひとつである。

この日が誕生日

1475 ミケランジェロ・ブオナローティ イタリア・ルネサンス期の画家・彫刻家。大理石のダヴィデ像や「ピエタ」、バチカンのシスティーナ礼拝堂の天井画などが有名。

アラモの戦いが終結

1836

テキサスがメキシコからの分離独立を目指した戦争で、アラモ伝道所（今の米国サンアントニオ近郊にあった要塞）を守備するテキサス軍を、メキシコ軍兵士数千人が包囲攻撃。13日間の抗戦の末テキサス軍が敗北した。

他にもこんな出来事が

1204 フランス北部で、イングランドが守備するガイヤール城にフランス兵がトイレの汚物排出口をよじ登って侵入し、英兵を倒して城を占拠。包囲戦に勝利した。

1835 スコットランドの歴史家トマス・カーライルが書き上げた『フランス革命史』第1巻の原稿を、知人宅のメイドが誤って焚きつけにした。彼はもう一度原稿を書き、出版後はベストセラーになった。

1930 米国のマサチューセッツ州スプリングフィールドで、世界初の冷凍食品「バーズアイ・ブランドの冷凍食品」が発売される。

3月

7

2010

記念すべき受賞

米国の映画監督キャスリン・ビグローが、イラク戦争中の米軍爆弾処理班を描いた映画『ハート・ロッカー』で、女性として初めてアカデミー賞監督賞を受賞。

他にもこんな出来事が

1848 ハワイ王カメハメハ3世が「グレート・マヘレ」という土地分配法に署名。土地共有の伝統をやめ、私有地制を導入した。結果的に、多くのハワイ先住民が土地を失うことになった。

1902 第2次ボーア戦争で、南アフリカのオランダ系入植者（ボーア人）がトゥイーボスの戦いで英軍を破る（英国はその後増援を得て戦争には勝利）。

1971 東パキスタン（現バングラデシュ）の政治指導者シェイク・ムジブル・ラフマンが「バンガバンドゥの演説」を行って、近く始まるであろう独立戦争への準備を呼びかけた。

休息日

321

ローマ帝国の皇帝コンスタンティヌス1世が、帝国全体で日曜日を休息の日にすることを布告。当時すでに、初期キリスト教会は日曜を休息と礼拝の日と考えていた。

この日が誕生日

1938 ジャネット・ガスリー 米国のレーシングカー・ドライバー。インディ500とデイトナ500に女性として初めて出場。

1944 ラヌルフ・ファインズ 英国の探検家。南極大陸を初めて徒歩で横断し、南極点と北極点の両方に到達し、エベレストにも登頂した。

独軍ラインラント進駐

1936

第1次世界大戦後のヴェルサイユ条約と1925年のロカルノ条約によって非武装地帯とされていたラインラント（ドイツの国土のうちフランスとの国境地帯）に、ドイツ軍が前触れなしに進駐。フランスが反撃しなかったことで、ヒトラーに自信をつけさせる結果になった。

3月

8

1010 壮大な叙事詩

ペルシアの詩人フェルドウスィーが､壮大な叙事詩『シャー･ナーメ』（王の書）を書き上げた。執筆期間は30年以上。およそ10万行からなり、単独の作者による叙事詩としては世界で最も長いもののひとつに数えられる。

他にもこんな出来事が

1736 ナーディル・シャーがペルシア（イラン）の君主(シャー)として即位。イラン史上、最も重要な指導者のひとり。

1817 ウォール街にオフィスを借りていた米国の株式仲買人たちが、ニューヨーク証券取引所を設立。やがて世界最大の証券取引所へと発展する。

2014 マレーシア航空370便が北京に向かう途中でレーダーから消え、消息を絶つ。航空史上最高額の費用をかけて捜索活動が行われた。

1910 女性パイロット

フランスの女優から飛行士に転身したレモンド・ド・ラロシュが、女性として史上初めてパイロット資格を得る。彼女は、当時唯一の免許発行機関であったフランス航空クラブで、航空機操縦士免許を取得した。

1975 国際女性デー

国連が定めた「国際女性デー」が初めて祝われた。現在では、毎年この日にさまざまな催しが行われて、歴史上の女性たちの功績を称え、女性に関連する諸問題に目を向ける日になっている。

この日が誕生日

1951 モニカ・ヘルムズ 米国のトランスジェンダー活動家・作家・米海軍退役軍人。トランスジェンダー・プライド・フラッグという旗をデザインした。

1842

黄金の予知夢？

伝説によれば、カリフォルニアのプラスリータ渓谷の木陰で昼寝をしていたフランシスコ・ロペスは、自分が金色の池に浮いている夢を見た。目覚めてから野生のタマネギを何本か引き抜くと、根に金のかけらが付いていた。これが、カリフォルニアで最初に見つかった金だとされている。

この日が誕生日

1979 オスカー・アイザック グアテマラ出身の米国の俳優。『スター・ウォーズ』シリーズや『X-MEN：アポカリプス』に出演。

1959

バービー人形

バービー人形が、ニューヨークの玩具見本市で公開される。ドイツのビルト・リリという人形をもとに作られ、開発者の娘にちなんで名づけられた。今も、時代に合わせて常に改良や変化を続けている。

若き皇帝の即位

紀元前 141

中国で前漢の第７代皇帝・武帝が 16 歳で即位。54 年間の治世で政治・軍事・文化を発展させ、領土を最大に拡大して、漢の全盛期を築いた。儒教を国教化したことでも知られる。

他にもこんな出来事が

1009 ドイツのクェドリンブルク修道院の修道士の書いた書物に、初めてリトアニアという地名が記された。

1945 第２次世界大戦末期のこの日の深夜、米軍による東京大空襲が開始された。東京の下町が特に大きな被害を受け、８万人以上の死者が出た。

2005 インドで、ヒジュラ〔男性でも女性でもない第三の性〕への配慮から、パスポートに「E」という第三の性別が追加された。

3月

10

1876

最初の通話

スコットランド出身の発明家アレクサンダー・グラハム・ベルが、電話の実験に成功。隣の部屋にいた助手のトマス・ワトソンにかけた最初の通話で彼が言ったのは、「ワトソン君、ちょっと来てくれたまえ。用事がある」だった。

他にもこんな出来事が

1098 現在のトルコ領ウルファに、十字軍によって作られた最初のキリスト教国「エデッサ伯国」が誕生。

1831 フランス帝国の防衛と拡大のため、ルイ・フィリップ王によりフランス外人部隊が創設される。

2006 NASAの火星探査機「マーズ・リコネッサンス・オービター」が火星周回軌道に入り、火星表面の探査を開始。

紀元前 241

アエガテス諸島沖の海戦

共和制ローマと、アフリカ北岸のフェニキア人国家カルタゴの海戦が行われ、ローマがカルタゴ艦約50隻を沈没させて勝利した。地中海の支配権をめぐって両者が戦った3回のポエニ戦争のうち、第1次ポエニ戦争がこれで決着した。

1535

ガラパゴスへの訪問者

パナマの司教であったトメス・デ・ベルランガの乗った船が太平洋で航路を外れ、ガラパゴス諸島を発見する。ベルランガはこの島々にいた巨大な亀とウミイグアナを見て、亀を意味する古いスペイン語からガラパゴスと名付けた。

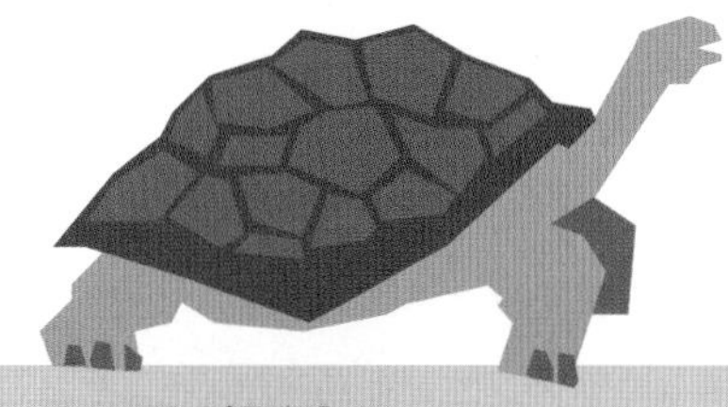

この日が誕生日

1981 サミュエル・エトー カメルーンのサッカー選手。アフリカ・ネイションズカップ史上最多の通算18得点をはじめ、多くの記録を持つストライカー。

他にもこんな出来事が

1888 「グレート・ホワイト・ハリケーン」と呼ばれた猛吹雪のため、米国ニューヨーク市周辺の交通機関がマヒし、通信にも障害が発生した。

1985 ミハイル・ゴルバチョフがソヴィエト連邦の新しい最高指導者に選出された。彼は政治・経済・情報公開の改革を行い、東欧の民主化を認めたが、ソ連という社会主義国家は崩壊へと進んでいく。

2004 スペインのマドリードで、イスラム過激派が4本の列車で合計10個の爆弾を爆発させるテロ事件を起こす。191人が死亡した。

2020 新型コロナ・パンデミック

新型コロナウイルスの患者数が世界的に急増していることを受け、WHO（世界保健機構）はこれがパンデミック（世界的大流行）に該当すると公式に宣言し、各国に緊急の対応を促した。この後も変異株が次々に現れて流行は続き、世界で数億人が感染し、数百万人が死亡することになる。

1967 絶滅の危機にある動物たち

米国内で生息数が減りつつある希少な野生動物を保護するため、合衆国内務省が初の「絶滅危惧種リスト」を発表。リストには、ハイイログマ（グリズリー）、フロリダマナティー、アメリカアリゲーター、白頭（はくとう）ワシなど、絶滅の危機にある78種の動物が掲載されていた。

この日が誕生日

1926 ラルフ・デヴィッド・アバーナシー 米国の黒人で、公民権運動指導者。モンゴメリー・バス・ボイコット事件でキング牧師とともに運動を率い、公共交通機関での人種分離を終わらせた。

2011 東日本大震災

東日本の太平洋側を襲った巨大地震で大津波が発生し、東北を中心に壊滅的な被害をもたらして2万人近い死者・行方不明者が出た。原子炉を冷却できなくなった福島第一原子力発電所では12日と14日に水素爆発が起き、大量の放射性物質が大気中に放出された。1986年のソ連・チェルノブイリ原発事故以来の大事故となった（写真は、千葉県市原市のコスモ石油千葉製油所の火災）。

SARS警報

2003

中国、香港、ベトナムで感染が広がった新しい病気について、WHO（世界保健機関）がグローバルアラート（国際警報）を発した。空気感染するウイルスが原因のこの病気は、後に重症急性呼吸器症候群（SARS）と命名された。

この日が誕生日

1929 ルペ・アンギアーノ メキシコ系米国人の人権活動家。女性の権利を訴え、女性に職業訓練を行い、福祉について政府に助言した。

1954 アニッシュ・カプーア インド出身の英国の現代彫刻家。ロンドンのロイヤル・アカデミー・オブ・アーツで、存命中の芸術家として初めて個展を開催。

1930

塩の行進

インドの民族運動指導者マハトマ・ガンディーと支持者たちが、イギリス植民地政府が課す「塩税」に抗議して自らの手で塩を作るため、アラビア海に向けて歩き始めた。この平和的行進の参加者は、24日間で386kmを歩いた。

1881

黒人初の代表

ガイアナで生まれ英国でサッカー選手になったアンドリュー・ワトソン（後列中央）がスコットランド代表になり、黒人初の国際試合出場を果たす。主将も務めた。

他にもこんな出来事が

1913 オーストラリアの首都としてシドニーとメルボルンの中間に建設される新都市が、キャンベラと命名された。

1938 ドイツ軍が国境を越えてオーストリアに侵攻し、併合。ドイツ語では「アンシュルス」（「接続」）と呼ばれる。

2017 日本のサッカーリーグJ2で、横浜FCの三浦知良（50歳）がゴール。リーグ戦で得点したプロサッカー選手の世界最年長記録を作った。

3月 13

天王星の発見 1781

英国の天文学者ウィリアム・ハーシェルが、天体観測中に天王星を発見した。土星より外側の惑星の発見は初めてだった。ハーシェル以前にもこの星を目にしていた人はいたが、それがまだ知られていない新惑星であることに気付いたのは彼が最初だった。

他にもこんな出来事が

1925 アステカ帝国の首都テノチティトランが今のメキシコシティの場所に築かれてから600年目を祝うため、この日が記念日に選ばれた。

1954 ソヴィエト連邦で、情報機関として国家保安委員会（KGB）が設立される。たちまち、米国のCIAと並ぶ世界有数の秘密情報収集組織となった。

1988 日本の本州と北海道を結ぶ青函トンネルが開通。津軽海峡の海底の下100mに掘られた、全長54kmの鉄道用トンネル。その後30年にわたり、世界一長い鉄道用トンネルの座を維持した。

この日が誕生日

1733 ジョゼフ・プリーストリー
英国の化学者・教育者。科学的な実験を通して酸素を発見。他にも、アンモニア、塩化水素、一酸化硫黄などいくつかの気体を発見した。炭酸水も彼の発明。

1848 ウィーンの三月革命

フランスの二月革命の影響でヨーロッパ全土に市民革命の機運が高まる中、ドイツ連邦の議長国だったオーストリアのウィーンで、政治改革を求めるデモが暴動に発展。政府は民衆をなだめようと、メッテルニヒ首相を解任した。

1997 フェニックスの光

米国のアリゾナ州やネバダ州、メキシコのソノラ州の上空で、夜空をV字状に並んで移動する光が多くの人に目撃され、未確認飛行物体（UFO）ではないかと騒ぎになった。さまざまな説が出されたが、謎は解けなかった。

3月

14

1989

首席で卒業

アメリカ先住民のスーザン・ラ・フレッシュ・ピコットが、ペンシルヴェニア女子医大を首席で卒業。彼女は米国で医師の資格を得た最初の先住民となり、生まれ育ったオマハ族居留地で医学の知識を先住民のために役立てた。

この日が誕生日

1965 アーミル・カーン インドの俳優・映画監督。数々のインド映画に出演。アジア最大の映画スターのひとりとされる。

1988

第1回π(パイ)の日

円周率πがおよそ3.14であることから、米国サンフランシスコの科学博物館で、この日にπを祝う習慣が始まる。参加した数学ファンは、円周率を暗唱し、パイを食べて楽しんだ。

他にもこんな出来事が

1489 地中海の島国キプロス王国最後の君主カタリーナ・コルナーロ女王が退位し、キプロスをヴェネツィア共和国に譲渡。

1931 インド初のトーキー映画『アラム・アラ』が公開された。サウンドトラックも大ヒットした。

2020 フランスの航空会社エア・タヒチ・ヌイの飛行機が、タヒチからパリまで無着陸で1万5715kmを飛行し、旅客機の長距離飛行記録を樹立。

1950

最重要指名手配犯

米国の連邦捜査局(FBI)が、記者からの「米国で犯罪を行って逃亡中の容疑者のうち最も危険な者たちの名前が知りたい」という依頼を受け、初めて「十大最重要指名手配犯」のリストを発表。

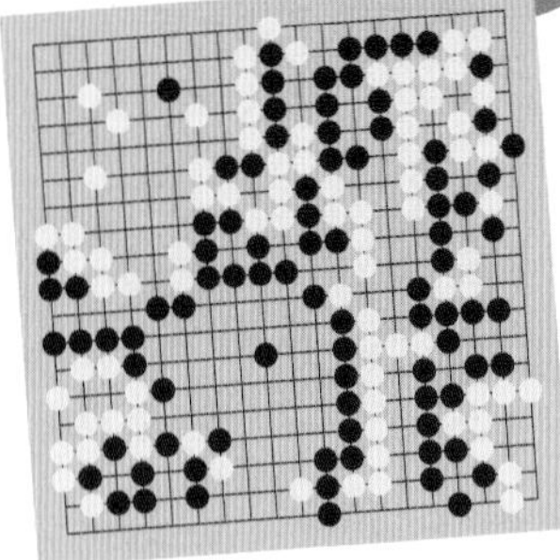

2016

囲碁コンピューター

Google DeepMind（グーグル ディープマインド）社のAlphaGo（アルファ碁）プログラムが、世界タイトルを18回獲得した韓国の棋士・李世乭（イセドル）と韓国のソウルで対局し、4勝1敗で勝利を収めた。

1879

偽名でも逃がさない

フランスのアルフォンス・ベルティヨンが、警察の事務職員となった。偽名を使う犯罪者の身体的特徴を調べて記録し、過去に逮捕歴のある者と同一人かどうかを判定する「人体測定法」を考案。犯罪学と法医学に大きく貢献した。

1901

ファン・ゴッホ回顧展

フランス・パリのベルネーム＝ジューヌ画廊で、11年前に死去したオランダ人画家フィンセント・ファン・ゴッホの絵画71点が展示され、大評判となる。ゴッホの絵で生前に売れたのはわずか数点だった。

他にもこんな出来事が

紀元前 44 古代ローマで終身独裁官となったユリウス・カエサルが、元老院議員たちに刺されて死亡。

1937 米国の医師バーナード・ファンタスが、世界初の血液銀行をシカゴに開設。

2002 ノルウェーの女子スキー選手ロングニル・ミクレブストが、ソルトレーク冬季パラリンピックで大会5個目の金メダルを獲得。冬季パラリンピック通算22個の金は最多記録。

この日が誕生日

1933 ルース・ベイダー・ギンズバーグ 米国の連邦最高裁判事。女性や労働者の権利擁護で名を上げ、女性として2人目、ユダヤ系女性としては初の最高裁判事に選ばれた（228ページも参照）。

3月
16

1872
第1回FAカップ
世界で最も古いサッカーのカップ戦であるFAカップの第1回の決勝戦が、英国ロンドンのケニントン・オーヴァル競技場で開催される。ワンダラーズがロイヤル・エンジニアーズを1-0で破って優勝した。

この日が誕生日
1750 カロライン・ハーシェル 英国で活躍したドイツ生まれの天文学者。女性として初めて彗星を発見。同じ天文学者の兄ウィリアム・ハーシェルの天文計算も手伝った。

1916 山口彊（つとむ） 日本の造船技師。第2次世界大戦中、広島と長崎の両方の原爆で直接被爆。記録映画『二重被爆』に出演、核兵器廃絶を訴えた。

2019
泳ぎ続けて62km
南アフリカのスイマー、サラ・ファーガソンが、人類史上初めて太平洋のイースター島の周りを泳いで一周。彼女は19時間かけて62kmを泳ぎきった。

1926
ロケット打ち上げ
ロケット推進技術のパイオニアである米国の科学者ロバート・H・ゴダードが、米国オーバーンの畑で、最初の液体燃料ロケットの打ち上げに成功。ロケットは時速96kmで2秒間飛行した。

他にもこんな出来事が
1815 ネーデルラント王国（オランダ王国）が成立し、ヴィレム1世が初代国王となった。

1827 米国ニューヨークで、初の黒人が経営し運営する新聞『フリーダムズ・ジャーナル』が発行された。

1844 英国の医師ジョン・ボストックが花粉症の症状に関する論文を発表。アレルギーについて初めて医学的に説明した。

3月 17

461

聖パトリック

アイルランドの守護聖人である聖パトリックが、この日に死去したとされる。彼は、シャムロック（カタバミやシロツメクサなどの三葉の植物）を示して三位一体（父なる神、子であるイエス、精霊が一体であるという教え）を説明したことで知られる。アイルランドでは毎年この日が「聖パトリックの日」として祝われる。

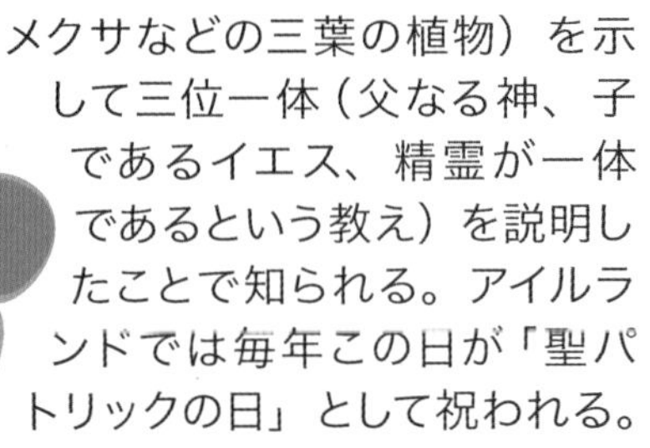

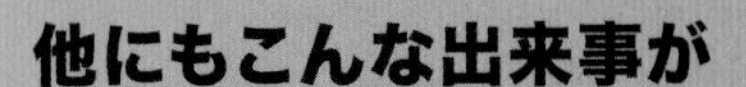

1969

イスラエルの「鉄の女」

イスラエルで、ゴルダ・メイアが同国初の女性首相に選出された。5年間政権を担当し、イスラエル政界の「鉄の女」として知られた。在任中の1973年に第4次中東戦争が起き、その際の準備の不手際を批判されて74年に辞任する。

この日が誕生日

1902 アリス・グリーナフ・オア 米国初の女性のプロ・ロデオ選手。サドル・ブロンコ部門で世界選手権を4度制覇。

1969 アレキサンダー・マックイーン 英国のファッションデザイナー。自身の名を冠したブランドを創設し、英国を代表する高級ブランドに育てた。フランスのブランド「ジバンシー」のメインデザイナーを務めた時期もある。

他にもこんな出来事が

1861 10年にわたる戦いの末にイタリアが統一され、トリノでイタリア王国が正式に成立。ヴィットーリオ・エマヌエーレ2世が国王となる。

1958 米国が初の太陽電池式人工衛星「ヴァンガード1号」を打ち上げ。現在、地球を周回する最古の人工物。

1992 南アフリカ共和国でアパルトヘイト（人種隔離政策）廃止を求める国民投票が行われ、白人有権者の過半数が賛成票を投じた。

2001

エデン・プロジェクト

8つのドームが連結された巨大な温室施設「エデン・プロジェクト」が、英国コーンウォールにオープン。現在では世界各地から集められた約5000種類の植物が栽培され、観光地になっている。

3月18

2019 超高価なレース鳩

ベルギーで開かれたオークションで、スピードに定評のあったレース鳩「アルマンド」が125万ユーロで落札される。一般的なレース鳩の取引価格は2500ユーロ程度だが、アルマンドは出場したほぼすべてのレースで優勝していた。

1967 点字ブロック

日本の岡山市の盲学校近くの歩道に、三宅精一が考案した点字ブロック（視覚障害者誘導用ブロック）が初めて敷設された。目立つ色で点状や線状の盛り上がりの付いたブロックにより、視覚障害者が安全に歩きやすくなった。

この日が誕生日

1904 マーガレット・タッカー オーストラリア先住民の社会活動家。先住民女性として初めてアボリジニ担当省に入省し、同国初の女性のアボリジニ福祉委員会メンバーになった。

1970 クィーン・ラティファ 米国の黒人歌手・ラッパー・女優。グラミー賞（音楽）とゴールデングローブ賞（演技）の両方を受賞している。

1966 使い捨ての紙の服

米国の『タイム』誌の記事で、スコット・ペーパー社が1ドルの紙製ドレスを宣伝。カラフルな紙の使い捨てドレスは話題を呼び、1年間で50万着以上が売れたが、着心地はあまりよくなく、流行はすぐに終わった。

他にもこんな出来事が

1662 フランスのパリで、初めて公共バスが運行された。馬に引かせるこの乗り物は、路線上の決まった地点で停車して乗客を乗せた。

1925 米国で3州にまたがるトライステート竜巻が発生。観測史上最長の移動距離で、700人近くが死亡。

1965 ソヴィエト連邦の宇宙飛行士アレクセイ・レオーノフが、命綱をつけて宇宙船外に出て、世界初の宇宙遊泳を行った。

1279

崖山の戦い

中国の広州湾で、元（モンゴル）軍と南宋軍が戦う。この戦いで敗北した南宋は完全に滅び、元の皇帝クビライ・カンが広大な中国を支配することになる。

1842

空席だらけ

フランスで戯曲『キノラの策略』の上演が始まったが、客席はほとんど空っぽだった。作者のオノレ・ド・バルザックが、宣伝のつもりで「チケットはほぼ完売」と発言したのが裏目に出た。

この日が誕生日

1848 ワイアット・アープ アメリカ西部開拓時代の伝説的ガンマン、ギャンブラー、法執行官。兄やドク・ホリデイらとともに無法者を射殺した「OK牧場の決闘」（305 ページ）で有名。

他にもこんな出来事が

1982 英国支配下のフォークランド諸島にアルゼンチン人グループが上陸し、国旗を掲揚。これをきっかけに 10 週間にわたる両国間の紛争が始まる（98、171 ページも参照）。

2018 キタシロサイ最後のオス「スーダン」がケニアで老衰死。現在残るキタシロサイはメス 2 頭のみ。

2019 米国の数学者カレン・ウーレンベックが、優れた業績により、「数学のノーベル賞」と呼ばれるアーベル賞を女性で初めて受賞。

1882

サグラダ・ファミリア

スペインのバルセロナで、ウルキナオナ司教がサグラダ・ファミリア教会の礎石を置く。カタルーニャの建築家アントニ・ガウディが設計したこの聖堂は、150 年後の現在も建設工事が続いている。

相対性理論

1916

天才科学者アルベルト・アインシュタインが一般相対性理論を発表。時間、空間、質量、重力がどのように関連しあっているかを説明する画期的な理論で、これにより物理学は大きく書き換えられ、その後の科学の発展に多大な影響を与えた。

他にもこんな出来事が

1800 イタリアの発明家アレッサンドロ・ボルタが、新発明の電池について説明した文書をロンドン王立協会に送った。

1995 日本の宗教教団「オウム真理教」が、通勤時間の東京の地下鉄で猛毒の神経ガス「サリン」をまいた。12 人が死亡し、5500 人以上が被害を受けた。

2013 幸福で充実した生活を目指すために国連が定めた「国際幸福デー」の第 1 回が祝われた。

1959

ぎゅう詰め

南アフリカのダーバンで、公衆電話ボックスに何人を詰め込めるかの挑戦が行われ、25 人の学生が入って世界新記録が樹立された。電話が鳴っても、誰も受話器を取れなかった。

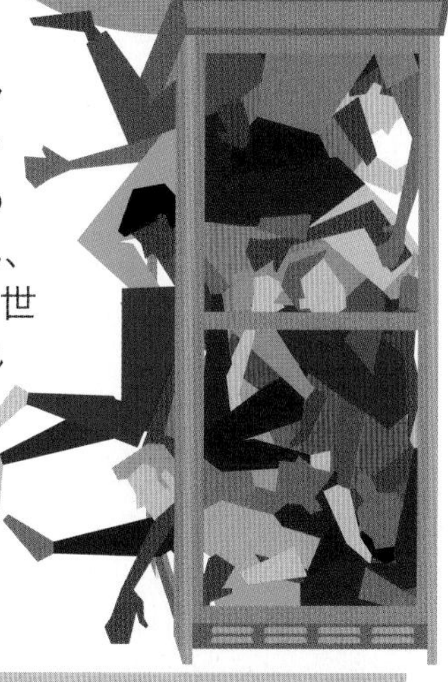

この日が誕生日

1957 デヴィッド・フォスター オーストラリアの木こり競技世界チャンピオン。幼少時から父親に木こりの技術を仕込まれ、180 以上の世界タイトルを獲得。

1966

トロフィー盗難

サッカーのワールドカップ・イングランド大会開幕直前のこの日、ロンドンで展示中の優勝カップ（ジュール・リメ杯）が盗まれた。1 週間後にピクルスという名の犬がカップを発見し、優勝したイングランドチームはカップを高く掲げることができた。

1871

ドイツの鉄血宰相

ドイツ統一の立役者で、プロイセン首相時代には鉄血宰相の異名を取ったオットー・フォン・ビスマルクが、新たに誕生したドイツ帝国の初代首相に就任。ドイツは第1次世界大戦までヨーロッパで支配的な勢力を誇った。

この日が誕生日

1685 ヨハン・ゼバスティアン・バッハ ドイツの作曲家・音楽家。合唱曲や器楽曲、特に協奏曲やオルガン曲を多数作曲した。『ブランデンブルク協奏曲』で有名。

1806 ベニート・パブロ・フアレス・ガルシア メキシコの政治家。1858年にメキシコ初の先住民大統領となった。

1846

サクソフォン

ベルギーの楽器製造職人アドルフ・サックスが、8種類の管楽器（いずれもサクソフォンのバリエーション）の特許を申請。彼が発明した楽器は、後にジャズミュージシャンの間で人気を博す。

他にもこんな出来事が

1916 チェスの米国チャンピオン、フランク・ジェームズ・マーシャルが、米国のワシントンDCで開催された大会で、史上最多の105面同時対局を行った。

1935 イラン国王レザー・シャー・パフラヴィーが、他国に、ペルシアでなくイランと呼ぶよう要請。

2006 ツイッターの創業者ジャック・ドーシーが、世界初のツイート「Just setting up my twttr」を投稿。

1999

熱気球で新記録

スイスの探検家ベルトラン・ピカールと英国の気球乗りブライアン・ジョーンズが、史上初の熱気球による無着陸世界一周を達成。この日、彼らの乗った気球が、20日間の旅を終えてエジプトのカイロ近郊に着陸した。

1998

超軽量動力機で世界一周

マイクロライトプレーン（超軽量の動力付き航空機）での世界一周を目指す英国の冒険家ブライアン・ミルトンが、ロンドンの軽飛行機用飛行場を離陸した。4ヵ月後に帰還して、世界新記録を樹立する。

1993

世界水の日

ブラジルで開かれた国連の会議「地球サミット」での提言をきっかけに制定された「世界水の日」の第1回。世界には安全な飲み水のない生活をしている人が20億人もいることを訴え、水についての意識向上を目指す。

他にもこんな出来事が

1895 フランスのオーギュストとルイのリュミエール兄弟が、映写機でフィルムの映像を投影する「シネマトグラフ」の実演を初めて行う。

1945 アラブ諸国間の協力や連携を強めるため、エジプト・シリア・レバノン・イラク・ヨルダン・サウジアラビア・イエメンの7ヵ国がアラブ連盟を創設。

1995 ロシアの宇宙飛行士ヴァレリー・ポリャコフが、史上最長の438日間にわたるミール宇宙ステーションでの宇宙滞在を終え、地球に帰還した。

この日が誕生日

1923 マルセル・マルソー フランスのパントマイムアーティスト。パントマイムの魅力を世界に知らしめた。

1929 草間彌生（くさまやよい） 日本の前衛芸術家。「水玉の女王」と呼ばれ、水玉をモチーフにした独特の絵画や造形作品で世界に知られる。

1635

孔雀の玉座

インドのデリーにあるレッド・フォート(赤い城)で、ムガル帝国の皇帝シャー・ジャハーンの即位7周年式典が催され、皇帝が座る「孔雀の玉座」が披露された。玉座にはダイヤをはじめ多数の宝石がちりばめられていた。

他にもこんな出来事が

1983 米国のロナルド・レーガン大統領が、演説の中で、核攻撃から国土を守るための戦略防衛構想（通称「スターウォーズ計画」）を提唱。

2003 日本の宮崎駿（はやお）監督のアニメ映画『千と千尋の神隠し』が、米国以外で制作された作品として初めてアカデミー長編アニメーション賞を受賞。

2014 WHO（世界保健機関）により、ギニアでエボラ出血熱の患者が発生したことが報告された。西アフリカではこの伝染病で少なくとも1万1000人が死亡した。

この日が誕生日

1882 アマーリエ・エミー・ネーター ドイツの数学者。抽象代数学と理論物理学に多大な貢献をした。

1983 モハメド・ファラー ソマリア出身の英国の陸上選手。オリンピックの男子5000mと10000mで4個の金メダルを獲得した。

1956

イスラム共和国

1947年にインド亜大陸の英国植民地からヒンドゥー教のインドと分かれて分離独立したイスラムの国家パキスタンが、共和制に移行。世界初のイスラム共和国となった。現在この日は共和国記念日になっている。

歩かずに上の階へ

1857

世界初のエレベーターが、米国ニューヨークのハウワート百貨店で利用開始。乗客が安全に上下の階を行き来できるようにこのエレベーターを設計・施工したのは、発明家エライシャ・オーティス。エレベーターの動力は蒸気機関だった。

ソチの砂嵐

2018

猛烈な風がサハラ砂漠の砂を巻き上げ、地中海を越えてヨーロッパにまで飛ばした。砂まじりの降雪はロシアのソチのスキー場の雪原を鮮やかなオレンジ色に変え、メディアはその風景を、まるで赤い惑星・火星のようだと報じた。

3月
24

1603 家康、将軍になる

この日（旧暦の慶長8年2月12日）、徳川家康が征夷大将軍（せいいたいしょうぐん）に任じられた。彼は低湿地に寒村漁村が点在する場所だった江戸に幕府を開き、260年以上にわたる徳川時代の基礎を築いた。江戸は大きく発展し、今の東京へとつながる。

1921 女性だけの国際大会

モナコのモンテカルロで、初の国際的な女子スポーツ大会「女子オリンピアード」が開幕。5日間にわたり、100人の女性アスリートがさまざまな陸上競技で競った。写真は砲丸投げで優勝した米国のルシール・ゴッドボルド。

他にもこんな出来事が

1882 ドイツの医師・細菌学者ロベルト・コッホが、結核の原因菌の発見を発表。

1944 第2次大戦中、ドイツ空軍の捕虜収容所から76人の連合軍航空兵が極秘にトンネルを掘って脱走し、3人が逃げおおせる。米映画『大脱走』（1963）のモデル。

2002 アカデミー賞に新設された長編アニメーション賞を、緑色の怪物を主人公とする米国のコメディアニメ『シュレック』が受賞。

この日が誕生日

1826 マティルダ・ジョスリン・ゲージ 米国の社会活動家。女性のための社会改革を唱えて全米婦人参政権協会を設立したほか、アメリカ先住民の権利擁護などの活動も行った。

1874 ハリー・フーディーニ ハンガリー生まれの米国の奇術師。驚異的な消失マジックや、さまざまな状況からの脱出術で有名になり、「脱出王」と呼ばれた（270ページも参照）。

1989 大量の原油が流出

米国の石油タンカー「エクソン・バルディーズ号」がアラスカ湾で座礁し、約3万7000トンの原油が海に流出。流れ出た原油はアラスカ沿岸の2400kmにおよぶ広い範囲を汚染して環境破壊をもたらし、海鳥、ラッコ、アザラシなどの野生動物が多数死に、生態系が甚大な被害を受けた。

3月

25

1436 フィレンツェ大聖堂

イタリアのフィレンツェにあるサンタ・マリア・デル・フィオーレ大聖堂が完成し、ローマ教皇エウゲニウス4世によって聖別された。イタリアの建築家フィリッポ・ブルネレスキが設計したレンガ造りの巨大ドームは、現在も史上最大のドームである。

他にもこんな出来事が

1306 スコットランドがイングランドの支配から独立し、ロバート1世が国王として戴冠。

1655 オランダの天文学者クリスティアーン・ホイヘンスが、自作の望遠鏡で土星最大の衛星タイタンを発見。

1807 英国で奴隷貿易法が発効し、大英帝国内の奴隷貿易が禁止された。(59ページも参照)

この日が誕生日

1942 アレサ・フランクリン 米国の黒人歌手。ソウルの女王として知られ、グラミー賞を18回受賞し、女性として初めてロックンロールの殿堂入りを果たした。

1947 エルトン・ジョン 英国のシンガーソングライター。レコード販売枚数3億枚以上、グラミー賞5回受賞の世界的なポップスター。同性婚者で、LGBTQ+ の象徴的有名人でもある。

セルマの行進 1965

米国で、選挙権を求める黒人の運動を警察が力で鎮圧しようとしたことに抗議し、公民権運動指導者マーティン・ルーサー・キング牧師が約2万5000人の支持者とともに、アラバマ州のセルマから87kmを行進して州都モンゴメリーに到着。

3月

26

1169 エジプトの支配者

イスラムの戦士サラーフッディーン（サラディン）がエジプトとシリアのスルタン（支配者）となり、アイユーブ朝を創始。アラビアからアフリカにかけての広い地域を治め、聖地エルサレムをめぐる十字軍との戦いでも大きな役割を果たした。

他にもこんな出来事が

1859 フランスの医師エドモン・レスカルボーが新惑星を発見したと信じ、ヴァルカンと名付けた（実際は小惑星だったのではないかと考えられている）。

1897 ニュージーランドで、アピラナ・トゥルパ・ンガタが、マオリとして初めて弁護士資格を得た。

1979 エジプト・イスラエル平和条約が米国のワシントンDCで締結され、両国首脳の握手がテレビ中継された。

この日が誕生日

1931 レナード・ニモイ 米国の俳優。SFテレビドラマシリーズ『スタートレック』のミスター・スポック役で知られる。

2012 スケボーの離れ業

米国カリフォルニア州で、12歳のスケートボーダー、トム・シャーが、空中で3回フルスピンする高難度の技「1080（テンエイティ）」を初めて成功させた。彼はメガランプ（スケボー用のU字型の構造物で高さのあるもの）でこの快挙を達成した。

1927 ノンストップ・レース

イタリアで、自動車レース「ミッレミリア」（1000マイルの意）が初開催された。スポーツカーでブレシアを出発し、イタリア国内の公道を最高時速77kmで1000マイル（1609km）疾走してブレシアに戻るレースで、優勝タイムは21時間余りだった。

3月
27

1871
初のラグビー国際試合
スコットランドのエディンバラで行われた世界初のラグビー国際試合で、約4000人の観客が見守る中、スコットランドがイングランドを1-0で破った。

1968
風を受けてサーフィン
米国のサーファー、J・ドレイクとH・シュワイツァーが、サーフボードにマストとセイルを付けたウィンドサーフィン用セイルボードの特許を申請。

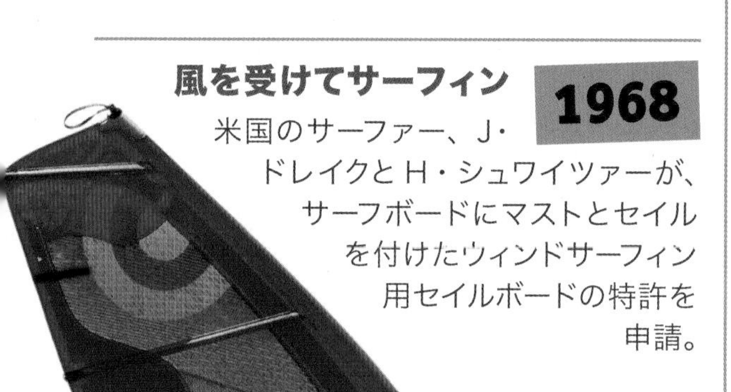

紀元前47
女王クレオパトラ
エジプトで、クレオパトラ7世が弟のプトレマイオス14世との共同統治で女王に復位。彼女はプトレマイオス朝最後の君主となった。

この日が誕生日
1963 シューシャ（Xuxa） ブラジルの歌手・女優・司会者。レコード販売枚数は累計5000万枚で、ラテン・グラミー賞の最優秀子供向けアルバム賞を2度受賞。

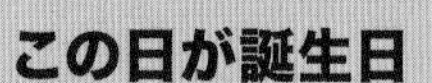

2003
太古のサンショウウオ
中国とモンゴルの火山灰地層から発見された1億6500万年前の化石について、知られている限り最古のサンショウウオであるとする報告が、科学誌『ネイチャー』に掲載された。

他にもこんな出来事が
1867 米国ニューオーリンズで、ある黒人グループがあえて法律に違反して白人用路面馬車に乗り込み、公共交通機関の人種分離に対する最初の抗議行動を起こした。

1981 ポーランドで、独立自治労組「連帯」の地方支部幹部に対する治安当局の暴力行為に抗議して、全国規模の警告ストライキが行われた。1200万人が参加。

グランドキャニオン・スカイウォーク　2007

米国アリゾナ州のグランドキャニオンに、絶壁から21m先の谷の上へU字状に張り出したスカイウォークがオープン。ガラス張りの空中回廊から雄大な景色を見ることができ、谷の上に浮いている気分を味わえる。

この日が誕生日

1986 レディー・ガガ 米国のポップスター。パワフルな曲、個性的な歌声、華やかなスタイルでグラミー賞を13回受賞し、映画出演ではアカデミー賞にノミネートされた。

2013　新しい歌舞伎座

日本固有の伝統的な演劇「歌舞伎」のメインステージである東京の「歌舞伎座」が建て替え工事を終え、開場式が行われた。和風の意匠を採用しつつ、バリアフリー化や耐震構造など、時代に合わせた機能が備えられた。

重量挙げ世界選手権　1891

英国ロンドンで第1回世界ウエイトリフティング選手権が開催され、6ヵ国から7人の選手が参加。英国のエドワード・ローレンス・レヴィが初の世界チャンピオンの座を獲得した。彼はその後、14回世界記録を樹立する。

他にもこんな出来事が

1939 スペイン内戦で首都マドリードが陥落し、反乱軍が進駐。フランシスコ・フランコ将軍が国の指揮権を握る。

1964 米国アラスカ州のプリンス・ウィリアム湾で観測史上2番目に大きな地震が起き、津波が発生した。

2011 “フランスのスパイダーマン” ことアラン・ロベールが、ドバイの超高層ビル、ブルジュ・ハリファに6時間かけてよじ登った。

1958 二酸化炭素濃度

ハワイのマウナロア観測所で、地球の大気中の二酸化炭素濃度が初めて測定された。二酸化炭素は気候変動の最大の原因とされる。マウナロアの毎日の観測データをグラフ化したものはキーリング曲線と呼ばれ、石油、ガソリンなどの化石燃料の燃焼と二酸化炭素濃度の関連性の調査に使われている。

1974 兵馬俑

中国・西安市の農民が土の中からやきものの人形の破片を掘り出す。これをきっかけに8000体以上の等身大の陶俑（人や動物をかたどったやきものの像）が発見され、「兵馬俑」として知られるようになる。兵馬俑は秦の始皇帝の墓の近くにあり、始皇帝の死後の世界を守るために作られた。

他にもこんな出来事が

1807 ドイツの天文学者ヴィルヘルム・オルバースが、最も明るく見える小惑星ヴェスタを発見。

1849 インドのパンジャーブ地方を支配していたシク王国が英国に降伏し、英国がインドの植民地化を完了。

2017 英国のテリーザ・メイ首相がリスボン条約第50条を発動。英国のEU離脱（いわゆるブレグジット）が始まる。

この日が誕生日

1905 フィリップ・アーン 韓国系米国人の俳優。数多くの映画に出演。ハリウッド・ウォーク・オブ・フェームに彼の名を記した星が埋め込まれている。

1927 高速マシン

米国のデイトナ・ビーチで、レースカー「サンビーム1000HPミステリー」が史上初めて時速200マイル（320km）を超える走行速度記録を樹立。この車は、航空機用エンジン2基を搭載した特別仕様車だった。

3月
30

1842
全身麻酔
米国の医師クロウフォード・ロングが、エーテル麻酔をして患者の首のできものを切除。西洋初の全身麻酔手術だった。〔世界初は、1804年（文化元年）に日本の華岡青洲（はなおかせいしゅう）が「通仙散（つうせんさん）」という薬を用いて行った乳がん手術。〕

この日が誕生日
1908 デヴィカ・ラーニ インドの映画女優。美貌と演技力で大人気を博し、また、自ら映画製作会社を運営した。

1923
世界一周クルーズ
大型客船ラコニア号が、旅客船として初めての世界一周航海を終えて米国のニューヨーク港に帰港。400人の乗客を乗せて130日かけて世界を回り、途中22ヵ所に寄港した。

2017
再利用可能なロケット
米国のスペースX社のロケット「ファルコン9」が打ち上げられ、再利用ロケットとして初の飛行に成功し、帰還した。このロケットは前年にも打ち上げられていた。

他にもこんな出来事が
紀元前 239 中国の天文学者がハレー彗星を観測したことが『史記』に記録される。ハレー彗星は約76年ごとに地球に接近する。

1861 英国の化学者ウィリアム・クルックスが、新元素タリウムの発見を発表。

1987 米国の俳優マーリー・マトリンが、『愛は静けさの中に』で、聴覚障害者として初めてアカデミー主演女優賞を受賞。

3月 31

2007 アースアワー

オーストラリアのシドニーで開催された第1回アースアワーで、200万世帯以上の家庭と2000以上の企業が1時間電灯を消し、節電に協力した。

1896 女性監督による最初の映画

フランスの映画黎明(れいめい)期(き)の監督アリス・ギイ=ブラシェが、キャベツ畑から赤ん坊を取り出す妖精を描いた短編サイレント映画『キャベツ畑の妖精』を発表。女性監督による最初の映画作品である。

この日が誕生日

1971 ユアン・マクレガー スコットランド出身の俳優。映画や舞台で幅広く活躍。『スター・ウォーズ』エピソード1-3のオビワン・ケノービ役で知られる。

1889 エッフェル塔

フランスのパリでエッフェル塔がオープン。設計者ギュスターヴ・エッフェルにちなんで名づけられたこの鉄の塔は1万8000のパーツで作られている。高さは324mで、1930年まで世界一高い建造物だった。

他にもこんな出来事が

1854 日米和親条約が締結され、日本がアメリカの艦船に対して開港。数世紀続いた鎖国が解かれた（嘉永7年3月3日）。

1870 米国で、全人種に投票権を認めた新しい法律に基づき、トマス・マンディ・ピーターソンが黒人として初めて選挙で投票。

1913 ウィーンで、表現主義・実験主義の曲のコンサートが開かれたが、不協和音や不安定なメロディーに怒った聴衆が暴動を起こし、演奏中止を求めた。

イヌイットの土地

1999

カナダで、ノースウエスト準州が分割され、先住民イヌイットが治める領土としてヌナヴト準州が作られた。Nunavut はイヌイットの言葉で「われわれの土地」を意味する。

他にもこんな出来事が

1976 スティーヴ・ジョブズとスティーヴ・ウォズニアクが、米国カリフォルニア州でアップルコンピュータ社を設立。

2001 オランダが、世界で初めて同性同士の結婚を合法化。

2013 サウジアラビアで、完成すれば高さが 1000m を超える超高層ビル「ジェッダ・タワー」の建設が開始された。ただ、工事は 2018 年に中断されたままである。

1973

トラを保護せよ

インドの国獣であるベンガルトラが狩猟や生息地破壊によって絶滅の危機に瀕していることを重く見たインド政府が、トラの保護のために「プロジェクト・タイガー」をスタートさせた。プロジェクトは、ベンガルトラの生息地を守り、野生の個体数を増やす活動を進めている。

1983

「人間の鎖」で抗議

英国で、グリーナムコモン米軍基地への核兵器配備に抗議する女性たちの行動（1981 - 2000）の一環として、7 万人が同基地から核兵器工場のあるオルダーマストンまで手をつないで並び、22km の「人間の鎖」を作った。

この日が誕生日

1776 ソフィー・ジェルマン フランスの科学者。女性への偏見や差別があった 18 世紀に、研究や論文で数学に多大な貢献をした。

1940 ワンガリ・マータイ ケニアの環境活動家。アフリカ人女性として初めてノーベル平和賞を受賞した（287 ページも参照）。

1930 アフリカの皇帝

ハイレ・セラシエがエチオピア皇帝として即位。奴隷制度を廃止し、エチオピア初の成文憲法を制定するなど、近代エチオピアを築いた。アフリカ統一機構（OAU）の設立にも貢献した。

他にもこんな出来事が

1513 スペインの探検家フアン・ポンセ・デ・レオンが、現在の北米フロリダ半島に上陸。

1851 ラーマ４世がシャム（現在のタイ）の王となる。1868 年まで統治した。

1982 アルゼンチン軍が、南大西洋にある英領フォークランド諸島に本格的に侵攻。フォークランド（マルビナス）紛争が勃発する（84、171 ページも参照）。

1877 人間大砲

英国で、人間を大砲から撃ち出す曲芸が初めて行われた。演じたのは、14 歳のアクロバット芸人ザゼル（本名ロッサ・マティルダ・リクター）だった。

この日が誕生日

1805 ハンス・クリスティアン・アンデルセン デンマークの作家。『人魚姫』『みにくいアヒルの子』などを書いた。彼の誕生日は「国際子どもの本の日」になっている。

1939 マーヴィン・ゲイ 米国の黒人シンガーソングライター。ソウルや R&B の曲で多くのアーティストに影響を与えた。

1931 カーブを投げる女性投手

プロ野球で最も早くにプレーした女性のひとり、ジャッキー・ミッチェル投手が、米国テネシー州での試合で大打者ベーブ・ルースとルー・ゲーリッグから三振を奪い、観客を驚かせた。

他にもこんな出来事が

1864 米国南北戦争で、北軍が南軍の拠点であったヴァージニア州リッチモンドを陥落させた。

1973 米国で初の携帯電話デモンストレーション。開発したモトローラ社のマーティン・クーパーが、ライバル社 AT&T のジョエル・エンゲルに電話をかけた。

2009 オーストラリアが、先住民族の権利に関する国連宣言（UNDRIP（アンドリップ））を承認。

ポニー・エクスプレス **1860**

米国中西部ミズーリ州と西部カリフォルニア州の間で、騎馬配達員がリレー方式で郵便物を運ぶサービスが始まった。駅馬車で 25 日以上かかっていた東海岸と西海岸の間の郵便が 10 日で届くようになった。

携帯コンピューター **1981**

米国のコンピューター見本市で、初の「持ち運べるコンピューター」が公開された。Osborne 1（オズボーン ワン）というこの装置は、重さ 10kg で 5 インチのディスプレイ、64K の RAM を搭載し、1795 ドル（当時のレートで 38 万円）だった。

独裁への道 **1922**

ヨシフ・スターリンが、ソヴィエト連邦共産党書記長に就任。党と国家の権力を握り、ソ連を完全に支配するための大きな一歩を踏み出した。

この日が誕生日

1934 ジェーン・グドール 英国の生物学者・自然保護活動家。タンザニアで野生のチンパンジーを長年研究した。

1934 パメラ・アレン ニュージーランドの児童文学作家・イラストレーター。1980 年以来、30 冊以上の絵本を出版している。

4月

4

マイクロソフト創業 1975

幼なじみのポール・アレン（写真左）とビル・ゲイツ（右）が、米国アルバカーキでコンピューターソフトウェア会社「マイクロソフト」を設立した。やがて世界最大のIT企業のひとつとなる。

この日が誕生日

1928 マヤ・アンジェロウ 米国の黒人作家・詩人・公民権運動活動家。自伝『歌え、翔べない鳥たちよ』（1970）などで知られる。

1873 ケネルクラブ

ドッグショーにルールがないことに不満を抱いた英国の愛犬家たちが、純血種の犬を登録して血統を記録する世界初の公的団体「ケネルクラブ」を設立。

他にもこんな出来事が

1949 北米とヨーロッパの12ヵ国が、北大西洋条約機構（NATO（ナトー））を創設。この同盟は、ソヴィエト連邦から攻撃を受けた場合に集団的自衛権を用いて団結して対応するために設立された。

1968 米国の黒人牧師で公民権運動指導者のマーティン・ルーサー・キング・ジュニアが、テネシー州メンフィスで暗殺された。

2002 アンゴラ政府と反政府武装勢力UNITA（ウニタ）との和平合意により、27年間続いたアンゴラの内戦が終結。

1932 レモンの効能

米国の科学者チャールズ・グレン・キングが、レモン果汁に含まれるビタミンCを発見。彼は、野菜や果物に多く含まれるこのビタミンを与えれば壊血病（ビタミンCの欠乏で起こる、放置すると死に至る病気）が治ることを証明した。

4月
5

1943
漂流者の生還
乗っていた商船が大西洋でドイツのUボートに撃沈され、木製のいかだで133日間漂流していた中国人船員・潘濂(はんれん)が、ブラジルの漁船に救助された。彼は漂流中、雨水と魚で命をつないだ。

1965
ラバライト
英国のエドワード・クレイヴン・ウォーカーが、透明な筒の中の液体に熱で浮遊する物質を入れた装飾照明具「ラバライト」を発明。1960年代を象徴する製品のひとつになった。

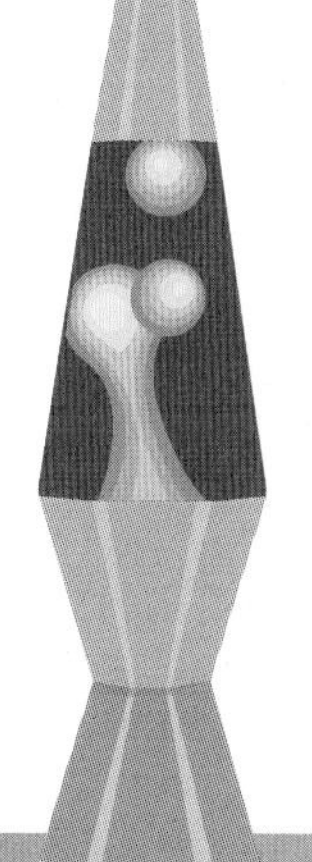

この日が誕生日
1973 ファレル・ウィリアムス 米国の黒人歌手、音楽プロデューサー。音楽グループN.E.R.D.(エヌイーアールディー)の一員として有名になり、「ハッピー」などの大ヒット曲を持つ。

2012
3Dプリントの義手
米国の天才少年イーストン・ラシャペルが、3Dプリントで自作したロボットアームをコロラド州科学フェアに持ち込む。そこで8万ドルの義手を装着した少女に出会った彼は、手頃な価格の義手を作りたいと考えた。翌年、イーストンはホワイトハウスで開催された科学フェアで義手を披露した（写真）。

他にもこんな出来事が
1722 オランダの航海者ヤーコプ・ロッヘフェーンがヨーロッパ人として初めて太平洋に浮かぶイースター島（ラパ・ヌイ）を訪れ、先住民に出会う。

1818 チリがマイプーの戦いで宗主国スペインを破り、独立を確定させる。

1998 日本で、本州の神戸と淡路島を結ぶ6車線の道路橋「明石海峡大橋」が開通。全長3911m、中央支間1990mで、2022年3月まで世界最長の吊り橋だった。

4月

6

1896

近代オリンピック

ギリシャのアテネで第１回近代オリンピックが開幕。ギリシャ王ゲオルギオス１世が６万の観衆とともに14ヵ国の選手たちを出迎えた。ローマ皇帝テオドシウス１世がオリンピックを禁止してから1500年後のことだった。

この日が誕生日

1483 ラファエロ ルネサンス時代のイタリアの画家・建築家。バチカン宮殿の「ラファエロの間」の壁面と天井に描かれたフレスコ画は、彼の最盛期の傑作である。

ひげ税の廃止

1772

ロシアの女帝エカチェリーナ２世が、ピョートル大帝による制定以来70年以上続いてきた「ひげ税」を廃止。この日は現在、ロシアで「ひげの日」として祝われている。

ザ・ウィナー

1974

スウェーデンのポップグループABBA（アバ）が、ユーロビジョン・ソング・コンテストで「恋のウォータールー」を歌って優勝。世界的なスターになる。

他にもこんな出来事が

1909 米国の探検家ロバート・ピアリーがこの日北極点に到達したとされているが、後年の調査でその信頼性については疑問も呈されている。

1917 米国がドイツに宣戦布告し、第１次世界大戦に参戦。ドイツが大西洋で潜水艦による無制限の商船攻撃を再開すると決定したことがきっかけ。

1943 サン＝テグジュペリの『星の王子さま』が米国で出版される（著者の母国フランスは当時ドイツに占領されていた）。

4月 7

1805 交響曲第3番『英雄』

オーストリアのウィーンで、ベートーヴェンの交響曲第3番が初めて一般の聴衆の前で演奏された。当時の他の交響曲と比べて壮大でドラマチックで演奏時間も長いこの曲は、音楽におけるロマン主義時代の幕開けを告げる作品となった。

1795 メートル法

地球の寸法に基づいて長さ、質量、体積の単位を定めたメートル法が、フランスで採用された。メートル法を正式に採用した国はフランスが初めてだった。

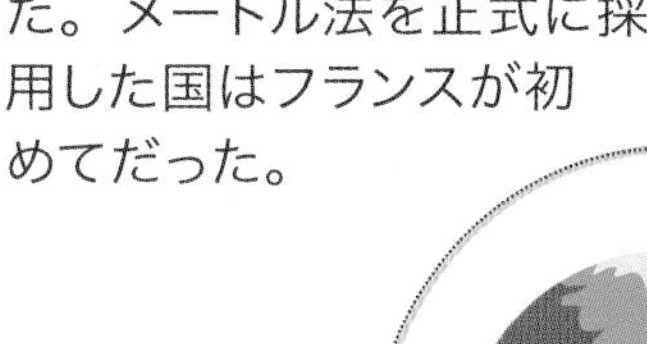

1913 家庭用の冷蔵庫

米国の発明家フレッド・W・ウルフが、工業用冷蔵庫に改良を加えた新しい装置の設計で特許を申請。彼は家庭の電源につないで使える単純な冷蔵庫を製造したが、売れ行きはあまり良くなかった。

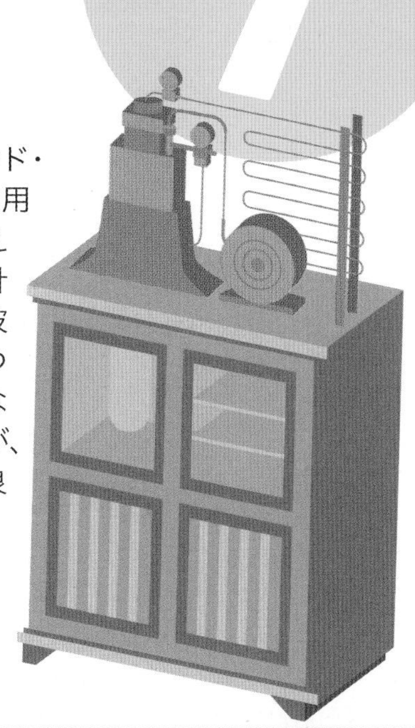

この日が誕生日

1954 ジャッキー・チェン 香港出身の映画スター。危険なアクションスタントとコメディ要素を組み合わせたカンフー映画で人気を博す。ハリウッドにも進出し、多くの作品に出演している。

他にもこんな出来事が

1827 英国の化学者ジョン・ウォーカーが、自身の発明した「摩擦マッチ」（靴底や板壁など、どこでこすっても火がつくマッチ）を発売。

1927 米国の商務長官ハーバート・フーヴァーが、テレビ電話の公開デモンストレーション。開発元のアメリカ電話電信会社（AT&T）の職員に電話をかけた。

1987 米国のワシントンDCに、国立女性美術館が開館。16世紀から現代までの女性芸術家の作品を5500点以上所蔵し、展示している。

4月

8

1271

城塞の陥落

十字軍が建設し、難攻不落といわれたシリアのクラック・デ・シュヴァリエ城塞を、イスラムのマムルーク朝のスルタン（君主）バイバルスが計略を用いて占領した。

1942

兵士になったクマ

ポーランド陸軍の兵士たちがイランでヒグマの子供を引き取り、二等兵の階級を与えた。このクマは中隊で最も有名な兵士となり、後に伍長に昇進した。実際に弾薬を運んだという。

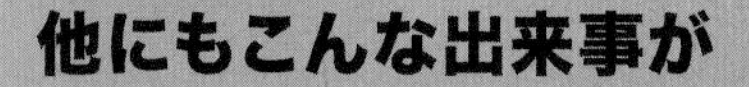

他にもこんな出来事が

1904 千年近く対立を繰り返してきた英国とフランスが、英仏協商に調印。ついに両国間に平和が訪れた。

1974 米国の黒人野球選手ハンク・アーロンが、5万3000人を超える観衆の前で715号ホームランを放ち、ベーブ・ルースの記録を破る。

1983 米国のマジシャン、デヴィッド・カッパーフィールドが、テレビの生中継で自由の女神を消失させるイリュージョンを披露し、視聴者を驚かせた。

この日が誕生日

1941 ヴィヴィアン・ウエストウッド 英国のファッションデザイナー。大胆で斬新なデザインで知られる。

2008

発電するビル

バーレーン・ワールド・トレード・センターのツインタワーの間に取り付けられた3基の発電用風車が、初めて一斉に稼働した。風力発電機能を備えた超高層ビルは、世界初だった。

4月 9

1865 南北戦争終結

米国ヴァージニア州のアポマットックス・コートハウスでの戦いで、南軍のロバート・E・リー将軍が北軍のユリシーズ・S・グラント将軍に降伏。南北戦争が事実上終結した。北部と南部は、奴隷制の問題をめぐって4年間にわたり争っていた（108ページも参照）。

1860 録音された最古の声

フランスの発明家エドゥアール＝レオン・スコット・ド・マルタンヴィルが、自身の発明したフォノトグラフという方法でフランス民謡を記録。もともと再生方法がない記録方式だったが、2008年に最新技術で声として再生された。

他にもこんな出来事が

1867 米国がロシアからアラスカを1エーカーあたり2セントで購入する合意が成立。

1939 ワシントンDC最大のコンサートホールでの歌唱を許可されなかった米国の黒人歌手マリアン・アンダーソンが、代わりにリンカーン記念堂で7万5000人を前に野外コンサートを開催。

1947 黒人・白人混成の米国人グループが、南部4州を2週間かけてバスで移動し、州をまたぐ長距離バスにおける人種分離制度への異議を行動で示した。

この日が誕生日

1822 カンゲックのアロン イヌイットの猟師だったが、結核にかかってから絵と版画を始め、近代グリーンランド芸術のパイオニアのひとりとなった。

1288 白藤江（はくとうこう）の戦い

陳興道（ちんこうどう）（チャン・フン・ダオ）率いる陳朝ベトナム軍が、侵入してきた元（げん）（モンゴル）軍を白藤江（はくとうこう）（バクダン川）まで押し戻し、罠にかけた。激戦の末、元の船400隻を破壊し、元の将軍ウマルを生け捕りにした。

4月 10

1849

偶然の発明

米国の機械工ウォルター・ハントが、安全ピンの発明で特許を取得。彼は、針金を曲げたりねじったりしていた時にこのピンのしくみを思いついた。

この日が誕生日

1993 デイジー・リドリー 英国の女優。『スター・ウォーズ／フォースの覚醒』に主演し世界的に有名に。

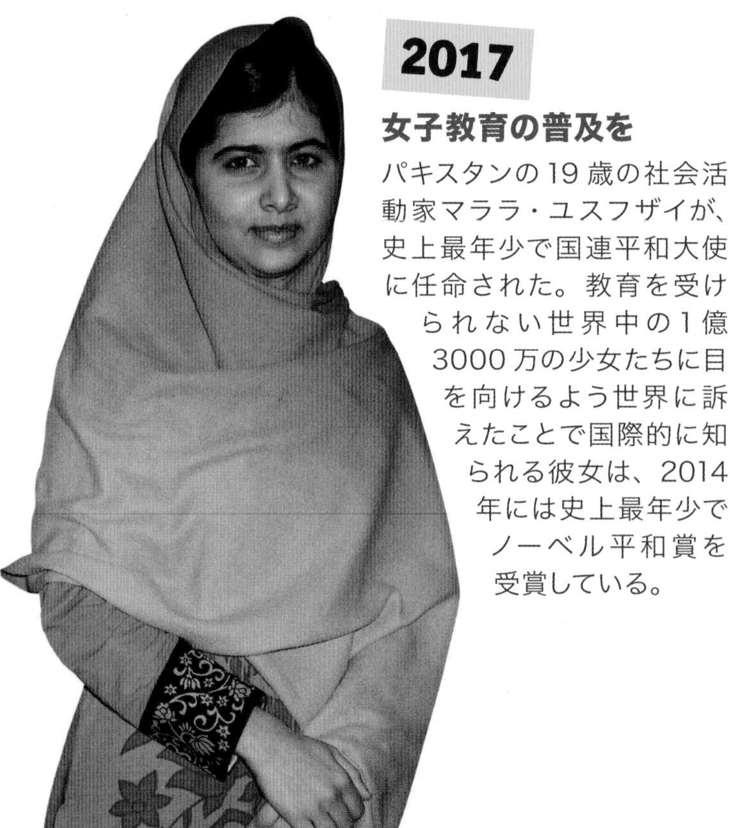

2017

女子教育の普及を

パキスタンの19歳の社会活動家マララ・ユスフザイが、史上最年少で国連平和大使に任命された。教育を受けられない世界中の1億3000万の少女たちに目を向けるよう世界に訴えたことで国際的に知られる彼女は、2014年には史上最年少でノーベル平和賞を受賞している。

1833 最初の世界的黒人スター

米国の舞台俳優アイラ・オルドリッジが、英国ロンドンのシアター・ロイヤルで、黒人として初めてシェイクスピアの『オセロ』のオセロ役を演じ、観客を魅了した。彼はその後、世界各地を巡業した。

他にもこんな出来事が

1815 インドネシアのタンボラ山が噴火。観測史上最大の噴火で、少なくとも1万人が死亡し、翌年は世界的な寒冷化が起きた。

1998 聖金曜日にあたるこの日、英国とアイルランドがベルファスト合意に調印し、北アイルランドをめぐる対立に終止符が打たれた。

2019 イベントホライズン望遠鏡が史上初めて超巨大ブラックホールの撮影に成功した、と発表された。

4月

11

1831 ルイス島のチェス駒

スコットランドのルイス島で発見された中世のチェス駒が、エディンバラで初公開された。12世紀のものと推定され、セイウチの牙とマッコウクジラの歯を彫って作られている。現在はスコットランド博物館と大英博物館が所蔵している。

他にもこんな出来事が

1814 フランスでフォンテーヌブロー条約が調印され、ナポレオン・ボナパルトはフランス皇帝退位とエルバ島への退去を余儀なくされる。

1941 フランスの将校アラン・ル・レが、第2次世界大戦中にドイツのコルディッツ城（捕虜収容所）から脱走して逃げおおせた最初の兵士となった。

1931 ニューヨークの摩天楼

米国ニューヨークのエンパイアステートビルが、工期わずか410日間、3400人の作業員による延べ700万時間の建設工事を経て完成した。1972年まで、世界一高いビルの座を保持した。

2010 風船で空の旅

米国のパイロット、ジョナサン・トラップが、57個の巨大なヘリウム風船を使って、ノースカロライナ州の上空を13時間36分57秒飛行した。前日午後に離陸した彼は、夜の間に175km以上の距離を飛行し、この日の朝に着陸。最高高度は2278mに達した。

この日が誕生日

1991 ティアゴ・アルカンタラ
スペインのサッカー選手。FCバルセロナなどのクラブでプレーし、スペイン代表にも選ばれている。

4月

12

1937 ジェットエンジン

英国の技師フランク・ホイットルが、科学者たちの疑いの目をものともせず、航空機の動力用に設計した初のジェットエンジンの実験に成功した。第2次世界大戦中は、軍需省からも資金援助を受ける。

他にもこんな出来事が

1919 建築家ヴァルター・グロピウスが、ドイツのワイマールに美術とデザインの学校「バウハウス」を創設。ヨーロッパの指折りの芸術家や建築家を講師に招いた。

1964 米国の黒人公民権運動家マルコムXが、デトロイトの教会で「投票か弾丸か」という演説を行う。「投票か弾丸か」の演説は2回目で、最初は4月3日のオハイオ州クリーブランド。

1992 ヨーロッパ初のディズニーランド（ユーロ・ディズニーランド）がパリ近郊にオープン。

この日が誕生日

1913 福田敬子 日本の女子柔道家。米国で柔道の普及に努め、米国柔道連盟で女子柔道家として史上初の十段昇段。

1925 イヴリン・ベレジン 米国のコンピューター工学者。航空券予約のためのコンピューターシステムの開発に従事。

1961 人類初の宇宙飛行

ソ連の宇宙飛行士ユーリイ・ガガーリンが、宇宙船「ヴォストーク1号」で108分間地球を周回し、人類初の宇宙飛行を行った。ガガーリンの飛行は、地球からコンピュータープログラムを使って遠隔制御された。

1861 サムター要塞の戦い

米国の北部と南部の間は数十年にわたって緊張状態にあったが、この日、南部に位置していながら北軍側に属していたサムター要塞に対して、南軍が攻撃を仕掛けた。これが発端となって、南北戦争が始まる。

2019 ストラトローンチ

翼幅が世界最大の航空機「ストラトローンチ」が、米国カリフォルニア州のモハヴェ砂漠上空で初飛行に成功。ロケットの空中発射台として設計されたこの飛行機は、双胴で、翼幅は117mとサッカーのピッチより長い。

1953 コードナンバー007

英国の作家イアン・フレミングの小説『カジノ・ロワイヤル』が出版され、英国の秘密諜報員ジェームズ・ボンドが初めてお目見えした。ボンドはフレミングの12作品に登場し、映画化もされて大人気を博す。

2017 究極のチャレンジャー

日本の20歳の登山家、南谷真鈴（みなみやまりん）が北極点に到達。18歳でのアコンカグア登頂を皮切りに、七大陸最高峰の登頂とスキーでの南極点到達をすでに成し遂げていた彼女は、史上最年少で七大陸最高峰と北極点・南極点到達の探検家グランドスラムを達成。

この日が誕生日

1519 カトリーヌ・ド・メディシス イタリアの貴族メディチ家に生まれ、フランス王アンリ2世の妃となる。彼女の産んだ子のうち3人がフランス王になった。

他にもこんな出来事が

1204 第4回十字軍が、聖地エルサレムのイスラム勢力からの奪還には向かわずに、キリスト教国であるビザンツ帝国の首都コンスタンティノープルを攻撃して陥落させ、略奪。

1964 バハマ出身の米国人俳優シドニー・ポワチエが、映画『野のユリ』の演技で黒人として初めてアカデミー賞主演男優賞を受賞。

1997 米国で行われたゴルフのマスターズ・トーナメントで、21歳のタイガー・ウッズが史上最年少優勝を果たした。

1935

土の嵐

米国のグレートプレーンズ南部で、乾燥した地表から風ではぎとられた土ぼこりが巨大な雲となって襲いかかり、あたりが真っ暗に。この現象は「ダストボウル」と呼ばれる。

この日が誕生日

1932 ロレッタ・リン 米国のカントリーミュージシャン。60年のキャリアを通じて、自身の人生経験に着想を得た曲を書き、歌い続けた。

噴煙で空の便が麻痺

2010

アイスランドのエイヤフィヤトラヨークトル氷河の火山が爆発的噴火。大量の火山灰が空中に放出され、航空機が飛行できなくなって、ヨーロッパの広い範囲で1週間にわたって空の便が大混乱に陥った。

天上の戦い？

1561

ドイツのニュルンベルクの住民たちが、日の出の頃に数百の「正体不明の光って飛ぶもの」が「空の上で戦っている」のを見たと報告した。現在では、これはUFOではなく、虹に似た自然現象である「幻日」だったと考えられている。

他にもこんな出来事が

1865 米国の大統領エイブラハム・リンカーンが、米国ワシントンDCのフォード劇場で、ジョン・ウィルクス・ブースに暗殺される。

1986 バングラデシュのゴーパールガンジで、嵐とともに記録的な大きさの雹が降り、92人が死亡。中には重さ1kgの雹まであった。

1990 ジョージアで、自国の公用語ジョージア語への愛着を示す「母国語の日」の第1回目が祝われた。

4月

15

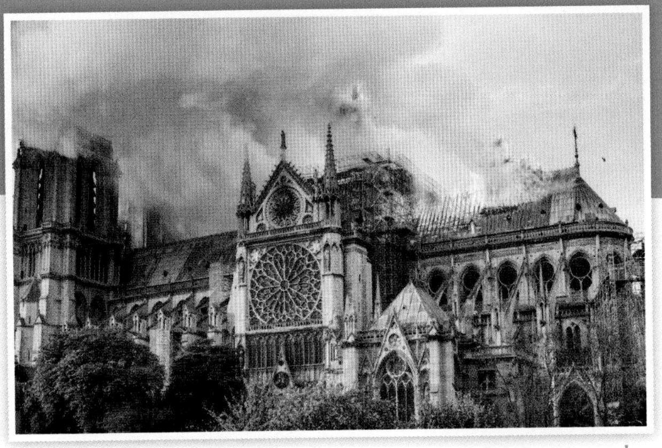

ノートルダム炎上

2019

フランスのパリで、古い歴史を持つノートルダム大聖堂が大規模な火災に見舞われた。電気系統の故障が原因とみられる。高さ96mの尖塔が崩落し、鉛が大量に使われた屋根は焼け落ちた。

この日が誕生日

1452 レオナルド・ダ・ヴィンチ イタリアの芸術家。『モナ・リザ』『最後の晩餐』などの作品や、さまざまな飛行機械の設計などで知られる。

1469 グル・ナーナク インドの宗教指導者。ヒンドゥー教徒の子に生まれ、魂の真理を求める遍歴を経て、シク教を創始した。

他にもこんな出来事が

1868 「マオリ代表法」の成立を受けて、先住民族マオリのメンバーが初めてニュージーランドの国会議員に選出された。

1945 ドイツのベルゲン＝ベルゼン強制収容所が英国軍によって解放され、ナチスの戦争犯罪が明らかになった。

1955 米国の実業家レイ・クロックが、イリノイ州にマクドナルドのフランチャイズ１号店を開店。その後、このファストフード会社を世界的企業へ成長させる。

1941

ヴォート＝シコルスキー VS-300

米国で、ロシア系米国人の航空機設計者イゴール・シコルスキーのヘリコプターが、1時間5分14.5秒の滞空記録を公式に樹立。シコルスキーの設計は、その後のヘリコプターのモデルとなった。

タイタニックの悲劇

1912

当時最大の豪華客船であった英国の蒸気船タイタニック号が、初航海の途中で氷山に衝突し、北大西洋の底に沈んだ。乗客・乗員合わせて1500人以上が犠牲になった。

4月

16

1346

セルビア皇帝ドゥシャン

セルビア王ステファン・ドゥシャンが、今のセルビア、ギリシャ、ブルガリアにまたがる帝国の皇帝として即位。彼の時代に、セルビア帝国はヨーロッパ南東部の広い領域を支配した。

この日が誕生日

1755 エリザベト=ルイーズ・ヴィジェ=ル・ブラン フランスの画家。王妃マリー・アントワネットはじめ多くの女性の肖像画を描き、当時の最も成功した女性画家のひとりになった。

2020

バースデー・ウォーク

100 歳の誕生日を間近に控えた元英国陸軍大尉のトム・ムーアが、自宅の庭を 100 往復することで寄付を募り、新型コロナに対応する医療従事者のために 3000 万ポンド（当時のレートで約 41 億円）以上を集めた。

他にもこんな出来事が

1746 名誉革命後の英王位をめぐる争いで、チャールズ・エドワード・スチュアートを戴き、フランスの支援を受けたジャコバイト軍が、カロデンの戦いで英国政府軍に敗北。

1847 ニュージーランドで、英国人将校がマオリの族長を誤って射殺。先住民マオリと英国人入植者の紛争に発展する。

1853 インド初の旅客列車が、ボンベイ（現ムンバイ）からターネーまで 34km を走行した。これを記念して、21 発の祝砲が放たれた。

1972

パンダがやってきた

米国のリチャード・ニクソン大統領とパット夫人が、ワシントン DC のスミソニアン国立動物園に中国からやってきた若いパンダ、雌のリンリンと雄のシンシンを出迎えた。2頭は中国の周恩来首相からの贈り物だった。

4月
17

2017 極寒の海の生きものたち

オーストリアの水中カメラマン、アレクサンダー・ベネディクが、グリーンランドのタシーラク近くの海氷の下で、氷点下の海に生きる多彩な生物を撮影。暗闇で光るカラフルなクラゲやエビを発見した。

この日が誕生日

1974 ヴィクトリア・ベッカム
英国のファッションリーダー。ポップグループ「スパイス・ガールズ」のメンバーとして知名度を上げ、自身のファッションブランドを創設。

1964 誰もが欲しがる車

米国のニューヨークで開かれた万国博覧会で、スタイリッシュで手頃な価格のフォード・マスタングが発表された。たちまち全米のショールームに客が押し寄せ、たった1日で約2万2000台が売れた。

他にもこんな出来事が

1961 米国の支援を受けた亡命キューバ人部隊が、フィデル・カストロ政権の転覆を狙ってキューバのピッグス湾への侵攻を開始。2日後、作戦は失敗に終わる。

1982 英女王エリザベス2世がカナダの新憲法に署名し、カナダが英国の自治領ではなく完全な独立国となった（英連邦にはとどまる）。

2014 67歳のポーランド人アレクサンデル・ドバが、史上初めてヨーロッパから北米まで大西洋をカヌーで横断。彼はポルトガルを出発し、196日間カヌーを漕いでこの日フロリダに到着した。

1964 単独飛行

米国のパイロット、ジェラルディン・"ジェリー"・モックが、女性として初めて単独世界一周飛行。地球を一周するのにかかった時間は29日11時間59分だった。

2019

古代の肉食獣

ケニアのナイロビ国立博物館の引き出しで40年近く眠っていた2200万年前の骨化石が、ホッキョクグマより大きい古代の肉食哺乳類のものと判明。「シンバクブワ・クトカアフリカ」(アフリカの大きなライオン)と命名された。

他にもこんな出来事が

1775 米国独立戦争の緒戦となるレキシントン・コンコードの戦いの前夜、英軍の襲来をアメリカ民兵に知らせるため、愛国者ポール・リヴィアが夜道を馬で疾走。

1906 米国サンフランシスコでマグニチュード7.9の地震が発生。街の大部分が損壊し、3000人以上の死者が出た。

2018 サウジアラビアで、35年間禁止されていた映画館が再開された。

1938

スーパーマンがやってきた!

米国の雑誌『アクション・コミックス』第1号で、スーパーマンが初登場。ジェリー・シーゲル(原作)とジョー・シャスター(作画)が創造したスーパーマンは、超能力を持つ最初のコミックヒーローだった。

この日が誕生日

1813 ジェームズ・マキューン・スミス 米国の黒人医師。奴隷として生まれたが、スコットランドに留学して米国の黒人で初めて医学の学位を取得した。

1506

サン・ピエトロ大聖堂

イタリアのローマで、ローマ教皇ユリウス2世が新しいサン・ピエトロ大聖堂の礎石を据えた。この巨大な石造りの教会は建築家ドナート・ブラマンテが設計し、その死後はミケランジェロやラファエロなどの芸術家が計画を引き継いだ。聖堂の完成には150年の歳月を要した。

1971 初の宇宙ステーション

ソヴィエト連邦の宇宙開発計画の一環として、史上初の宇宙ステーション「サリュート1号」が打ち上げられた。地球を周回する軌道に175日間とどまり、地球をおよそ3000周した。

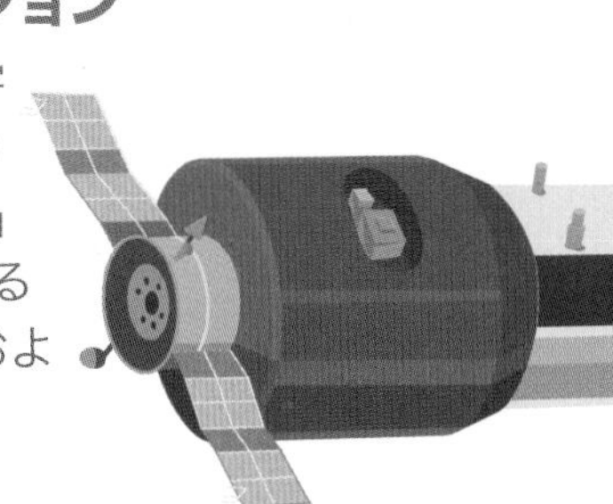

米国独立戦争 1775

英国本国と北米の植民地が戦った米国独立戦争の最初の戦闘が、現在の米国マサチューセッツ州レキシントンとコンコードで始まった。

この日が誕生日

1946 ドゥイグ・アセナ トルコの女性ジャーナリスト・市民権活動家。平等を訴え、女性差別について記事を書いた。

1968 北極のスノーモービル

米国の探検家ラルフ・プレイステッドが、仲間のウォルター・ペダーソン、ジェラルド・ピツル、ジャン＝リュック・ボンバルディエとともに、スノーモービルで北極点に到達した最初の人間になる。彼らは42日間氷の上を走行した。

他にもこんな出来事が

1987 米国の人気アニメ『ザ・シンプソンズ』が、「トレーシー・ウルマン・ショー」の中の短編シリーズとして初登場。

1987 英国ロンドンで、この日オープンした英国初のエイズ治療病棟をダイアナ妃が訪問。彼女は手袋をせずに患者と握手した。

2018 スワジランド王国のムスワティ3世が、英国からの独立50年を記念して、国名を「エスワティニ」に変更すると発表。

この日が誕生日

1964 アンディ・サーキス 英国の俳優・モーションアクター。『ロード・オブ・ザ・リング』のゴラムのモーションアクターとして知られる。

1961

人間ロケット

米国のエンジニア、ハロルド・グラハムが、史上初めてジェット推進装置だけの力で宙に浮き上がり、13 秒間“飛行”した。彼が上昇した高さは 1.2 メートルだった。

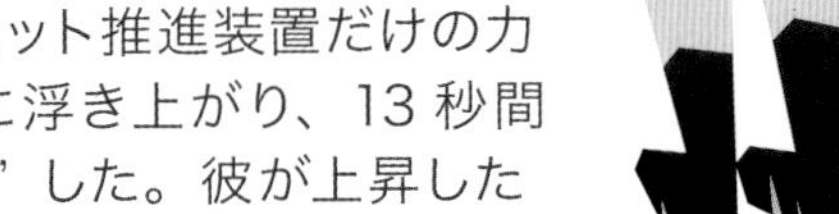

2008

インディカーで優勝

日本で開催された自動車レース「インディジャパン 300」で、米国のドライバー、ダニカ・パトリックが、インディカーシリーズ史上初の女性優勝者となった。彼女は 200 周のレースの最後の数周で先頭に立ち、そのまま逃げ切った。

他にもこんな出来事が

1611 英国の劇作家ウィリアム・シェイクスピアの悲劇『マクベス』が、ロンドンのグローブ座で初演された。

1862 フランスの化学者ルイ・パスツールと生物学者クロード・ベルナールが、牛乳やワインなどの腐敗を防いで保存するための低温殺菌法を初めてテスト。

2010

燃える海

メキシコ湾の石油掘削施設「ディープウォーター・ホライズン」で爆発が起こり、大火災が発生、11 名の作業員が死亡。掘削施設は 2 日後に海に沈み、史上最悪レベルの原油流出事故を引き起こした。多くの海洋生物が甚大な被害を受け、海岸部も汚染された。

4月

21

1934

ネッシー

スコットランドのネス湖で撮影された“怪獣”の写真が発表された。この写真は、60年ほど後にトリック撮影だったことが明かされた。

他にもこんな出来事が

紀元前 753 伝説によれば、この日に双子の兄弟ロムルスとレムスがテヴェレ川のほとりにローマの建設を開始した。

1782 シャム（現在のタイ）の国王ラーマ1世がチャオプラヤ川沿いに首都を置く。後に、この都市は外国ではバンコクと呼ばれるようになる。

1966 エチオピア皇帝ハイレ・セラシエ1世がジャマイカを訪問。この日は、彼を崇拝するラスタファリ運動の祝日になっている。

2015

リニア新幹線

日本の山梨県で、JR東海の超電導リニアモーターカー「L0系」の試験走行が行われ、時速603kmを記録した。

ムガル帝国

1526

ムガル帝国の創始者バーブルが、現在のインド北部のパーニーパットで、デリー・スルタン朝のイブラヒム・ローディーの大軍を破った（第1次パーニーパットの戦い）。ここから、インド亜大陸におけるムガル帝国の支配が始まる。

この日が誕生日

1816 シャーロット・ブロンテ 英国の作家・詩人。代表作は『ジェーン・エア』。

1926 エリザベス2世 英国女王（在位1952-2022）。フランスのルイ14世に次いで史上2位の70年7ヵ月という長期間在位し、一貫して国民の敬愛を集めた。

4月

22

1823

ローラーの付いた靴

英国の果物屋ロバート・ジョン・タイアーズが、インラインスケートの原型になるアイディアで特許を取得。木製の靴底に、1列に並んだ5個の車輪とブレーキが取り付けられていた。

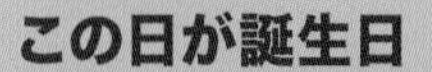

1970

アースデイ始まる

米国の政治家ゲイロード・ネルソンが、地球環境問題への関心を高めるために第1回「アースデイ」イベントを開催。米国で数百万人が集会やワークショップに参加した。

他にもこんな出来事が

1500 ポルトガルの探検家ペドロ・アルヴァレス・カブラルが、ヨーロッパ人として初めて南米に到達し、現在のブラジルの土地をポルトガル領と宣言した。

1993 中華人民共和国の宇宙開発機関である中国国家航天局（CNSA）が創設された。

2016 米国ニューヨークで、前年にパリのCOP21で採択された気候変動に関する「パリ協定」に195ヵ国が署名。

この日が誕生日

1989 アーロン・グンナルソン アイスランドのサッカー選手。アイスランド代表として国際試合に90回以上出場し、主将も務める。

1915

毒ガス攻撃

第1次大戦中、ベルギーのイーペルの戦場でドイツ軍が136トンの塩素ガスを放出し、連合国軍兵士1100人が死亡、7000人が負傷した。戦争での化学兵器の大規模使用は史上初だった。以後も各種の毒ガスが開発されたが、1925年に化学兵器の使用が禁止される。

2016 連続1位

米国音楽界のスター、ビヨンセが、『レモネード』でビルボード200アルバムチャート1位を獲得。ソロデビューから6枚連続でアルバムが全米チャート1位になったアーティストは彼女が初めて。

この日が誕生日

1933 アニー・イーズリー 米国の黒人コンピューター科学者・数学者・ロケット科学者。彼女はNASAでセントール・ロケット用のソフトウェアを開発した。

他にもこんな出来事が

1920 ムスタファ・ケマル・アタテュルクがトルコで大国民議会を開き、スルタン・メフメト6世の支配を否定した。600年続いたオスマン帝国の“終わりの始まり”。

2019 マラウイ政府と世界保健機関（WHO）が、初のマラリアワクチンの接種を開始。

2020 南極のシーモア島で4000万年前のカエルの化石が発見された。かつて南極大陸に両生類が生息していた可能性が示された。

1867 アニメの原型

米国の発明家ウィリアム・E・リンカーンが、最初期の動画装置のひとつである「ゾエトロープ（回転のぞき絵）」の特許を取得した。内側に絵が描かれた円筒を回転させ、その筒に設けられたスリットをのぞき込むと、絵が動いて見える仕組みだった。

1616 偉大な劇作家の死

英国の名高い劇作家ウィリアム・シェイクスピアが死去。彼は生涯に39編の戯曲と154編以上のソネット（十四行詩）を書いた。

4月

24

1888

コダックのカメラ

米国の発明家ジョージ・イーストマンがイーストマン・コダック社を設立。同社は持ち運べて誰でも簡単に使える箱型カメラを量産販売した。

1918

初の戦車戦

第1次世界大戦中、フランスのヴィレ＝ブルトヌーの戦いで、ドイツのA7V（アー・ジーベン・ファオ）戦車3両と英国のMark IV（マーク・フォー）戦車3両が対戦。軍事史上初の戦車対戦車の戦いだった。

他にもこんな出来事が

紀元前 1184 古代史研究者によれば、古代ギリシャの伝説に記されたトロイア戦争がこの日終結。ミュケナイを中心とするアカイアの軍がトロイアを陥落させた。

1990 48年間立ち入り禁止だったスコットランドのグルイナード島に安全宣言が出された。第2次世界大戦中に、この無人島で細菌兵器（炭疽菌）の実験が行われていた。

2020 エジプトで、考古学者が3500年前の10代少女のミイラを発見したと発表。

2018

楽曲ストリーミング

音楽史上初めて、Spotify（スポティファイ）やApple Music（アップルミュージック）などのサービスでの音楽ストリーミングの売り上げが、CD販売による売り上げを上回った。

この日が誕生日

1982 ケリー・クラークソン 米国の歌手。テレビのオーディション番組『アメリカン・アイドル』第1シーズンで優勝し、人気歌手になって世界的に活躍。

4月

25

1719

ロビンソン・クルーソー

英国の作家ダニエル・デフォーの小説『ロビンソン・クルーソー』がロンドンで出版される。船の難破で無人島に漂着した水夫の 28 年間を描いたこの作品は、100 以上の言語に翻訳された。

1960

サンドブラスト作戦

米海軍の原子力潜水艦「トライトン」が、海中航行での地球一周を達成。16 世紀のマゼランの世界一周航路をなぞり、85 日間で 6 万 6672km（3 万 6000 海里）を航行した。

この日が誕生日

1917 エラ・フィッツジェラルド 米国の黒人ジャズ歌手。ジャズの女王と呼ばれ、音域の広さで有名になる。60 年の歌手生活の中でグラミー賞を 14 回受賞し、大統領自由勲章を贈られた。

他にもこんな出来事が

1792 初めてギロチンでの死刑が行われ、ニコラ・ジャック・ペルティエというフランスの追いはぎが処刑された。

1944 第 2 次世界大戦中のビルマ（現ミャンマー）で、シコルスキー YR-4B ヘリが米英兵 4 人の救出に投入され、戦闘時に使用された最初のヘリコプターとなった。

1946 イタリアで、ナチスによる占領とムッソリーニの独裁体制が終わる。イタリアではこの日が解放記念日として祝われている。

1915

ガリポリの戦い

第 1 次世界大戦で、連合軍が、同盟国側についたトルコへの攻撃を開始した。8 ヵ月に及ぶ作戦は失敗に終わり、連合軍だけでも数十万人が死傷した。作戦に参加したオーストラリアとニュージーランドでは、この日がアンザック・デーという祝日になっている。

4月
26

1986
チェルノブイリ原発事故
ソヴィエト連邦（当時）のウクライナにあるチェルノブイリ原子力発電所で、原子炉の事故が発生。大量の放射性物質が大気中に放出された。放射性物質は広範囲に拡散し、何百万人もの人々が放射線にさらされた。

この日が誕生日
1888 アニタ・ルース 米国の作家・女優。ハリウッド初の女性脚本家でもあった。

1918 ファニー・ブランカース=クン オランダの陸上選手。30歳で3人目の子を妊娠中だった1948年に、ロンドン・オリンピックで金メダルを4個獲得した。

1994
ついに民主化
黒人に基本的な権利すら認めない政府が長年統治してきた南アフリカで、この日、全人種が参加する選挙が行われた。この結果、新政権が発足してネルソン・マンデラが同国初の黒人大統領になる。

他にもこんな出来事が
1803 フランスのレーグル市に3000個以上の隕石片が降る。その研究により、隕石が宇宙起源であることが認められた。

1989 バングラデシュのマニクガンジ地区で史上最大レベルの竜巻が発生し、約1300人が死亡、1万2000人が負傷。

2019 エクアドルのワオラニ族が、石油掘削から自分たちの土地を守るために政府を訴えた裁判で歴史的な勝利。

4月 27

エアバスA380 2005

エアバス社が開発した世界最大の旅客機エアバス A380 の試験機が、6 人の乗務員を乗せて初飛行。フランスのトゥールーズ=ブラニャック空港を離陸し、3 時間 54 分の飛行の後、着陸した。

2011 竜巻の悲劇

米国で、1 日に 216 件という記録的な数の竜巻が発生。死者は 300 名以上にのぼった。アラバマ州の被害が最も大きく、238 人が死亡した。

この日が誕生日

1927 コレッタ・スコット・キング 米国の黒人公民権運動指導者。キング牧師（20、100ページ）の妻として、夫の非暴力、社会正義、人権の哲学を広めることに生涯を捧げた。

他にもこんな出来事が

1943 アウシュヴィッツ強制収容所の内部情報を収集するためにあえて逮捕されてから 3 年、ポーランド人将校ヴィトルト・ピレツキが収容所を脱出した（268 ページも参照）。

1956 米国のプロボクサーで世界ヘビー級チャンピオンのロッキー・マルシアノが、プロ 49 戦無敗のまま引退。

2018 北朝鮮の金正恩労働党委員長と韓国の文在寅大統領が、両国国境の板門店で南北首脳会談を行った。

2006 フリーダムタワー

米国ニューヨークで、2001 年 9 月 11 日にテロで破壊された世界貿易センターの跡地に、超高層ビル「フリーダムタワー」（現在の名称は「1 ワールドトレードセンター」）の建設が始まった。

4月

28

224 ホルモズガーンの戦い

サーサーン朝の祖アルダシール1世がパルティア王アルタバノス5世を破り、サーサーン朝ペルシア帝国を建国した。彼はペルシアで最も偉大な支配者のひとりとされ、帝国は400年以上続いた。

2001 宇宙の旅

米国人の大富豪デニス・ティトーが、ロシアのソユーズ宇宙船で国際宇宙ステーションを訪問。8日間滞在した。彼は、2000万ドルの旅費を自ら負担して宇宙旅行をした最初の人物となった。

この日が誕生日

1974 ペネロペ・クルス スペインの女優。スペインの映画界で活躍し、ハリウッドに招かれて国際的スターになった。2008にはアカデミー賞助演女優賞を受賞している。

他にもこんな出来事が

1869 中国人とアイルランド人の労働者たちが、アメリカ大陸横断鉄道の16kmの区間の線路敷設を1日で完了させる記録を樹立。

1952 前年9月に署名されたサンフランシスコ講和条約が発効し、第2次世界大戦後の連合国による日本占領が終了した。

2019 潜水艇でマリアナ海溝の底（太平洋の最深部）に到達した米国の海洋探検家ヴィクター・ヴェスコヴォが、そこでプラスチックごみを発見。

1947 コン=ティキ号の探検

古代に南米先住民がポリネシアの島々まで6900kmを航海できたことを証明しようと、ノルウェーの学者トール・ヘイエルダールと5人の乗組員が、コン=ティキ号（古代に現地で入手できたバルサ材などの材料だけで作った大型のいかだ）でペルーからポリネシアに向けて出航。

4月
29

他にもこんな出来事が

1770 探検家ジェームズ・クックと部下たちがオーストラリアのボタニー湾に上陸。英国によるこの大陸の植民地化の始まり。

1961 世界自然保護基金（WWF）が創設され、人類の活動によって種の存続が脅かされている動物やその生息地を保護する資金集めを開始。

2011 英国のケンブリッジ公ウィリアム王子（現・皇太子）がキャサリン・ミドルトンと結婚。ロンドンのウェストミンスター寺院での結婚式はテレビ中継された。

1429

オルレアンの乙女

仏・英の間で起こった百年戦争のさなか、男装した17歳の少女ジャンヌ・ダルクがフランス軍を率い、イングランドに包囲されていたオルレアンを解放した。彼女は2年後に異端の罪で火刑に処されるが（156ページ）、伝説的な人物となり、1920年にフランスの守護聖人になる。

女性工作員

1944

第2次世界大戦中、英国の特殊工作員ナンシー・ウェイクがパラシュートでフランスに降下。対独抵抗運動を行うレジスタンスグループに加わり、やがてナチスの最重要指名手配者になるほどの活躍を見せた。

この日が誕生日

1863 ウィリアム・ランドルフ・ハースト・シニア 米国の新聞社主・実業家。米国最大のメディア企業のひとつであるハースト・コーポレーションの創業者。

1899 エドワード・ケネディ・“デューク”・エリントン 米国の黒人ミュージシャン。米国で最も偉大なジャズ作曲家と呼ばれ、2000曲以上を作曲した。

2005 まんじゅうの塔

香港の長洲島（ちょうしゅうとう）で、26年ぶりに復活した饅頭（マントウ）祭りが開催された。予選で選ばれた選手たちが饅頭で覆われた高い塔によじ登り、幸運をもたらす饅頭をどれだけ集められるかを競った。

1789 建国の父

ジョージ・ワシントンが、新たに建国されたアメリカ合衆国の初代大統領として宣誓を行った。彼は米国独立戦争の際に司令官として戦い、植民地13州を英国の支配から独立させた。

この日が誕生日

1985 ガル・ガドット＝ヴァルサノ イスラエルの女優。ハリウッド映画でスーパーヒーローのワンダー・ウーマンを演じて一躍スターになる。

1993 ワールド・ワイド・ウェブ

英国の科学者ティム・バーナーズ＝リーが、自身の開発したソフトウェア World Wide Web（ワールド ワイド ウェブ）を無料公開。誰もがこれを使って、コンピューターを介してインターネット上で情報を共有できるようになった。

他にもこんな出来事が

1006 記録に残る中で最も明るい超新星爆発が夜空に輝いた。世界中で観測され、東洋と西洋でいくつかの文書に記録された。

1888 インドのモラダバードで史上最悪の雹（ひょう）被害が発生。ガチョウの卵ほどもある雹が、246人の命を奪った。

2013 オランダのベアトリクス女王が退位し、息子のヴィレム＝アレクサンダーが新しい王となった。

5月 1

2005

輝けるゴール

アルゼンチン出身の17歳のサッカー選手リオネル・メッシが、FCバルセロナの公式戦に途中交代で出場し、初ゴールを決めた。2021年までに700ゴール以上を記録し、歴史に残る名選手となる。

他にもこんな出来事が

1707　合同法によりイングランドとスコットランドが合併し、グレートブリテン連合王国が誕生。

1999　米国のアニメ番組『スポンジ・ボブ』がニコロデオンで初放送。同チャンネルで最も長く放送されているシリーズとなる。

1840

ペニー・ブラック

英国で初めて、前払い式の郵便切手、通称「ペニー・ブラック」が発行された。ヴィクトリア女王の肖像が描かれ、裏に糊がついていた。これ以前は、手紙を受け取る側が郵便料金を払っていた。

この日が誕生日

1852 カラミティ・ジェーン　アメリカ西部開拓時代の女性ガンマン。勇敢さと射撃の腕前と気っぷのよさで知られた。

1890

働く人々の日

5月1日は、多くの国で国際労働者デー（メーデー）として祝日になっている。1886年に米国で起こったヘイマーケット事件（シカゴの労働者の抗議集会が警察との衝突に発展して死傷者が出た）をきっかけに、この日に行われるようになった。

5月

2

1945 ベルリン陥落

第２次世界大戦のヨーロッパ最後の戦いで、ソ連軍がドイツの首都ベルリンを占領。ヒトラーは前々日に、後継首相ゲッベルスも前日に自殺しており、ナチスの支配は事実上崩壊。

レインボー・ウォーリア 1978

環境保護団体「グリーンピース」の船「レインボー・ウォーリア号」が、核廃棄物の投棄、クジラやアザラシの捕獲などに反対するキャンペーンのために出航。

この日が誕生日

1972 ドウェイン・ジョンソン 米国のプロレスラー・俳優。「ザ・ロック」の名でも知られ、映画スターとしての人気も高い。

1975 デヴィッド・ベッカム 英国のサッカー選手。マンチェスター・ユナイテッドやイングランド代表チームで活躍。

他にもこんな出来事が

1611 イングランドで、国王ジェームズ１世の命により欽定訳聖書が出版された。以来、世界で10億部以上が売れている。

1670 イングランド王チャールズ２世が、今のカナダ中部にあたる広大な地域の毛皮取引権を、国策会社のハドソン湾会社に認めた。

1922 星座会議

イタリアのローマで開催された国際天文学連合の第１回総会で、現在の88星座のリストが合意された。このうち半数以上は、古代ギリシャ人が考えた星座に基づいている。

2000 ジオキャッシング・ゲーム

米国のコンピューター専門家デイヴ・ウルマーがオレゴン州の森にジオキャッシュと呼ばれる小さな容器を隠し、ジオキャッシングという宝探しゲームを創始した。プレイヤーはGPS 座標と公式サイト上のヒントから、隠された品を探し出す。

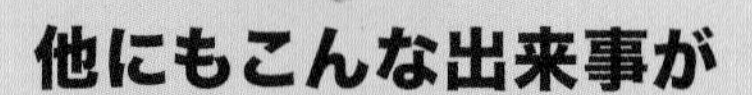

他にもこんな出来事が

1803 フランスのナポレオン・ボナパルトが、戦費調達のためにルイジアナ植民地を米国に売却。米国の面積がほぼ 2 倍になった。

1947 第 2 次世界大戦後に作られた日本国憲法が施行された。天皇の役割を制限し、戦争放棄を掲げている。

1978 米国の400人の電子メールユーザーに対して、コンピューター広告を掲載した最初のスパムメールが送信された。

1979 鉄の女

英国の総選挙で保守党が勝利し、マーガレット・サッチャーが女性で初めて英国首相に選出された。「鉄の女」と呼ばれた彼女は、20 世紀の英国首相のなかで唯一、3 期連続で首相を務めた。

1960 大ヒット・ミュージカル

愛と人生を描いたミュージカル・コメディ『ファンタスティックス』が、米国ニューヨークで開幕。その後 42 年間で 1 万 7162 回上演され、ミュージカル史上最も連続上演期間の長い作品となる。

この日が誕生日

1933 ジェームズ・ブラウン 米国の黒人歌手。ゴスペル歌手から転じてソウルとファンクのスターになった。

1912 十代の活動家

米国のニューヨークで婦人参政権を求める行進が行われ、女性を平等に扱うよう訴える活動をしていた15歳の中国系米国人少女メイベル・ピン・ファ・リー（李彬華）が、馬に乗って1万人近い人々を先導した。

この日が誕生日

1929 オードリー・ヘプバーン 英国の女優。『ローマの休日』『ティファニーで朝食を』などで有名。

1607 英国植民地

現在の米国ヴァージニア州の海岸に上陸した英国人開拓者104人が、砦を築いてジェームズタウンと名付けた。ジェームズタウンは北米大陸で初めての永続的な英国の入植地となる。

1942 珊瑚海海戦

第2次世界大戦中、オーストラリア北東沖の珊瑚海で、日本海軍と連合国軍（米・豪）が史上初の空母対空母の戦闘を開始。日本軍は作戦目的を達成できず、連合国軍が珊瑚海の制海権を守った。

他にもこんな出来事が

1919 第1次大戦後のパリ講和会議で中国の山東省の権益が日本に認められたことに対し、北京で学生の抗議運動が発生。抗日・反帝国主義の五・四運動へと発展する。

2013 ウォルト・ディズニー・カンパニーがテーマパークで「スター・ウォーズの日」を記念する公式の特別イベントを初開催。

2019 中国の青島マラソンで、トップを走っていたケニアのB・A・キプランガト選手を先導車が間違った道に誘導。その後彼はコースに戻り、優勝した。

5月 5

シンコ・デ・マヨ 1862

メキシコ軍が、侵攻してきたフランス軍をプエブラの戦いで破る（その後フランスがメキシコを占領）。プエブラや米国ではこの勝利を祝う祭りが毎年5月5日（スペイン語でシンコ・デ・マヨ）に行われる。

この日が誕生日

1892 ドロシー・ギャロッド 英国の考古学者。旧石器時代の研究で知られ、1939年に女性として初めてケンブリッジ大学の教授に就任した。

1988 アデル 英国のシンガーソングライター。デビューアルバム『19』が記録的な売り上げを達成し、グラミー賞を受賞。世界的なスーパースターとなる。

1921 シャネルNo.5

フランスのファッションデザイナー、ココ・シャネルが、香水「シャネル No.5」を発売。80種類の成分を配合した魅惑的な香りは世界中で人気になる。

1860 イタリア統一

イタリアの軍人ジュゼッペ・ガリバルディが、「千人隊」を率いて遠征に出発。ジェノヴァを出港して両シチリア王国に進軍し、これを滅ぼしてその土地をサルデーニャ王に献上。イタリア統一に大きく貢献した。

他にもこんな出来事が

1260 クビライ・カンがモンゴル帝国の皇帝として即位。元号を「元」と定め、やがて中国を支配するに至る。

1958 日本の「こどもの日」であるこの日、広島市の平和記念公園で、1945年の原爆で亡くなった何万人もの児童・生徒を慰霊する「原爆の子の像」が除幕された。

1984 南米のブラジルとパラグアイ国境の川で、イタイプ・ダムが発電を開始。2012年まで世界最大の水力発電ダムだった。

5月

6

iMac発売 1998

米国のアップル社が、初のオールインワン・デスクトップコンピューター「iMac」を発売。カラフルな半透明の筐体にキーボードとマウス、CDドライブ、内蔵スピーカーが付き、セットアップが非常に簡単で、ヒット商品となった。

タイの王宮 1782

シャム（現在のタイ）の首都がトンブリーからバンコクに移されたことに伴い、新王宮の建設が始まった。この王宮には1925年まで国王が住んでいたが、現在は式典などに使われ、一部は博物館として公開されている。

飛行船が爆発 1937

米国ニュージャージー州に到着したドイツの旅客飛行船ヒンデンブルク号が爆発・炎上して墜落し、乗客35人が死亡した。この事故で一気に信頼を失って、飛行船の時代は終わりを告げた。

この日が誕生日

1856 ジークムント・フロイト オーストリアの神経病学者。患者の過去を探ることで精神的な問題を解決する方法を開発した。

他にもこんな出来事が

1954 英国の陸上選手ロジャー・バニスターが、世界で初めて1マイル走で4分を切るタイムを出した。

1994 英仏海峡トンネルが開通し、英国とフランスが海底の下を通る長さ50kmの鉄道トンネルで結ばれた。

2002 南アフリカ出身の実業家イーロン・マスクが、火星への植民を最終目標とする航空宇宙企業「スペースX」を設立。

5月

7

1953 大物が釣れた

釣り好きの米国人実業家ルー・マロンが、チリ沖で2時間の格闘の末に536kgのメカジキを釣り上げた。竿とリールで釣った魚としては史上最も重い、大物中の大物。

2015 海賊の宝？

マダガスカルのサント・マリー島沖で、水中探検家が55kgの“銀塊”を発見。スコットランドの海賊ウィリアム・キッドの戦利品の一部と主張したが、その後のユネスコの調査では鉛と判定された。

1867 ダイナマイト

スウェーデンの化学者アルフレッド・ノーベルが、棒状に成形して販売できる新しい爆薬「ダイナマイト」の特許を取得。それまでの爆薬と違って自然発火による爆発を起こさないため、より安全に取り扱えた。ノーベルはこの発明で億万長者になった。

他にもこんな出来事が

1945 第2次世界大戦末期、フランスのランスで、ドイツが西側連合国に無条件降伏。ドイツは翌8日夜〔モスクワ時間では9日〕、ベルリンでソ連軍にも無条件降伏する（134ページも参照）。

1946 日本の井深大（いぶかまさる）と盛田昭夫（もりたあきお）が東京通信工業株式会社（後のソニー）を設立。

1986 カナダの登山家パトリック・モローがオセアニア最高峰プンチャック・ジャヤに登頂し、7大陸の最高峰すべてを制覇する世界初の快挙を成し遂げた。

この日が誕生日

1748 オランプ・ド・グージュ フランスの女性劇作家。フランス革命後に女性の権利を訴える活動を行ったが、反革命のかどで処刑された。

5月 8

ヨーロッパ戦勝記念日

1945

西ヨーロッパと北米の都市が、第２次世界大戦におけるドイツの敗北を祝った。数百万の命と欧州各地の広範囲の破壊という犠牲の上に得られた勝利だった。〔ソ連の戦勝記念日は時差により９日（133 ページ）〕。

2014

貴重な発見

米国出身のダイバー、デヴィッド・マーンズが、1503年に沈没したポルトガル船エスメラルダ号の残骸から、最古のアストロラーベ（船乗りが航海に使用した天文観測機器）を発見した。

他にもこんな出来事が

1835 デンマークのコペンハーゲンで、「エンドウ豆の上に寝たお姫さま」を含むハンス・クリスティアン・アンデルセンの童話集第１部が出版された。

1902 カリブ海のマルティニーク島でプレー山が噴火し、サン・ピエールの町が壊滅、３万人近くが死亡。

1996 南アフリカ共和国の新憲法が、世界で初めてLGBTQ+ の権利を保護。

この日が誕生日

1926 デヴィッド・アッテンボロー
英国の放送プロデューサー・自然科学者。自然をテーマにしたテレビドキュメンタリーで有名。

1975 エンリケ・イグレシアス
スペイン系米国人の歌手。ラテン・ポップの大スター。

1984

テムズ・バリア

英国ロンドン中心部の洪水を防ぐためにテムズ川に作られた高さ 20m の鋼鉄の水門「テムズ・バリア」の開通式を、女王エリザベス２世が行う。

5月
9

1950
スモーキー・ベア
米国ニューメキシコ州で発生した森林火災の際、肢にやけどを負って木にしがみついていた子グマを消防士が救出。このクマは「スモーキー・ベア」の愛称で親しまれ、森林火災防止のシンボルになった。

他にもこんな出来事が
1901　初めてのオーストラリア連邦議会がメルボルンで開かれる。英国のジョージ王子（後の英国王ジョージ５世）を迎えて、盛大な開会式が行われた。

1950　フランスのロベール・シューマン外相が、ヨーロッパ各国が再び戦争をする可能性を低くするために石炭と鉄鋼の共同生産を提案。このヨーロッパ石炭鉄鋼共同体は、後のヨーロッパ連合（EU）創設への第一歩となった。

2017
恐竜の卵
1993年に中国で発見された9000万年前の巨大な恐竜の卵の化石を調べた科学者たちが、その羽毛の生えた恐竜を「中国の赤ちゃん竜」を意味するベイベイロン・シネンシスと命名。

1941
エニグマ暗号機
英海軍がドイツの潜水艦を捕獲し、ドイツが第２次大戦で軍の通信に使用した暗号機「エニグマ」を入手した。エニグマは極めて解読が困難な暗号だったが、後にアラン・チューリングを中心とする英国の暗号解読チームによって解読される。

この日が誕生日
1921 ゾフィー・ショル ドイツの女子大生で、反ナチスの非暴力抵抗組織「白バラ」のメンバー。1943年に国家反逆罪で兄らとともに処刑された。21歳だった。

1979 ロザリオ・ドーソン 米国の女優。ヒスパニックの若者に投票を呼びかける団体「Voto Latino」を共同創設。

5月

10

1752

空の火花

フランスの科学者トマ・フランソワ・ダリバールが、パリ近郊で15mの鉄棒を雷雲に向けて設置し、雲の中の電気を引き込んで火花を発生させた。この実験により、雷が電気による現象だと証明された。

この日が誕生日

1960 マリーン・オッティ ジャマイカ生まれ、後にスロヴェニア国籍を取得した女子陸上選手。1980年から2004年まですべての夏季オリンピックに出場。

1869

ゴールデン・スパイク

米国初の大陸横断鉄道の完成を記念して、米国ユタ州の線路に18金でできたスパイク（犬釘［いぬくぎ］）が打ち込まれた。この線路は、西海岸のサクラメントから中部のオマハまでを結んでいた。

戦時指導者

1940

ウィンストン・チャーチルがネヴィル・チェンバレンに代わって英国首相に就任。チャーチルは第2次世界大戦のさなかにある英国を率い、連合国の勝利において大きな役割を果たした。

他にもこんな出来事が

1857 インドで、東インド会社のインド人傭兵部隊が英国に対して反乱を起こした（第1次独立戦争）。

1933 ナチス政権を支持する学生グループが、ユダヤ人やリベラルな作家の本を「非ドイツ的」だとして焼きすてた。

1994 全人種による選挙に勝利したネルソン・マンデラが、南アフリカ初の黒人大統領に就任。

アワーレコード

1893

フランスのアマチュア自転車競技選手アンリ・デグランジュが、パリのビュファロ自転車競技場で1時間に35.325kmを走り、最初のアワーレコード（1時間の走行距離記録）を打ち立てた。

330

皇帝の都市

ローマ帝国のコンスタンティヌス帝によってビュザンティオンの地に新しい都市が築かれ、皇帝の名からコンスタンティノポリスと命名された。現在のトルコのイスタンブールである。

この日が誕生日

1904 サルバドール・ダリ スペインの画家。不思議なイメージを用いたシュールレアリスムの作品で知られる。

1906 ジャクリーン・コクラン 米国のエアレース・パイロット。女性で初めて音速を超えるスピードで飛行した。

他にもこんな出来事が

1846 米国とメキシコの国境紛争を受け、米大統領ジェームズ・K・ポークがメキシコへの宣戦布告を連邦議会に要請。

2000 公式記録によると、インドの人口が10億人に達した。

2019 ハワイのマウナロア観測所の研究者たちが、地球の大気中の二酸化炭素濃度がこの3億年で最も高いレベルまで上昇したと発表（94ページも参照）。

868

古い印刷物

印刷日付のある現存最古の印刷物（1900年に中国・敦煌（とんこう）の莫高窟（ばっこうくつ）で発見された『金剛般若経（こんごうはんにゃきょう）』）が刷られた。〔制作年では日本の『百万塔（ひゃくまんとう）陀羅尼（だらに）』（770年）や韓国の『無垢（むく）浄光大陀羅尼経（じょうこうだいだらにきょう）』（751年以前？）の方が古い。〕

金剛般若波羅蜜經
如是我聞一時佛在舎衛國祇樹給孤獨園與
比丘衆千二百五十人俱尒時世尊食時著衣
鉢入舎衛大城乞食於其城中次第乞已還至本
飯食訖収衣鉢洗足已敷座而坐時長老須菩提

5月

12

1926 北極点上空通過

ノルウェー人探検家ロアール・アムンセン、米国人パイロットのリンカーン・エルズワース、イタリア人技師ウンベルト・ノビレら計16名が乗った飛行船ノルゲ号が、史上初の北極点上空通過飛行に成功。

他にもこんな出来事が

1941 ドイツの発明家コンラート・ツーゼが、初のプログラム可能で自動化されたコンピューター「Z3」をベルリンで発表。

2002 米国のジミー・カーター元大統領が、1959年のキューバ革命でカストロ政権が誕生して以来初めて、米国の元大統領としてキューバを訪問。

2017 「WannaCry（ワナクライ）」と呼ばれる悪質なソフトウェア（マルウェア）が、世界中の40万台以上のコンピューターに感染。ユーザーのファイルをロックし、身代金を要求した。

この日が誕生日

1820 フローレンス・ナイチンゲール 英国の看護師。クリミア戦争の際に後方基地で傷病兵の看護にあたり、衛生の改善などで看護のありかたを大きく変えた。

1968 トニー・ホーク 米国のスケートボーダー。華麗な技でスケートボードを普及させ、「バードマン」の愛称で親しまれている。

1743 ボヘミア女王

オーストリア大公マリア・テレジアが、ボヘミア王国（現在のチェコ）初の女王として戴冠。彼女は40年近くにわたり、オーストリア、ボヘミア、ハンガリーを統治した。

1881 路面電車の登場

ドイツ・ベルリンのリヒターフェルデ地区で、世界初の電気式路面鉄道が運行を開始（それまでは馬が客車を引いていた）。開通から3ヵ月で、約1万2000人の利用客が全長2.4kmの電車の旅を楽しんだ。

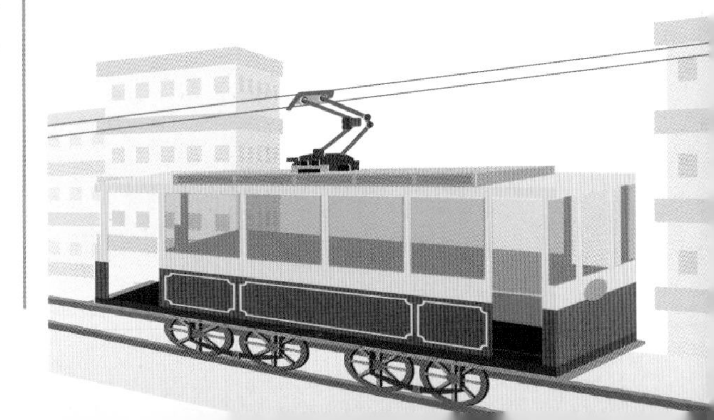

5月
13

他にもこんな出来事が

1861 農夫のジョン・テバットが、オーストラリアのウィンザーの夜空で C/1861 J1 彗星を発見。彼の名を取ってテバット彗星と呼ばれている。

1943 第2次世界大戦中、砂漠での戦いが2年半以上続いた北アフリカ戦線において、チュニジアで枢軸国軍がついに連合国軍に降伏。

1968 フランスのパリで、学生運動に対する警察の実力行使に抗議して約80万人がデモ行進を行い、労働組合はゼネストを呼びかける。いわゆる「五月危機」。

1995
女性・無酸素・単独

英国の登山家アリソン・ハーグリーヴスが、女性として世界で初めてエヴェレストの無酸素・単独登頂に成功。(3ヵ月後、彼女はK2頂上からの下山途中に命を落とす。)

1958
10年の旅

オーストラリアの冒険家ベン・カーリンが、「ハーフ・セーフ号」と名付けた水陸両用車(陸上と水上を移動できる車)で10年かけて地球を一周し、出発地のカナダにゴールイン。水陸両用車で世界一周を達成した最初の人物になった。

この日が誕生日

1986 ロバート・パティンソン 英国の俳優。映画『トワイライト』シリーズでヴァンパイア役を演じてブレイクし、ハリウッドの人気俳優となる。

1909
ジロ・デ・イタリア

世界初のマルチステージ自転車レース「ジロ・デ・イタリア」がスタート。午前3時前に127人の選手がミラノを出発し、2週間かけてイタリア全土を約2500km走破して、5月30日にミラノでフィニッシュした。

1796

最初のワクチン

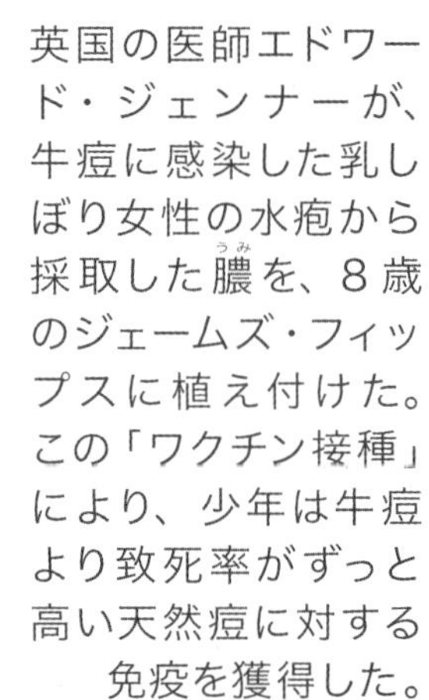

英国の医師エドワード・ジェンナーが、牛痘に感染した乳しぼり女性の水疱から採取した膿を、8歳のジェームズ・フィップスに植え付けた。この「ワクチン接種」により、少年は牛痘より致死率がずっと高い天然痘に対する免疫を獲得した。

この日が誕生日

1984 マーク・ザッカーバーグ 米国の技術革新者・実業家。米国ハーヴァード大学在学中に、ソーシャルメディアサイト「フェイスブック」を作った。

バックフリップ！

2016

ブラジルのサーファー、ガブリエウ・メジーナが、サーフィン大会で史上初のバックフリップを成功させ、ジャッジから10点満点を獲得。世界中のサーフィンファンを驚かせた。

他にもこんな出来事が

1918 南アフリカのケープタウンで、第1次世界大戦の戦没者に黙祷が捧げられた。英国などで第1次大戦終結の日である11月11日11時に2分間黙祷する習慣はこれに由来する。

1948 国連がパレスチナをユダヤ人国家とアラブ人国家と国連管理のエルサレムに分割することを決定。ユダヤ人の独立国家イスラエルが建国された。

1955 ソ連と東欧社会主義諸国（ユーゴスラヴィアを除く）が、域外からの攻撃に対する軍事同盟「ワルシャワ条約機構」を創設。

絶滅の危機

2008

環境保護活動の働きかけを受け、米国でホッキョクグマが「絶滅危惧種」に指定された。ホッキョクグマは、気候変動によって生息地の海氷が融け、危機にさらされている。北極圏の生物を守る行動の必要性を象徴する動物である。

他にもこんな出来事が

1897 ドイツの医師・性科学者のマグヌス・ヒルシュフェルトが、「科学人道委員会」を設立。今でいうLGBTQ+の権利を擁護する、史上初めての組織であった。

1926 ウォルト・ディズニーの無声短編映画『プレーン・クレイジー』で、ミッキーマウスが初めてスクリーンに登場。

1972 米国による26年間の統治を経て、沖縄（琉球諸島および大東諸島）が日本に返還された。

221 三国時代

中国で漢王朝が滅亡した後、劉備（りゅうび）が蜀漢（しょくかん）の皇帝として即位した。この蜀漢（しょくかん）と曹操（そうそう）の魏（ぎ）、孫権（そんけん）の呉（ご）の三国が並び立つ「三国時代」が始まる。

2007 スクラッチの公開

米国で開発されたコンピュータープログラミング言語Scratch(スクラッチ)が一般に無償公開され、ユーザーがゲームやアニメーションを容易に作れるようになった。

1869 女性に選挙権を！

米国のニューヨークで、エリザベス・キャディ・スタントン（左）とスーザン・B・アンソニー（右）が、女性に選挙権を認めるよう活動する団体「全米女性参政権協会」を設立した。

この日が誕生日

1857 ウィリアミーナ・フレミング スコットランド生まれで米国で活動した女性天文学者。ボストンのハーヴァード大学天文台で1888年に馬頭（ばとう）星雲を発見した。

1987 アンディ・マリー スコットランドのテニス選手。4大大会の男子シングルスで3回優勝し、2016年には男子テニス世界ランキング1位になった。

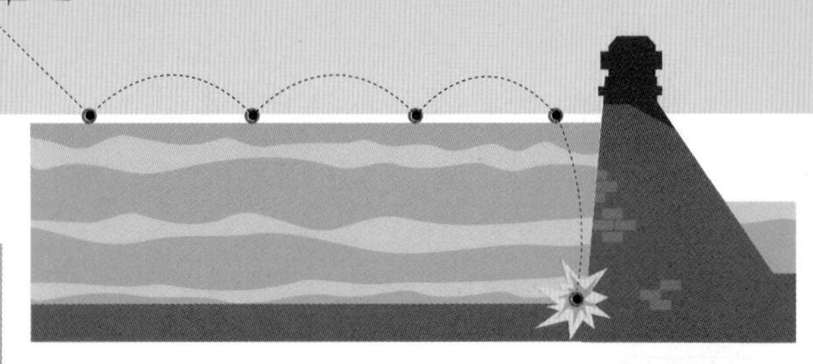

交流電流

セルビアで生まれ米国で活動した発明家ニコラ・テスラが、ニューヨークで自身の開発した誘電モーターと交流電流の実演を行った。現代の送電ではこの交流方式が使われている。

ダム・バスターズ 1943

第２次世界大戦中、英軍の爆撃隊がドイツのダムを「反跳爆弾」（水面を“水切り”のように跳ねて目標に到達する爆弾）で攻撃。ルール地方のダム数ヵ所を破壊し、洪水を起こして1300人の命を奪った。

この日が誕生日

1966 ジャネット・ジャクソン 米国の黒人歌手・女優。ポップとR&Bの大スターで、売り上げ枚数は１億枚を超える。

他にもこんな出来事が

1832 チリのコピアポ付近で、鉱山労働者フアン・ゴドイが銀の鉱脈を発見。ここからチリのシルバーラッシュが始まる。

1929 米国のカリフォルニア州で、映画芸術科学アカデミーが初の年間優秀賞を授与。アカデミー賞が始まった。

1985 南極で調査していた英国の科学者チームが、南極上空のオゾン層に1890万平方キロメートルの穴（オゾンホール）があると発表。〔最初にオゾンの穴を発見したのは1982年の日本の南極観測隊。〕

セパタクロー 1945

マレーシアのペナン州の複数のチームが、セパタクローの最初の公式大会を行う。東南アジアで人気が高いこの球技は足のバレーボールとも呼ばれ、籐でできたボールを使い、ネットをはさんで足や膝や頭で打ち合ってプレーする。

5月

17

1859 オージーボール

オーストラリアン・フットボールのルールが、メルボルン・クリケット・クラブのメンバーによって作られた。オフシーズンの体力維持のために選手たちが考案したと考えられている。

この日が誕生日

1971 オランダ王妃マクシマ アルゼンチン出身。移民（特に女性）のオランダ社会への定着を支援する活動を行っている。

1900 オズの魔法使い

米国の作家ライマン・フランク・ボームの『オズの魔法使い』が印刷され、彼は最初の1冊を姉メアリーに贈った。少女がライオン、ブリキ男、カカシとともに魔法の国オズで冒険をするこの物語は、後に映画化され、多くの人に愛された。

1970 パピルスの船

ノルウェーの学者トール・ヘイエルダールが、ボリビアからアイマラ族の船大工を招いて作ったパピルスの船「ラー２号」に乗り、国籍も人種も多様な乗組員とともにモロッコから大西洋横断に出帆。57日後、カリブ海のバルバドスに到着する。

他にもこんな出来事が

1861 スコットランドの物理学者ジェームズ・クラーク・マクスウェルが、光の三原色のフィルターを利用した初のカラー写真をロンドンで発表。

1902 古代ギリシャの難破船から回収された遺物の中から、世界初の機械式計算装置とみられる「アンティキティラ島の機械」が発見された。

1954 米国の連邦最高裁が、公立学校における白人と黒人の別学（教育機関での人種分離）に違憲判決を下した。

5月

18

1804

ナポレオン、皇帝になる

ヨーロッパの広い部分を支配下に収めたフランスの軍人ナポレオン・ボナパルトが、フランス皇帝となった。彼は法・行政・経済・軍事などを改革したが、戦争が絶えず、ロシア遠征の失敗をきっかけに対仏同盟軍に敗れ、失脚する。

他にもこんな出来事が

1291 聖地エルサレム王国における十字軍の最後の拠点であった都市アッコが、イスラム軍の前に陥落。

1893 ニュージーランドで、男性ばかりのマオリ民族議会において、メリ・テ・タイ・マンガカヒアが女性として初めて演説。

1991 初の英国人宇宙飛行士ヘレン・シャーマン（27歳）が、ソユーズ宇宙船でミール宇宙ステーションに到着。

1830

芝刈り機

発明家エドウィン・バディングと製造業者ジョン・フェラビーが、英国グロスターシャーで世界初の芝刈り機の製造契約を結んだ。この機械のおかげで、芝刈りがそれまでよりずっと楽になった。

この日が誕生日

1955 チョウ・ユンファ 香港の俳優。アカデミー賞外国語映画賞受賞作『グリーン・デスティニー』などに出演。

1970 ティナ・フェイ 米国の女優・脚本家。テレビ番組『サタデー・ナイト・ライブ』のライターや出演者として有名。

1927

ハリウッドの映画館

米国ロサンゼルスのハリウッド大通りに、映画館「グローマンズ・チャイニーズ・シアター」がオープン。1977年の『スター・ウォーズ』をはじめ、多くの映画のプレミア上映がここで行われた。

暗い昼

1780

米国のニューイングランド地域とカナダの一部で謎の暗闇が広がり、人々は真昼にロウソクを灯さねばならなかった。原因は今も不明なままである。

ロイヤルウエディング

2018

英国のハリー王子と米国の女優メーガン・マークルがウィンザー城のセント・ジョージ礼拝堂で結婚式を挙げ、数億人がテレビで見守った。

この日が誕生日

1948 グレイス・ジョーンズ ジャマイカ系米国人の歌手・モデル・女優。ユニークなスタイルとクリエイティブなセンスで知られる。

2003 ジョジョ・シワ 米国のカリスマユーチューバー。2020 年に、『タイム』誌の「世界で最も影響力のある 100 人」に選ばれた。

他にもこんな出来事が

1845 探検家ジョン・フランクリンが北極圏の北西航路を探すため、128 人の乗組員とともに英国を出航。その後消息を絶ち、全員が死亡。

1910 ハレー彗星が地球に接近し、地球が彗星の尾の中を通過した。この際に、初めて彗星が写真撮影された。

2020 新型コロナウイルスの感染拡大を防ぐためのロックダウンにより、世界の温室効果ガス排出量が 17%減少。

アルプスを貫通

1906

アルプスを掘り抜いてイタリアとスイスを結ぶ全長約 20km のシンプロン・トンネルが開通。1982 年まで世界最長の鉄道トンネルだった。

1498

インド航路

ポルトガルの探検家ヴァスコ・ダ・ガマの船団が、アフリカ南端を回ってインドのカリカット（コーリコード）に到着。ヨーロッパ人として初めて海路でインドに到達した。ポルトガルはこのインド航路を使ってアジアとの交易を開始する（195ページも参照）。

2005

新種のサル

研究者たちが発見を報告したサル「キプンジ」が正式に新種として記載された。キプンジはアフリカ・タンザニアの高地林に生息し、個体数は1000頭あまり。

バイクでジャンプ

米国の命知らずのスタントマン、ロビー・クニーヴルが、テレビ生中継で視聴者が見守る中、花火をバックにアリゾナのグランドキャニオンをバイクで跳び越えた。飛距離は69m。着地後に転倒して、片脚を骨折した（304ページも参照）。

この日が誕生日

1908 ジェームズ・ステュアート 米国の俳優。『スミス都へ行く』などで有名。

1946 シェール 米国の歌手・女優。多彩なスタイルの曲と優れた演技で、音楽・映画の両方ですでに60年近く活躍。

他にもこんな出来事が

1570 フランドルの地図製作者アブラハム・オルテリウスが初の近代的な地図帳『Theatrum Orbis Terrarum（世界の舞台）』を発売。

1927 米国の飛行家チャールズ・リンドバーグが、ニューヨークからパリまでの大西洋横断単独飛行を初めて成功させる。

1990 NASAのハッブル宇宙望遠鏡が、記念すべき1枚目の写真――りゅうこつ座の散開星団NGC 3532の美しい画像――を撮影した。

5月 21

1871 最初の登山鉄道

ヨーロッパ初の登山鉄道がスイスで開業。ルツェルン湖畔のフィッツナウからリギ山に登る「フィッツナウ=リギ鉄道」である。アルプスの雄大な景色を乗客に見せたいと考えたスイス人技師ニクラウス・リッゲンバッハが、急坂でも走れる鉄道の機構を発明した。

他にもこんな出来事が

1792 日本で、雲仙岳噴火に伴う地震で眉山(まゆやま)が崩壊し、高さ 10m 以上の津波が島原と対岸の肥後(現在の熊本県)を襲った。犠牲者は 1 万 5000 人以上。〔「島原大変肥後迷惑」と呼ばれる。〕

1904 フランスのパリで、ヨーロッパ 7 カ国により、国際サッカー連盟(FIFA(フィファ))が設立された。

2010 日本の宇宙航空研究開発機構(JAXA(ジャクサ))が、世界初の太陽光発電で推進する惑星間航行宇宙機「イカロス」を打ち上げ。

2013 Xbox One(エックスボックス ワン) 登場

米国のソフトウェア企業マイクロソフトが、ゲームだけでなくテレビ・映画視聴にも使えるゲーム機「Xbox One(エックスボックス ワン)」を発表。発売から 7 年間で、本体が 4800 万台以上売れた。

この日が誕生日

1994 トム・デーリー 英国の男子飛込競技選手。オリンピックや世界選手権など各種の大会で多数のメダルを獲得している。

1932 アメリアの飛行

米国の飛行家アメリア・イアハートが、リンドバーグに続く2人目、女性としては初の大西洋単独横断飛行。前日にカナダのニューファンドランドを離陸し、15 時間飛行して北アイルランドのロンドンデリー近郊に着陸した。

1980

パックマン

東京で、ゲームデザイナー岩谷徹が開発したアーケードゲーム「パックマン」の最初のテスト機が設置された。迷路の中でパックマンがモンスターを避けながらエサを食べるこのゲームは、アーケードゲーム史上最も成功した作品となる。

この日が誕生日

1987 ノヴァク・ジョコヴィッチ セルビアのテニス選手。4大大会で21回（2022年9月時点）の優勝を誇る、世界で最も成功した選手のひとり。

1762

愛の泉

イタリアのローマで、「トレヴィの泉」が誕生。大理石の彫刻の足元から水が流れ出すこの壮大な泉には1時間あたり約1000人の観光客が訪れ、恋愛の幸運を願って後ろ向きにコインを投げ入れている。

1987

車椅子地球一周

カナダのアスリート、リック・ハンセンが、車椅子で地球を一周する「マン・イン・モーション」の旅を成功させて出発点のバンクーバーでゴール。彼は4万km以上を車椅子で走り、障害者の持つ可能性を世界に示した。

他にもこんな出来事が

1900 スイスのセーリング選手エレーヌ・ド・プルタレスが、女性として初めてオリンピックに出場し、金メダルを獲得。

1918 スペインの新聞が感染症の大流行を報じた。そのため、この感染症は「スペイン風邪」と呼ばれることになる。病気の発生源はスペインではない（69ページ参照）。

1960 チリで、リヒター・スケール9.5という観測史上最大の地震が発生し、バルディビア市に壊滅的な打撃を与えた。

ボニーとクライド

2年にわたって殺人と強盗を繰り返した米国の犯罪者カップル、ボニー・パーカーとクライド・バロウが、ルイジアナ州で警官隊に待ち伏せされ、撃たれて死亡した。映画『俺たちに明日はない』のモデル。

この日が誕生日

1848 オットー・リリエンタール ドイツの航空技術者・飛行家。鳥の翼を研究し、グライダーを作って実際に空を飛び、当時の新聞で何度も取り上げられた。

1908 エレーヌ・ブーシェ フランスの女性パイロット。飛行速度と高度で当時の世界記録を樹立した。

1618

窓外放出事件

カトリックの国王がプロテスタントの教会建設を中止させたことに怒ったボヘミア（現在のチェコ）の民衆がプラハ城を襲い、王の顧問ら3人を窓から投げ落とした。幸いにも彼らは生き延びた。ここから三十年戦争が始まる。

天文学者の島

1576

デンマークの天文学者チコ・ブラーエが、国王からヴェン島を与えられた。彼は島に天文台と地下観測所（図はその地上部分）を作り、望遠鏡開発以前の肉眼による最も精度の高い観測を行った。

他にもこんな出来事が

1915 第1次世界大戦中、イタリアがオーストリア=ハンガリー帝国に宣戦布告し、連合国側に付く。

1962 米国の外科医ロナルド・モルトが、切断された少年の腕を再びつなぎ直した。この種の再接合手術の、初めての成功例。

2015 アイルランドが、国民投票の結果、同性婚を合法化。国民投票で同性婚を認めた国は世界で初めて。

5月 24

2018 猫立ち入り禁止

オーストラリアのニューヘイヴン野生生物保護区に、世界最長の猫よけの柵が完成した。全長 44km のこのフェンスは、保護区内の鳥類や有袋類（コシアカウサビワラビーなど）を、野生化した猫から守っている。

この日が誕生日

1686 ダニエル・ガブリエル・ファーレンハイト オランダで活動したドイツ人物理学者。水銀を用いた精度の高い温度計を製作し、華氏温度目盛りを考案した（華は彼の名の漢字表記の略）。

他にもこんな出来事が

1798 フランス革命や米国の独立に触発され、アイルランドが英国支配に対して反乱を起こす。両国の長い対立の歴史における重要な事件のひとつ。

1822 現在のエクアドルにあるピチンチャ山の山腹で「ピチンチャの戦い」が起こる。独立を目指す南米の反乱軍が勝利し、スペインによる植民地支配が終焉に向かう。

1956 スイスのルガーノで第1回ユーロビジョン・ソング・コンテストが開催され、7ヵ国が参加した。

1844 モールス信号

米国の発明家サミュエル・モースと技術者アルフレッド・ヴェイルが、ワシントン DC からボルティモアに向け、長短の符号を用いるモールス符号で最初の電信メッセージを送った。

1883 橋の開通

米国ニューヨークで、マンハッタン区とブルックリン区を結ぶブルックリン橋が開通。花火と音楽で祝われ、当日だけで 15 万人が渡った。当時は世界最長の吊り橋で、今もニューヨークを象徴する場所のひとつである。

5月
25

他にもこんな出来事が

1521　神聖ローマ皇帝カール5世が、宗教改革者マルティン・ルターを異端者と断じ、帝国から追放する命令を出す(ヴォルムス勅令)。

1810　南米のスペイン植民地のブエノスアイレス(現アルゼンチンの首都)が、五月革命によって自治を獲得。アルゼンチン全体の独立を目指す闘いが始まる。

1861　米国南北戦争中、カナダ出身のサラ・エドモンズが、男装してフランクリン・トンプソンという偽名で北軍に入隊。

この日が誕生日

1939 イアン・マッケラン 英国の俳優。60年のキャリアを持ち、舞台や映画でさまざまな役を演じている。

1970 オクタヴィア・スペンサー 米国の黒人女優。『ヘルプ ～心がつなぐストーリー～』でアカデミー賞とゴールデン・グローブ賞の助演女優賞を獲得。

2001

頂点に立つ

米国の冒険家エリック・ワイエンマイヤーが、盲人として初めてエヴェレストに登頂した。彼はこの快挙で『タイム』誌の表紙を飾る。彼はその後、7大陸最高峰の登頂も果たした。

ブラック・ライヴズ・マター広がる

2020

米国で、黒人男性ジョージ・フロイドが警官の不適切な拘束により殺害された。各地で抗議デモが起こり、黒人に対する警察の横暴に反対する「#BlackLivesMatter(ブラックライヴズマター)(黒人の命は大切)」運動が世界的に広がる。

5月

26

1940

ダンケルクの奇跡

第2次世界大戦中、フランスのダンケルクの海岸で33万8226人の連合国軍兵士の撤退が開始された。北海を背にしてドイツ軍に追いつめられた英仏軍の兵士たちを、連合国軍の艦艇と民間船合わせて800隻以上が救出した。

1923

ル・マン

世界で最も有名な自動車レースのひとつである「ル・マン24時間レース」の第1回がフランスのル・マン近郊で開催された。24時間でサーキットを何周したかを競う。

1897

吸血鬼ドラキュラ

英国で、アイルランド人作家ブラム・ストーカーの小説『ドラキュラ』が出版された。吸血鬼との戦いを描いたこの作品はゴシック小説の系譜に連なるホラーで、何ヵ国語にも翻訳され、たびたび映画化やテレビドラマ化されることになる。

この日が誕生日

1966 ヘレナ・ボナム・カーター
英国の女優。歴史ドラマへの出演や、映画『ハリー・ポッター』シリーズのベラトリックス・レストレンジ役で知られる。

他にもこんな出来事が

1954 エジプトのギザの大ピラミッド（クフ王の墓とされる）の東側で、ファラオの魂を死後の世界に送るための木製の船が発掘された。

1998 オーストラリアで、初めての「国家謝罪の日」（白人入植者が先住民を虐待したことへの反省と謝罪の日）が行われた。

2019 足相撲（腕相撲に似た足の競技）世界選手権で、英国のアラン・ナッシュが史上最多の16回目の優勝。

5月

27

1931

成層圏へ

スイスの物理学者オーギュスト・ピカールと助手のポール・キプファーが、人類で初めて成層圏まで上昇し、最高到達高度記録を樹立した。彼らは巨大な水素気球に取り付けたアルミ製の球体に乗り込み、ドイツのアウクスブルク上空1万5781mに達した。

この日が誕生日

1837 ワイルド・ビル・ヒコック アメリカ西部開拓時代の伝説的ガンマン。自分の過去をしばしば誇張したり捏造したりして語り、知名度を上げた。

1905

日本海海戦

日露戦争中のこの日、日本帝国海軍の連合艦隊がロシア海軍のバルチック艦隊と対馬沖で戦い、ロシア軍に壊滅的打撃を与えて勝利した。

1937

ゴールデン・ゲート・ブリッジ

米国サンフランシスコで、4年の歳月をかけて作られたゴールデン・ゲート・ブリッジが開通。当時は世界最長の吊り橋だった。初日のこの日は特別に車道も歩行者に開放され、翌日になって自動車が通りはじめるまで、約20万人が橋の上で祝った。

他にもこんな出来事が

1941 第2次世界大戦中、フランス西方沖の大西洋で、英艦隊の攻撃によりドイツの大型戦艦ビスマルクが沈没。海底に沈んだビスマルクの残骸が1989年に発見されている。

1963 植民地からの独立を果たしたケニアで、ジョモ・ケニヤッタが初代首相になることが発表された。首都ナイロビでは、何千人もが街頭に出て祝った。

1997 初の女性だけからなる極地探検隊が、北極点に到達。彼女たちはカナダのワード・ハント島から出発し、スキーとソリで旅をした。

紀元前 585

日食を予測

ギリシャのヘロドトスが書いた『歴史』によれば、ギリシャの哲学者タレスが、この日の小アジアでの日食を正確に予測した。この日食により、ハリュス川の戦いが急転直下終結したという。

この日が誕生日

1968 カイリー・ミノーグ オーストラリアの女優・歌手。「ポップのプリンセス」と呼ばれ、世界での売り上げは 7000 万枚以上。

2018

チーズ・チャンピオン

英国グロスター市近郊で毎年開催されるチーズ転がし祭り（坂を転がるチーズを追いかけるレース）で、英軍の兵士クリス・アンダーソンが 21 回目の優勝を飾り、史上最高のチーズ転がしチャンピオンと称えられた。

1907

オートバイ・レース

第 1 回マン島 TT レースが開催され、25 人の選手がオートバイでマン島の公道を 254km 走った。優勝者は銀のトロフィーと賞金 25 ポンドを手にした。264 ものコーナーがある山道でスピードと技量を試される、年に一度の命がけのレース。

他にもこんな出来事が

1830 米国のアンドリュー・ジャクソン大統領が、先住民から土地の権利を奪う「インディアン移住法」に署名。

1932 オランダでアフスライトダイク（締め切り大堤防）が完成。北海とゾイデル海（アイセル湖）を堤防で区切って干拓するための、全長 32km の堤防。

1936 英国の数学者アラン・チューリングが、チューリングマシンという計算モデルを扱った論文「計算可能数について」を提出。

5月 29

1851 ソジャーナ・トゥルース

元奴隷で女性の権利擁護活動家のソジャーナ・トゥルースが、米国オハイオ州で開かれた女性会議で演説。新聞に掲載された彼女の力強いスピーチは「私は女ではないの?」という表題で知られるようになり、性別や人種の平等を求める声の広がりに貢献した。

1453 コンスタンティノープル陥落

オスマン帝国のスルタン・メフメト2世が、53日間にわたる包囲攻撃の末、コンスタンティノープル（現在のイスタンブール）を占領した。これによりビザンツ帝国は滅亡した。

この日が誕生日

1975 メラニー・ブラウン 英国のポップ歌手。女性ポップグループ「スパイス・ガールズ」のメンバーで、女優としても活動。

1953 世界一高い場所

ニュージーランドの登山家エドモンド・ヒラリーとシェルパのテンジン・ノルゲイが、世界で最も高い山エヴェレストの山頂に、人類として初めて立った。

他にもこんな出来事が

1766 英国の化学者ヘンリー・キャヴェンディッシュが、英国ロンドンの王立協会で、現在水素として知られている気体の発見を報告した。

1935 ドイツの戦闘機メッサーシュミット Bf 109が初飛行。第2次世界大戦におけるドイツ空軍の主力戦闘機になる。

2019 ボリウッド作品（インド映画）の予告編やミュージックビデオを流すYouTubeチャンネル「T-series（ティー シリーズ）」が、初めて登録者数1億人を達成。

5月 30

1848 アイスを自宅で

米国の実業家ウィリアム・ヤングが、発明家ナンシー・ジョンソンの設計を改良して作ったアイスクリームメーカーの特許を申請。家庭でアイスクリームを作れるようになった。

この日が誕生日

1975 マリッサ・アン・メイヤー
米国のIT事業家・ソフトウェア技術者。Google検索エンジンの開発に携わった後、Yahoo!のCEOになった。

他にもこんな出来事が

1431 フランスのルーアンで、ジャンヌ・ダルク（125ページ参照）が異端の罪で火あぶりの刑に処された。この時彼女は19歳だった。

1868 米国で初めてデコレーション・デー（現在のメモリアルデー＝戦没将兵追悼記念日）が行われ、南北戦争で死んだ2万人の墓に花が供えられた。

1975 欧州宇宙機関（ESA）が設立され、10ヵ国が宇宙開発に共同で取り組む意志を示して署名した。

1943 女子野球

米国で、第2次世界大戦のために男子野球のリーグ戦が減ったことを受けて「全米女子プロ野球リーグ」が新たに作られ、この日に開幕戦を行った。女子リーグは11年間続き、多くの観客を集めた。

1899 盗賊の女王

カナダ生まれの無法者パール・ハートが、米国アリゾナ州で銃を使った駅馬車強盗を行った。駅馬車強盗としては末期の例。彼女は「バンディット・クイーン（盗賊の女王）」と呼ばれ、西部開拓時代の数少ない女性犯罪者として有名になった。

2016

バイラル動画

韓国のラッパーPsy（サイ）によるキャッチーなK-ポップ「江南（カンナム）スタイル」が、YouTube初の再生回数20億を達成。YouTubeで最も視聴された動画の座を5年近く保ち、世界的なダンスブームの火付け役となった。

フリードリヒ大王

フリードリヒ2世が、今のドイツ北部とポーランドを含むプロイセン王国の国王として即位。彼は多くの戦争に勝利し、プロイセンを強大な国家へと発展させた。

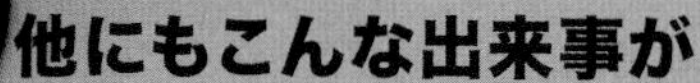

他にもこんな出来事が

1879 ドイツのベルリン万国博覧会で、ドイツ人技師ヴェルナー・フォン・ジーメンスが作った最初の電気鉄道が初めて展示された。

1910 南アフリカ連邦という自治領が誕生。英国植民地の4つの州が合併してできた。

1970 ペルーで発生したアンカシュ地震により、ワスカラン山の北峰が崩落。岩と雪と氷塊がなだれとなって麓の町ユンガイを襲った。

1895

朝食シリアル

米国の医師ジョン・ハーヴェイ・ケロッグが、患者のための健康的な食品を研究した末に牛乳と一緒に食べるコーンフレークを開発し、この日に「フレーク状シリアル」の特許を申請。

この日が誕生日

1921 呉健雄（ごけんゆう）（ウー・チェンシュン） 中国系米国人の女性科学者。原爆を作ったマンハッタン計画にも参加。

1930 クリント・イーストウッド 米国の俳優・映画監督。『ダーティーハリー』に主演し、監督としてオスカーを2度受賞。

紀元前1279

ラムセス2世

古代エジプト新王国時代のファラオ、ラムセス2世が即位。66年にわたる治世で帝国の版図を拡大し、アブ・シンベル神殿などの壮大な建造物を数多く建設した。

6月 1

1809

歩け、勝利へ

スコットランドのロバート・バークレイ・アラーディスが、「1000時間で1000マイル歩けたら1000ギニー」という賭けに勝つため、この日徒歩で出発した。彼は7月12日に目標を達成。19世紀における競歩の普及に貢献した。

1930

急行列車

インドで、ボンベイ（現ムンバイ）からプネーまで毎日運行される旅客急行列車「デカン・クイーン」が運行を開始。インド初の高速列車だった。

この日が誕生日

1985 ティルネシュ・ディババ エチオピアの陸上長距離選手。2008年北京五輪の女子5000mと10000m、2012年ロンドン五輪の10000mで金メダル。

1996 トム・ホランド 英国の俳優。ミュージカルでデビューした後、マーベル・スタジオの一連の映画でスパイダーマンを演じ、一躍有名になる。

2002

光害を防げ

チェコで、すべての屋外照明にシールドを取り付けて必要な場所だけを照らすよう定められた。チェコは光害を違法とした最初の、そして今のところ唯一の国である。

他にもこんな出来事が

1773 南アフリカの喜望峰（きぼうほう）付近で強風のため帆船が座礁。それを見た酪農家のウォラード・ウォルテマーデが馬を海に乗り入れ、船員14人を救助した。

1831 英国の探検家ジェームズ・クラーク・ロスの探検隊が北磁極（ほくじきょく）を発見。

1868 北米先住民ナバホ族の族長と米政府がボスク・レドンド条約に調印。強制移住させられていたナバホが故郷の地へ戻れることに。

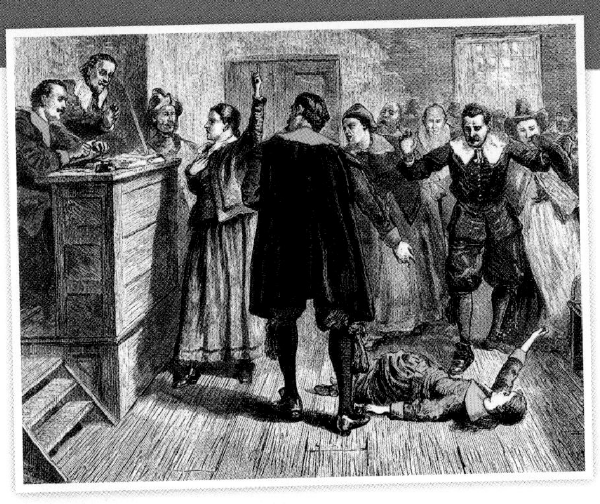

1692 魔女裁判

米国のセイラム村で、魔術を行ったとして告発された人々（ほとんどが女性）の裁判が始まった。有罪判決を受けた女性たちは、魔女につきものの火あぶりではなく、絞首刑に処された。

1953 戴冠式のテレビ中継

世界中の何百万人もの人々がテレビ中継で見守る中、英国ロンドンのウェストミンスター寺院で、エリザベス２世が英国、カナダ、オーストラリア、ニュージーランドその他からなる英連邦の女王として戴冠した。

他にもこんな出来事が

1924 米国でカルヴィン・クーリッジ大統領がインディアン市民権法に署名し、合衆国生まれのすべての先住民に市民権を認めた。

1946 イタリアで行われた国民投票で、王政から共和制への移行に賛成する票が過半数を占めた。

2003 欧州宇宙機関（ESA）がカザフスタンのバイコヌール宇宙基地から火星探査機「マーズ・エクスプレス」を打ち上げ。

この日が誕生日

1977 ザカリー・クイント 米国の俳優・映画製作者。テレビシリーズ『HEROES／ヒーローズ』や映画『スター・トレック』などに出演。

1863 コンバヒー川襲撃作戦

米国の奴隷解放運動家ハリエット・タブマンが、南北戦争中のサウスカロライナ州のコンバヒー川での奇襲作戦に参加し、150人の黒人兵士を率いて700人以上の奴隷を救出。米国で部隊を指揮した最初の女性となった。

他にもこんな出来事が

1969 米国の作家エリック・カールのベストセラー絵本『はらぺこあおむし』が出版された。

1992 ブラジルのリオデジャネイロで、環境問題に関する国連会議「地球サミット」が始まった。

1992 オーストラリア高等法院が、オーストラリア先住民のコミュニティに先祖代々の土地を所有する法的権利があるとの判決を下した。

2017

エル・キャピタン登攀(とうはん)

米国のクライマー、アレックス・ホノルド（オノルド）が、ヨセミテ国立公園内の巨大な一枚岩「エル・キャピタン」に、ロープも安全装備も使わずに史上初めて登頂。

2010

火星へ旅する日のために

6人のボランティアが、火星探査ミッションで何が起こるかを実験するため、ロシアに作られた専用施設に入った。彼らはMARS-500(マーズ)というプロジェクトの一環として、火星探査施設を模した実験カプセルに520日間閉じ込められ、外界とほとんど接触せずに過ごした。これは将来の火星への有人飛行に備えた実験で、閉鎖環境が心身の健康に与える影響が調べられた。

この日が誕生日

1986 ラファエル・ナダル スペインのテニス選手。全仏オープンの14回（最多優勝記録）を含め、4大大会のシングルスで22回の優勝を誇る（22年9月現在）。2005年から2007年にかけて、クレーコートで81連勝という記録を打ち立て、史上最高のクレーコート・プレーヤーとして広く認められている。

1896 初期のガソリン車

米国の実業家ヘンリー・フォードが、自身の設計した「クワドリサイクル」と呼ばれる最初のガソリン自動車の試験走行を行った。この車はハンドルもブレーキもなく、自転車の車輪やドアの呼び鈴（クラクション代わり）など、手近な材料で作られていた。

この日が誕生日

1975 アンジェリーナ・ジョリー
米国の女優・映画製作者・社会活動家。『17 歳のカルテ』『マレフィセント』などに出演。教育、女性の権利、難民などの問題に取り組む活動もしている。

1937 買物カート

米国オクラホマ州のスーパーマーケットチェーン「ハンプティ・ダンプティ」が、オーナーであるシルヴァン・ゴールドマンの考案した世界初の買物カートを導入。

他にもこんな出来事が

1783 モンゴルフィエ兄弟が発明した熱気球が、フランスのアノネーで初めて飛行した（268 ページも参照）。

1887 フランスの細菌学者ルイ・パスツールが、パリにパスツール研究所を設立。この研究所は感染症研究の中心的存在で、それ以来、多くの発見や業績で医学に大きく貢献している。

1920 第 1 次世界大戦終結後、連合国とハンガリー王国との間でトリアノン条約が結ばれた。これによりハンガリーは領土の 3 分の 2 を失った。

1411 ブルーチーズの布告

フランス国王シャルル 6 世が、「ロックフォールチーズ」と称して良いのは、ロックフォール・シュル・スールゾン村の洞窟内でそこにいるアオカビによって熟成させたチーズだけである、と布告。

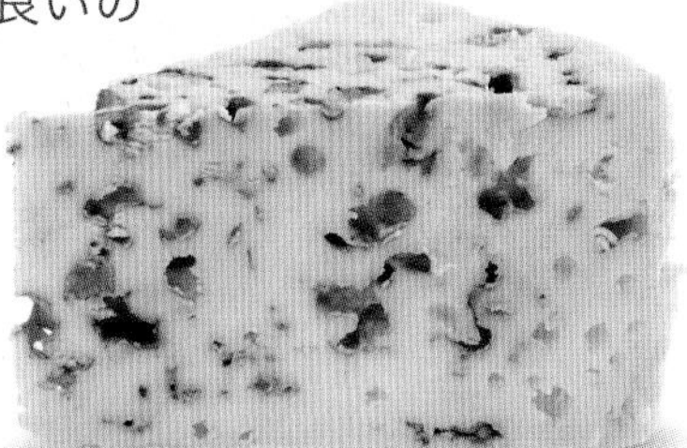

6月

5

1851

時代を動かす小説

米国の作家ハリエット・ビーチャー・ストウの小説『アンクル・トムの小屋』が、ワシントン DC の週刊紙『ナショナル・エラ』で連載開始。米国の黒人奴隷の苦難を描いたこの物語は翌年に書籍として出版され、奴隷解放運動の広がりに大きな影響を及ぼした。

この日が誕生日

1971 マーク・ウォールバーグ 米国の俳優・映画製作者。ヒップホップ・グループ「マーキー・マーク&ザ・ファンキー・バンチ」で有名になり、『ディパーテッド』など多くのハリウッド映画に出演している。

1988

ヨットで世界一周

オーストラリアのケイ・コッティーが、ヨット「ブラックモアズ・ファーストレディー号」での単独無寄港世界一周を終え、出航から189日後にシドニー湾に帰還した。女性として初めての快挙だった。

他にもこんな出来事が

1848 アイルランド生まれの英国の科学者ウィリアム・トムソンによって、これ以上低温になりえない絶対零度（－273.15℃）が定義された。

1883 後に「オリエント急行」と呼ばれることになるヨーロッパの長距離旅客列車が、フランスのパリからオーストリアのウィーンまで初めて運行された。

1972 スウェーデンのストックホルムで「国連人間環境会議」が開かれた。地球規模での環境保護を中心課題として議論した初の国際会議として知られる。

1956

プレスリー登場

「ハートブレイク・ホテル」が大ヒットした米国の歌手エルヴィス・プレスリーが、TV番組『ミルトン・バール・ショー』に出演。「キング・オブ・ロックンロール」の地位を不動のものにする。

6月
6

ドライブインシアター

1933

米国の実業家リチャード・ホリングスヘッド・ジュニアが、ニュージャージー州で世界初のドライブインシアターを開業。2本の木の間に白いスクリーンを張り、コダック社の1928年製映写機を使用して、車の中から映画を見られるようにした。

他にもこんな出来事が

1896 ノルウェー生まれのジョージ・ハーボとフランク・サミュエルソンが、手漕ぎボートでニューヨークを出発。55日間で5262kmを漕いで大西洋を横断した。

1912 米国アラスカ州のカトマイ国立公園・自然保護区で、火山が噴火。溶岩ドームで新たにノヴァルプタ火山が形成された。20世紀最大の噴火だった。

2017

新種のイグアナ

フィジー諸島のガウ島にのみ生息する新種のイグアナ「ブラキロフス・ガウ（*Brachylophus gau*）」が発見された。

1523

反乱を指導して国王に

デンマーク支配に対するスウェーデン独立派の反乱を率いた貴族のグスタフ・ヴァーサが、スウェーデン国王に選出される。この日はスウェーデンでナショナルデーとして祝われている。

この日が誕生日

1875 トーマス・マン ドイツの作家。『魔の山』『ファウストゥス博士』などで知られ、1929年にノーベル文学賞を受賞した。

1956 ビョルン・ボルグ スウェーデンのテニス選手。全仏オープンで6回優勝し、ウィンブルドンでは男子で初めて5連覇を達成した。

史上最大の作戦

1944

第2次世界大戦中、ドイツによる占領からヨーロッパを解放するため、15万人の連合国軍兵士がフランスのノルマンディー海岸に上陸した。暗号名は「オーヴァーロード作戦」。その後、1944年6月6日は「D（ディー）デイ」として知られるようになる。

6月 7

1654

太陽王の即位

後に太陽王と呼ばれることになるルイ14世が、15歳でフランス国王として即位。彼の72年の治世で、フランスはヨーロッパ最強の国家へと成長する。

1968

おとぎの国

デンマークに初のレゴ®のテーマパーク、レゴランド®・ビルン・リゾートがオープン。2000万個以上のレゴ®ブロックを使って、都市や有名なランドマークがミニチュアで再現されている。

他にもこんな出来事が

1099 1096年に始まった第1次十字軍遠征（聖地エルサレムをめぐる宗教戦争）で、キリスト教徒の十字軍がエルサレムに到達し、包囲を開始。

1494 スペインとポルトガルが南米の領有権の分割で合意し、トルデシリャス条約に調印。

1893 南アフリカで弁護士として働いていたインド人モハンダス・カラムチャンド・ガンディー（後のマハトマ・ガンディー）が、有色人種であることを理由に列車の一等車から出るように言われ、拒否したところ無理やり列車から降ろされた。

この日が誕生日

1981 アンナ・クルニコワ ロシアのテニス選手。女子ダブルス選手としては世界有数の実力を誇った。モデルとしても活躍した。

6月 8

793

ヴァイキングの襲撃

スカンジナビアから船でやってきたヴァイキングの戦士が、英国を初めて襲う。彼らはイングランド沖のリンディスファーン島の修道院を攻撃し、修道士を殺害して多くの品を掠奪した。イギリス諸島はこの後たびたび彼らの襲撃を受ける。

この日が誕生日

1823 ロバート・モリス 米国の弁護士。米国初の黒人弁護士のひとりで、学校における人種分離に異議を唱えてボストン州を訴えたものの、敗訴に終わった。

1869

真空式掃除機

米国シカゴのアイヴス・W・マクガフィーが、初期の真空式掃除機のアイディアのひとつで特許を取得。彼の作った掃除機は、床の上を押しながら手でクランクを回して吸引力を生み出した。

1938

化石人骨

南アフリカの洞窟で、15歳の少年が化石化した頭蓋骨と顎の骨を発見した。200 - 250万年前に存在したと考えられるこの化石人類は、パラントロプス・ロブストスと名付けられた。

他にもこんな出来事が

1783 アイスランドのラキ火山が噴火し、大気中に危険な火山性ガスが放出された。有毒なガスはヨーロッパ全土に広がり、農作物の不作と飢饉を引き起こした。

1896 史上初の自動車泥棒事件。フランスでプジョー・ヴィクトリア・タイプ8が盗まれた。

1992 リオデジャネイロの地球サミットで、カナダが「世界海洋デー」を提案。海洋保護への意識を高めるため、毎年この日に祝われる。

6月

9

勢力均衡の原則

1815

ナポレオン戦争終結後のヨーロッパに恒久的な秩序を取り戻す議論をするために前年から開かれていたウィーン会議が、ウィーン議定書の締結をもって閉幕した。各国の代表は、国家間の勢力を均衡させる目的で一部の国境線を引き直すことに合意した。

1946

敬愛される国王

プミポン・アドゥンヤデートがタイの国王として即位。2016年の崩御まで70年以上にわたって君臨し、国民の敬愛を集めた。世界史上、在位期間の長さでトップ3に入る君主である。

この日が誕生日

1981 ナタリー・ポートマン イスラエル出身の米国の女優・映画監督。数々のヒット作に出演し、『ブラック・スワン』でアカデミー賞主演女優賞を獲得。

他にもこんな出来事が

1898 中国が香港の新界を99年間、無償で英国に租借させることを余儀なくされる。

1909 女性で初めて米国の東海岸から西海岸までを車で横断したアリス・ハイラー・ラムジーは、この日にニューヨークを出発した。

1934 ディズニーの人気キャラクターのドナルドダックが、短編アニメ『かしこいメンドリ』で初登場。

1534

北西航路を求めて

黄金や香辛料、そして北米大陸の北側を抜けてアジアに至る北西航路を探して、フランスの探検家ジャック・カルティエが今のカナダのセントローレンス川河口までたどり着き、この地域に到達した最初のヨーロッパ人となった。

6月

10

2015 世界一静かな部屋

IT企業マイクロソフトが、米国ワシントン州レドモンドの本社に作った「無響室」のテストを行い、そこが世界で最も静かな場所であることを示した。部屋の壁がすべての反響音を吸収し、あらゆる背景音が消されてしまう。

1907 パリを目指せ

中国・北京のフランス大使館からフランスのパリを目指す1万6000kmの過酷な自動車レースが開幕。5チームが参加した。

671 時の記念日

日本で初めて「漏刻（ろうこく）」という水時計によって時が告げられた（天智（てんぢ）天皇10年4月25日）。この水時計は、上の水槽の水が少しずつ下の水槽へ移っていくことで時間の経過を知ることができる。日本ではこの日が「時の記念日」とされている。

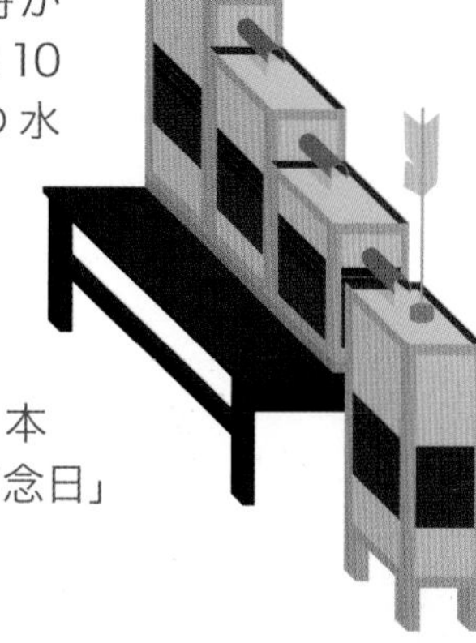

この日が誕生日

1922 ジュディ・ガーランド 米国の女優・歌手・ダンサー。映画『オズの魔法使い』（1939）のドロシー役で世界的スターになる。

他にもこんな出来事が

1829 英国ロンドンのテムズ川で、オックスフォード大学とケンブリッジ大学の第1回対抗ボートレースが開催され、オックスフォードが勝利した。

1940 イタリアの独裁者ベニート・ムッソリーニが英国とフランスに宣戦布告し、イタリアが第2次世界大戦に参戦した。

2016 アイスランドの科学者たちが、玄武岩に二酸化炭素を注入して二酸化炭素を石化させることが可能だと発表。二酸化炭素を地下に封じ込めて、大気中への放出を防げるのではと期待されている。

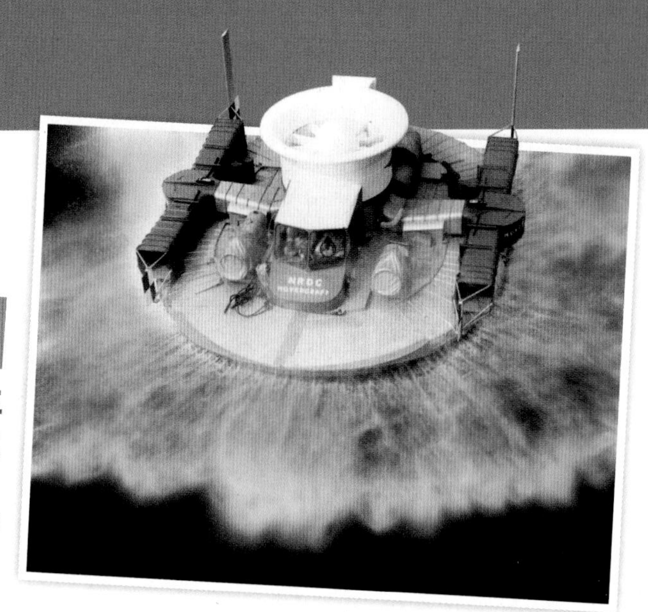

1959

ホバークラフト誕生

英国のワイト島沖でホバークラフト(空気を高圧で下に噴出し、浮揚して進む乗り物)が初の公開走行。最高時速 126km を記録した。

他にもこんな出来事が

980 ヴォロディーミル(ウラジーミル)大帝がキエフ大公国の支配者として即位。

1754 スコットランドの化学者ジェイコブ・ブラックが、炭酸カルシウムを加熱すると炎を消す気体が発生することを発見。現在その気体は二酸化炭素と呼ばれている。

1895 フランスで、史上初の本格的自動車レースがスタート。出場車はパリ~ボルドー間の往復 1178km を3日がかりで競走した。

1993

ジュラシック・パーク

バイオテクノロジーで恐竜をよみがえらせたという設定の映画『ジュラシック・パーク』が米国で封切られる。4年後に『タイタニック』に破られるまで、興行収入世界一の映画の座を保持した。

この日が誕生日

1910 ジャック=イヴ・クストー フランスの海洋学者・自然保護運動家・ドキュメンタリー制作者。自ら開発した器材を使用するスキューバダイビングを普及させた。

1971

先住民初の議員

オーストラリアのネヴィル・ボナーが、先住民コミュニティ出身者として初めてオーストラリア連邦議会の議員となった。

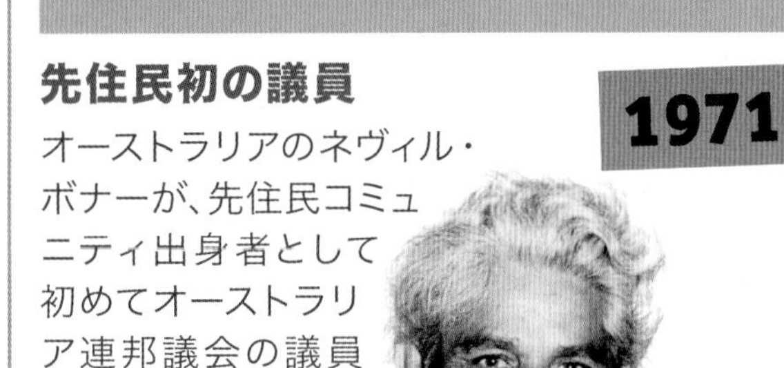

6月

12

他にもこんな出来事が

1550　スウェーデン王グスタフ1世によってヘルシングフォルスの町が作られた。これが現在のフィンランドの首都ヘルシンキである。

1991　ソ連内のロシア共和国で同国初の民主的な大統領選挙が行われ、急進改革派のボリス・エリツィンが勝利。翌月、初代大統領に就任する。

2018　北朝鮮の金正恩朝鮮労働党委員長と米国のドナルド・トランプ大統領が、シンガポールで会談。両国の関係改善の道を探った。

1817

自転車の原型

ドイツの発明家カール・フォン・ドライスが、二輪の「ラウフマシーネ（走行機械）」を初めて実演した。

自転車の原型ともいえるこの乗り物にはペダルはなく、足で地面を蹴って進んだ。

この日が誕生日

1979 ロビン　スウェーデンの女性歌手・DJ・音楽プロデューサー。「Show Me Love」などのヒット曲で有名になり、世界的に活躍している。

1942

アンネの日記

オランダに住むユダヤ人少女アンネ・フランクが13歳の誕生日に小ぶりなノートを贈られ、それを日記帳にすることに決めた。その後2年間、彼女は第2次世界大戦中のナチスによるオランダ占領下、隠れ家での生活を日記に記す。彼女の死後、日記は父によって出版されることになる。

1962

アルカトラズ脱獄

米国のサンフランシスコ湾に浮かぶ刑務所島アルカトラズで、前夜のうちに3人の囚人が脱獄したことを看守が発見。囚人たちは、石鹸やコンクリート粉やトイレットペーパーなどで偽の頭を作って看守を欺いた。

6月

13

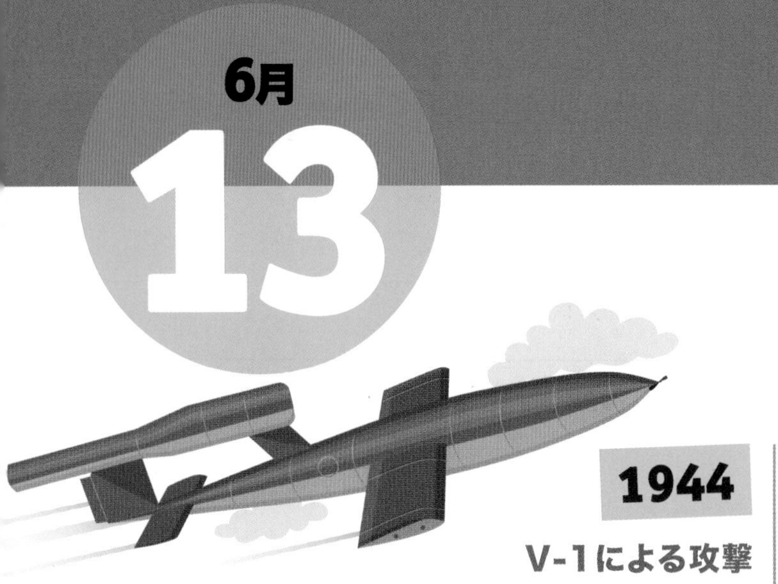

1944

V-1による攻撃

ドイツ空軍が、長距離攻撃が可能なV-1飛行爆弾（ミサイルの原型）11発をロンドンに向けて発射。うち4発がロンドンに到達した。

2000

歴史的な会談

韓国の金大中（キムデジュン）大統領（左）と北朝鮮の金正日（キムジョンイル）総書記（右）が、北朝鮮の首都・平壌（ピョンヤン）で会談を行った。1948年に朝鮮半島が南北に分断されて以来初めての、両国首脳の会談だった。

この日が誕生日

1873 アリス・ステビンズ・ウェルズ 米国初の女性警察官。ロサンゼルス市警に勤務した。

1879 ロイス・ウェバー 米国の無声映画女優。また、114本の脚本を書き、135本を監督し、スタジオも経営した。

他にもこんな出来事が

1611 ドイツの天文学者ヨハンネス・ファブリキウスが、太陽黒点（太陽の表面に現れる黒い斑点）について初めて記述した。

1983 宇宙探査機「パイオニア10号」が、人工物として初めて海王星の軌道を横断した。

2013 人力ヘリコプター・コンテストで、AeroVelo（エアロヴェロ）チームのAtlas（アトラス）が64.1秒間宙に浮き、大会33年目にして初の合格機体となった。

2010

予言ダコ「パウル」

2010年のFIFAワールドカップ南アフリカ大会の初戦の際、ドイツの水族館で飼育されていたタコのパウルが勝敗予測でドイツの国旗を選択し、的中させた。パウルはその後、ドイツの7試合すべてと、決勝のスペイン対オランダの試合結果を的中させた。

2016 ある哺乳類の絶滅

オーストラリア政府は、グレートバリアリーフに生息する小型の齧歯類「ブランブル・ケイ・メロミス」の絶滅を発表した。人為的な要因による気候変動の結果絶滅した、最初の哺乳類。

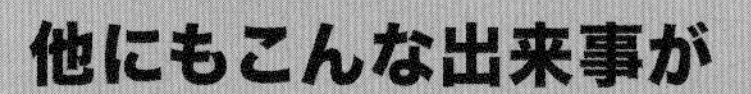

他にもこんな出来事が

1800 フランス軍を率いるナポレオン・ボナパルトが、マレンゴの戦いでオーストリアに勝利。軍人としての名声を上げ、政治的な影響力を強めた。

1940 第2次世界大戦中、ドイツ軍がフランスの首都パリに無血入城。8日後に独仏休戦協定（179ページ）が結ばれる。

1982 南大西洋のフォークランド諸島の所有権をめぐってアルゼンチンと英国が戦ったフォークランド紛争で、2ヵ月に及ぶ戦闘の末、アルゼンチンが降伏。

この日が誕生日

1923 ジュディス・カー ドイツ生まれの英国の児童文学作家。『おちゃのじかんにきたとら』や『ねこのモグ』シリーズや、ホロコーストを伝える作品で知られる。

1998 伝説のラストショット

米国のユタ州で行われたバスケットボールNBAファイナルの試合で、シカゴ・ブルズのマイケル・ジョーダンが残り5.2秒で逆転シュートを決めてユタ・ジャズを破り、ブルズに6度目の優勝をもたらす。

1940 死の収容所

第2次世界大戦中、ナチス・ドイツがポーランド南部に建設したアウシュヴィッツ強制収容所に、最初の囚人としてポーランド人政治犯728名が到着。（写真は1941年に建設されたアウシュヴィッツ第2収容所＝ビルケナウ）。

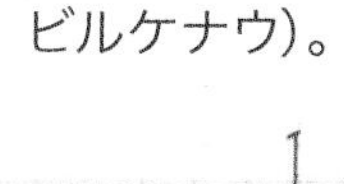

6月

15

2006

海洋保護区

米国の北西ハワイ諸島全体の海域が「パパハナウモクアケア海洋国定遺跡保護区」に指定された。その後、この保護区は151万平方キロメートルまで拡張され、南極のロス海に次ぐ世界最大級の自然保護区となった。ユネスコ世界遺産にも登録されている。

この日が誕生日

1950 ミシェル・ロティート フランスの異食芸人。自転車、テレビ、飛行機まで細かくして食べ尽くし、「ミスター完食」の異名を取った。

1878

「動く馬」

英国の写真家エドワード・マイブリッジが、疾走する馬の写真を高速で連続撮影。この連続写真は「動く馬」と呼ばれ、写真を連続的に表示して「動く写真」に見せる技法へ向けての画期的な一歩となった。

Federation Aeronautique Internationale
FRANCE
Bessie Coleman
Atlanta, Texas
20 Janvier 1896
Pilote-Aviateur
à la date du 15 Juin 1921
Signature du Titulaire
Bessie Coleman
18.310

1921

天高く飛ぶ

米国で飛行士になる訓練を拒否されたベッシー・コールマンが、フランスで飛行免許を取得し、黒人女性初のパイロットとなった。彼女はプロのスタントパイロットとして米国の航空ショーでアクロバット飛行を披露した。

他にもこんな出来事が

1215 イングランドで、貴族たちが国王ジョンに、王権の制限や貴族の特権の確認を記した憲章「マグナ・カルタ」を認めさせた。

1960 米国テキサス州の町コッパールを「悪魔の嵐」と呼ばれる異常な熱波が襲い、急に気温が60℃まで上昇した。「ヒートバースト」という気象現象が原因とされる。

1991 フィリピンのピナトゥボ火山が爆発的噴火。噴煙が高さ40kmまで噴き上がり、火砕流や火山泥流が発生。20世紀で2番目に大規模な噴火だった。

1950 記録的な観客数

ブラジルのリオデジャネイロのマラカナン・スタジアムで行われたFIFAワールドカップ決勝戦に17万3850人以上の観客が集まり、サッカー史上最大の観客動員を記録。試合はウルグアイがブラジルを2-1で下して優勝した。

この日が誕生日

1829 ジェロニモ 北米先住民アパッチ族の戦士。先祖伝来の土地を守るため米軍や入植者と戦った。

1972 ジョン・チョー 韓国出身の米国の俳優。『スター・トレック』のヒカル・スールー役で知られる。

1963 私はカモメ

チャイカ（カモメ）のコールサインを持つロシアの宇宙飛行士ヴァレンチナ・テレシコワが、宇宙船「ヴォストーク6号」で女性初の宇宙飛行を行う。彼女はおよそ3日間軌道上で過ごした後、大気圏に再突入し、無事にパラシュートで地球に帰還した。

1961 亡命劇

フランス公演を終えたロシアのバレエ界のスター、ルドルフ・ヌレエフが、パリの空港で、ソ連秘密警察の手を逃れてフランス当局に亡命を願い出た。

他にもこんな出来事が

1373 英国とポルトガルの支配者が英葡（えいぽ）永久同盟を結ぶ。これは現在も続いており、世界最古の軍事同盟である。

1911 米国ニューヨーク州エンディコットで、幅広い事務機器のメーカーを傘下に持つ持ち株会社としてC-T-R社が設立される。これが発展してIBMになる。

2016 中国で上海ディズニーランドがオープン。最初の半年で500万人以上の来場者を集めた。

1885

自由の女神が到着

350のパーツに分解された「自由の女神像」を積んだ船が、米国のニューヨーク港に到着。フランスからの贈り物であるこの像は、両国の友好の証であり、民主主義の象徴として今も港の入り口に立っている。

この日が誕生日

1980 ヴィーナス・ウィリアムズ 米国の黒人テニス選手。4大大会の女子シングルスで7回優勝し、オリンピックの金メダルを4個獲得している。

1947

世界一周飛行

パンアメリカン航空が世界で初めて飛行機での世界一周サービスを開始し、この日第1便が米国ニューヨークのラガーディア空港を出発。世界の17都市に立ち寄って、6月30日に帰還した。

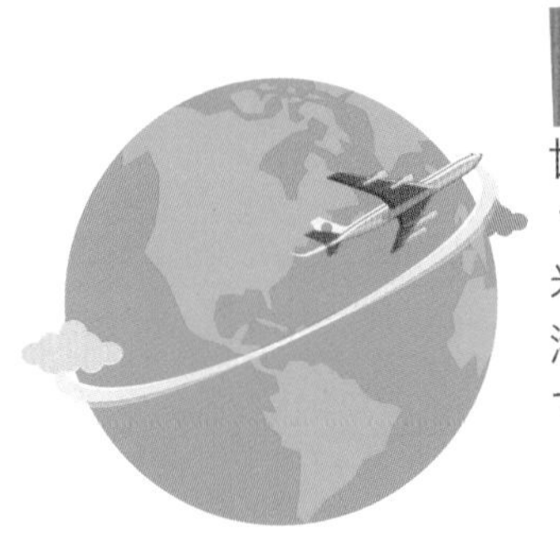

他にもこんな出来事が

1775 米国独立戦争における「バンカーヒルの戦い」。英国は植民地軍から陣地を奪ったが、植民地軍の何倍もの死傷者を出した。

1843 ニュージーランドのワイラウ渓谷で、土地所有権をめぐって英国人入植者とマオリ族の最初の武力衝突が起こった。

1922 ポルトガルのパイロット、ガゴ・コウティーニョとサカドゥラ・カブラウが、初めて南大西洋横断飛行に成功。この日にブラジルのリオデジャネイロに到着した。

1631

愛ゆえに

ムガル帝国皇帝シャー・ジャハーンの愛妻ムムターズ・マハルが、出産の際に死亡した。悲しみに暮れた皇帝は、彼女を偲んで、アーグラ（現在のインド北部の都市）に白大理石の壮麗な墓「タージ・マハル」を建てるよう命じた。

6月 18

他にもこんな出来事が

1429 英仏の百年戦争のさなか、パテーの戦いでジャンヌ・ダルク（125、156ページ参照）の指揮するフランス軍がイングランド軍を破り、戦争の流れを変えた。

1940 ナチス占領下にあるフランス国民に、ロンドンの抵抗組織「自由フランス」指導者の陸軍将校シャルル・ド・ゴールが、抵抗の継続を呼びかける。

1980 インドの作家で「人間コンピューター」の異名を持つシャクンタラ・デヴィが、13桁の数字同士の掛け算をわずか28秒で暗算してみせた。

618

唐の建国

中国で、李淵（高祖）が隋を滅ぼして唐を建国。3世紀にわたって続く王朝の祖となる。唐はやがて広大な領域を支配し、国内だけでなく周辺地域にも文化や制度の面で大きな影響を与えた。

2000

偉大なるタイガー

米国カリフォルニア州ペブルビーチで開かれた第100回全米オープンゴルフで、米国のタイガー・ウッズが2位に15打差という記録的な成績で優勝した。

この日が誕生日

1942 ポール・マッカートニー 英国のミュージシャン。伝説的なバンド「ビートルズ」のメイン・ソングライターのうちのひとり。解散後のソロ活動でも成功を収めている。グラミー賞を18回受賞し、30曲以上が米国ビルボード誌のHot100チャートで1位を獲得。

1815

ワーテルローの戦い

エルバ島を脱出しフランス皇帝に返り咲いたナポレオン・ボナパルトが、現在のベルギーのワーテルロー近郊で英国・オランダ・プロイセン軍と戦って敗北し、ついに命運が尽きる。この戦いでは、両陣営とも大砲を多用した。

6月

19

2017 変わらないネコ

古代のネコ科動物の骨を研究した研究者たちが、ネコは約1万年前に人間に家畜化されて以来ほとんど変化していないことを明らかにした。

1905 最初の映画館

米国のジョン・P・ハリスとハリー・デイヴィスが、ピッツバーグの自分たちの店で「ニッケルオデオン」という簡易映画館を開業。「ニッケル」（5セント硬貨）で「動く絵」を見せた。

他にもこんな出来事が

1865 米国の南北戦争終結にともない、奴隷解放が遅れていたテキサスでも、すべての奴隷は自由であるとする声明が読み上げられた。この日は今も、「ジューンティーンス」として全米で祝われている。

1910 ドイツで、世界初の民間旅客用飛行船の運航が開始され、ツェッペリン型飛行船「ドイッチュラント号」が初飛行。

1913 南アフリカの少数民族である白人の政権が「原住民土地法」を制定。人口の大多数を占める黒人の土地所有権を大幅に制限した。

この日が誕生日

1978 ダーク・ノヴィツキ NBAで活躍したドイツ人バスケットボール選手。ヨーロッパ最高のプレーヤーのひとりとされる。

1978 ゾーイ・サルダナ 米国の女優。映画『アバター』のヒロイン役で有名になり、『アベンジャーズ』シリーズなどでも印象的な役を演じている。

1846 野球草創期

近代野球の、公式記録に残る最初の試合が行われた。米国ニュージャージー州ホーボーケンで、「ニューヨーク・ナイン」が「ニッカーボッカーズ」に23対1で大勝した。

1975 サメの恐怖

米国で、巨大な人喰いザメ（ホホジロザメ）を描いた恐怖映画『ジョーズ』（スティーヴン・スピルバーグ監督）が公開された。この映画により、1975年の夏には多くの米国人が海水浴場を避ける珍事が起こった。

この日が誕生日

1949 ライオネル・リッチー 米国の黒人歌手。ファンク&ソウルバンド「コモドアーズ」のリードボーカルとしてスタートし、1980年代にはソロで成功を収めた。

1967 ニコール・キッドマン オーストラリアの女優。映画『めぐりあう時間たち』などで高く評価される。

2005 サルの芸術家

2歳の時に絵の描き方を覚えたチンパンジーの「コンゴ」が描いた3枚の絵が、英国ロンドンのオークションで1万4000ポンド（275万円）で落札された。

1944 初のロケット

ドイツのA-4ロケットが発射実験で高度174.6kmに到達。史上初めて、ロケットが成層圏に突入した。

他にもこんな出来事が

1791 フランス革命の最中、国王ルイ16世一家が密かにパリを脱出。しかし、翌日には捕えられた。世にいうヴァレンヌ逃亡事件である。

1895 ドイツ北部のキール運河が開通。現在、世界で最も船の往来が多い人工水路である。

1903 米国インディアナ州フェアグラウンドのレーシングコースで、レーサーのバーニー・オールドフィールドが史上初めて1マイル（1.6km）を1分で走破。

6月21日

1970

トロフィー永久保持

FIFA ワールドカップ・メキシコ大会で、ブラジルが伝説の名選手ペレの活躍により３度目の優勝を果たし、トロフィー（ジュール・リメ杯）を永久保持する権利を獲得した。

他にもこんな出来事が

2004　米国のスケールド・コンポジッツ社の宇宙船「スペースシップワン」が、民間企業による初の有人宇宙飛行に成功。

2009　グリーンランドで、デンマーク王国の統治下に残りつつも天然資源の権利などの自治権を拡大する、新しい法律が施行された。

1893

最初の観覧車

米国のシカゴで開催された万国博覧会で、観覧車が初めて登場した。50 セントを払うと空中からの眺めを 20 分間楽しめた。

1976

四色問題の解決

米国を本拠とする数学者ケネス・アッペルとヴォルフガング・ハーケンが、スーパーコンピューターを用いて、120 年以上証明されずに難題として知られていた四色定理（隣接する２つの領域が同じ色にならないように地図を塗り分けるには４色で十分であるという定理）を証明した。

この日が誕生日

1982 ウィリアム皇太子　英国王室の皇太子。チャールズ３世とダイアナ元妃の長男。英軍時代にはヘリコプター操縦士を務めた。

1985 ラナ・デル・レイ　米国の歌手。2011 年のファーストシングル「ヴィデオ・ゲーム」で注目を集め、一躍有名に。

6月

22

1869 奇抜な乗り物

米国の発明家ジョーグ・バーグナーが、モノホイールと呼ばれる乗り物の特許を申請した。彼の設計は、手回しクランク駆動の大きな車輪の中にライダーが座るものだった。

1986 最高のゴール

FIFA ワールドカップ・メキシコ大会準々決勝で、アルゼンチンのディエゴ・マラドーナがイングランド選手を５人抜きし、サッカー史上屈指の名ゴールを決めた。試合は2-1でアルゼンチンが勝利。アルゼンチンは勢いに乗り、優勝する。

この日が誕生日

1949 メリル・ストリープ 米国の女優。アカデミー賞20回ノミネート（最多記録）で３回受賞（『クレイマー、クレイマー』『ソフィーの選択』『マーガレット・サッチャー 鉄の女の涙』）の名優。

1960 エリン・ブロコビッチ 米国の環境活動家。地下水を汚染したパシフィック・ガス＆エレクトリック社を訴えて勝訴。その物語はハリウッドで映画化された。

1948 カリブ海から英国へ

旅客船「エンパイア・ウィンドラッシュ」でカリブ海から労働力として英国にやってきた移民の最初の数百人が上陸した。2018年からこの日は「ウィンドラッシュデー」として祝われている。

他にもこんな出来事が

1940 第２次世界大戦でフランスがドイツに降伏し、独仏休戦協定が締結された。フランス国土の大半がナチスの支配下に置かれることになった。

1941 ナチス・ドイツがバルバロッサ作戦（ソヴィエト連邦への侵攻）を開始。しかし、消耗戦の末ドイツ軍はソ連軍に押し戻されることになる。

1978 米国の天文学者ジェームズ・クリスティとロバート・ハリントンが、冥王星の衛星カロンを発見。

6月

23

1868 最初のタイプライター

米国の新聞記者クリストファー・ショールズと仲間たちが、初の実用的タイプライターの特許を取得。文字を打つキーが2列に配置されており、ピアノの鍵盤のような見た目だった（66ページも参照）。

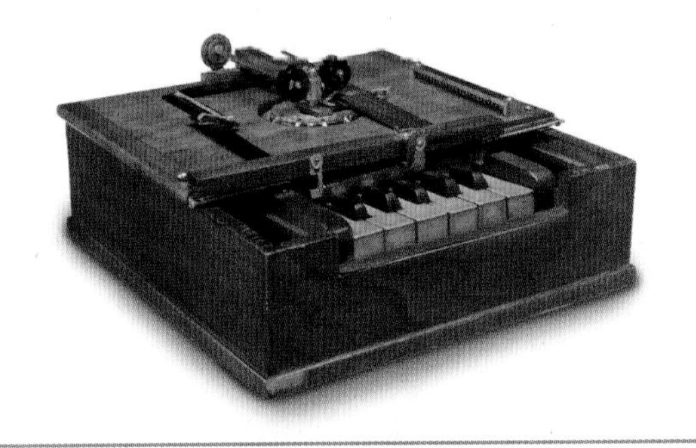

1956 人気の大統領

エジプト革命（1952年）の指導者だったガマール・アブドゥル・ナセルが、エジプトの第2代大統領に選ばれた。彼は大統領就任後、英仏が権益を持つスエズ運河を国有化することに成功し、アラブ世界で絶大な人気を獲得した。1970年の彼の葬儀には、アラブ諸国のほとんどの首脳をはじめ、何百万人もが参列した。

他にもこんな出来事が

1757 プラッシーの戦い。英国東インド会社が、ベンガル太守とフランス東インド会社の連合軍を破り、ベンガルを支配下に置く。

1894 フランスで、13ヵ国により国際オリンピック委員会（IOC）が設立された。IOCは1896年に第1回近代オリンピック大会を行い、その後も、戦争による中断を除いて4年に1度開催している。

2016 英国でEU（ヨーロッパ連合）離脱の賛否を問う国民投票。投票者の52%が離脱を支持した。

1961 南極を守ろう

南極大陸の軍事的利用を禁止し、南極での科学的な調査では平和的な国際協力を行い、領土主権や請求権は凍結するという内容の南極条約（1959年12月に12ヵ国が採択）が発効した。

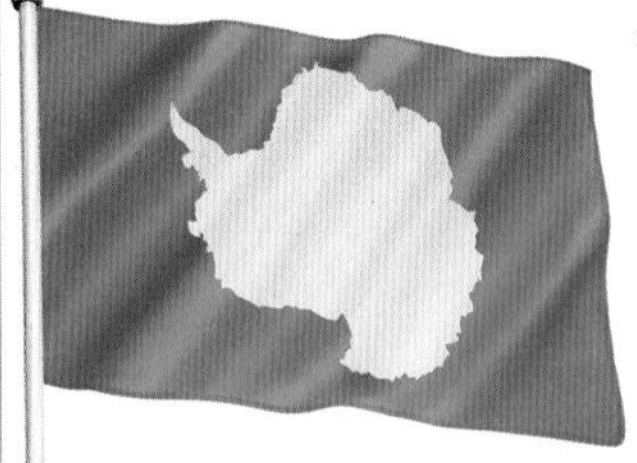

この日が誕生日

1912 アラン・チューリング 英国の数学者。20世紀の科学界における天才のひとりとされる。第2次世界大戦中にドイツの暗号「エニグマ」を解読したチームの中心人物。また、チューリング・マシンの理論などによりコンピューター科学に多大な貢献をした。

6月 24

1374
踊りのペスト

ドイツのアーヘンで、数千人が意志とは関係なく踊り始めて止まらず、その踊りが伝染するという「ダンシングマニア」（別名「踊りのペスト」）現象が発生した。原因は不明だが、病気、宗教的熱狂、毒キノコなどが考えられている。

この日が誕生日

1987 リオネル・メッシ アルゼンチンのサッカー選手。10 代で FC バルセロナに加入し、やがてトッププレーヤーとなる。ドリブルの名手として知られ、通算ゴール数は 1200 以上、世界年間最優秀選手に贈られるバロンドールを 6 回受賞している（59、127 ページも参照）。

2010
長い長いテニスの試合

英国のウィンブルドン・テニス男子シングルス 1 回戦、米国のジョン・イズナー（左）とフランスのニコラ・マウ（中央）の試合が始まる。日没を 2 度はさんで足かけ 3 日、11 時間 5 分という史上最長の試合となり、フルセットの末イズナーが勝利した。

1896
名誉学位

米国の教育者ブッカー・T・ワシントンが、ハーヴァード大学からアフリカ系米国人として初めて名誉学位を授与された。彼は若くしてアラバマ州に作られた師範学校(現在のタスキーギ大学）の初代校長に就任し、後年は黒人の経済的地位の向上を支援した。

他にもこんな出来事が

2012 ガラパゴス諸島のピンタ島に生息していたピンタゾウガメは乱獲と生息地破壊で絶滅の危機に瀕していたが、その最後の 1 頭、通称「ロンサム・ジョージ」（推定 100 歳超）がこの日に死亡した。

2017 タンザニアのキリマンジャロ山の標高 5714m のカルデラで、世界各地から集まった女子サッカー選手が試合を行った。史上最も標高の高い場所で行われたサッカーの試合である。

6月

25

1867

有刺鉄線

米国の発明家ルシアン・B・スミスが有刺鉄線の特許を取得。畑に野生動物が入るのを防ぐために、木製の柵より安価な方法として考案した。

レインボー・フラッグ

1978

米国のゲイ人権活動家ギルバート・ベイカーが、世界のLGBTQ+コミュニティの結束と多様性を表そうとデザインした8色の旗が、サンフランシスコで行われたプライド・パレード（性的少数者のパレード）で初めて掲揚された。現在一般的なレインボー・フラッグは、6色以上を使う。

他にもこんな出来事が

1876 米国で、自分たちの土地を守ろうとする先住民の戦士たちが、リトルビックホーンの戦いで米陸軍の騎兵隊を破った。

1950 北朝鮮が38度線を越えて韓国に侵攻し、朝鮮戦争が勃発。

1951 米国のCBSテレビが、世界初のカラー放送を開始。しかし、カラーテレビを持っている人は当時ほとんどいなかった。

この日が誕生日

1852 アントニ・ガウディ カタルーニャの建築家。スペインのバルセロナにある彼の独特の建物群は、同市の最大の観光資源となっている。

1963 ジョージ・マイケル 英国の歌手。ポップデュオ「ワム！」で活躍した後、ソロ歌手としても成功を収めた。

ウィリー走行

1999

米国のカート・オズバーンが、自転車のウィリー（後輪だけでの走行）による最長走破距離記録を樹立。カリフォルニア州ハリウッドから74日間で4569kmを走り、この日にフロリダ州オーランドに到着した。

6月

26

1948 ベルリン大空輸

第２次大戦後、ドイツのソ連占領地内に飛び地として残った連合国統治区域である西ベルリンへの陸路と水路をソ連が封鎖したことを受け、連合国軍が市民の生活必需品をすべて航空機で輸送する作戦を開始。

この日が誕生日

1911 ベーブ・ディドリクソン＝ザハリアス 米国の女子アスリート。1932年ロス五輪のハードルとやり投げで金メダル。ゴルフ、野球、バスケットボールでも活躍。

1993 アリアナ・グランデ 米国の歌手・俳優。ヒットドラマ『ビクトリアス』で有名になり、次いで歌手デビューしてパワフルな歌声で音楽界に旋風を巻き起こした。

ハリー・ポッター登場 1997

英国の作家J・K・ローリングのハリー・ポッター・シリーズの第１作『ハリー・ポッターと賢者の石』が出版された。シリーズは映画化もされ、ハリーは世界一有名な魔法使いの少年となる。

初バーコード 1974

米国オハイオ州トロイのスーパーマーケットで、世界で初めて、商品（チューインガム１箱）がバーコードのスキャンによって販売された。

他にもこんな出来事が

1498 中国で、獣骨や竹の棒に豚の毛を植え付けた歯ブラシが発明されたとされる。

1794 フランス革命後にフランス軍と対仏大同盟軍が相まみえたフルーリュスの戦いで、フランス軍が熱気球を使って敵陣を偵察。

1976 CNタワー

カナダのトロントで、高さ553mのCNタワーが一般向けにオープン。2007年まで、自立式建築物としては世界一の高さを誇った。

6月

27

驚異のバイクフリップ

2014

フランスのモトクロスライダー、トム・パジェスが、スペインのマドリードで行われた大会「Red Bull X-Fighters」で、世界で初めて競技会でのバイクフリップを成功させ、観衆を驚かせた。

他にもこんな出来事が

1898 カナダ生まれの米国の冒険家ジョシュア・スローカムが、帆走漁船スプレー号で、史上初の船による単独世界一周を達成。

1905 ロシア第1次革命の中、ロシア戦艦ポチョムキンの水兵たちが将校に対して反乱し、艦を乗っ取る（露暦では6月14日）。

1871

通貨「円」の誕生

日本の明治政府が、維新後に金・銀・銭の貨幣に加えて藩札や太政官札など多様な紙幣が流通していた状態を正すため、「新貨条例」を制定。新たな金本位制の貨幣単位を「圓（円）」とした（明治4年5月10日）。

この日が誕生日

1966 J・J・エイブラムス 米国の映画監督・製作者。TVシリーズ『エイリアス』で有名になり、映画『スター・トレック』『スター・ウォーズ／フォースの覚醒』などの監督を務める。

ミミズよ、出てこい

2009

英国チェシャー州で開催された「ミミズ呼び出し世界選手権」で、10歳のソフィー・スミスが、ガーデンフォークだけを使って、30分間に567匹のミミズを地面の上に誘い出すという世界記録を樹立した。

1838
ヴィクトリア女王戴冠

英国ロンドンのウェストミンスター寺院で、18 歳のヴィクトリア女王の戴冠式が行われた。彼女の治世は 64 年に及んだ。

2009
秘密のパーティー

英国の物理学者スティーヴン・ホーキング博士が、タイムトラベラーのためのパーティーを企画。タイムマシンで未来からパーティー参加者が来ることを期待して、パーティー開催の翌日に招待状を公開した。

この日が誕生日

1906 マリア・ゲッパート=メイヤー ドイツ生まれの米国の物理学者。原子の構造について重要な発見をした。

1971 イーロン・マスク 南アフリカ生まれの米国の実業家。スペース X、テスラ、ニューラリンクの経営者。

他にもこんな出来事が

1914 オーストリア=ハンガリー帝国皇太子のフランツ・フェルディナント大公が、サラエヴォ（現ボスニア・ヘルツェゴヴィナ領）で暗殺された。これをきっかけに第 1 次世界大戦が始まる（215 ページ）。

1919 フランスのパリでヴェルサイユ条約が調印され、第 1 次世界大戦が正式に終結。

2007 白頭ワシの個体数が回復し、絶滅危惧種からはずされた（76 ページも参照）。

1969
ストーンウォールの反乱

米国ニューヨークのゲイバー「ストーンウォール・イン」に警察が踏み込んだところ、LGBTQ+ コミュニティのメンバーが反撃し暴動に発展。この事件を契機に米国で LGBTQ+ の権利獲得運動が高まり、1 年後の同じ日に最初のゲイ・プライド・マーチが開催される。

1994 マンモスの発見

米国のサンタローザ島で、ピグミーマンモス（コビトマンモス）のほぼ完全な骨格が発見された。その後の古生物学者の調査で、1万3000年前のものと判明。

この日が誕生日

1941 ストークリー・カーマイケル 黒人公民権活動家。トリニダードに生まれ、11歳で米国に渡って反人種差別運動の指導者となる。「ブラック・パワー」を提唱した。

1978 ニコール・シャージンガー 米国の歌手。ガールズバンド「プッシーキャット・ドールズ」で有名に。

1613 燃える劇場

英国ロンドンの劇場「グローブ座」で、ウィリアム・シェイクスピアの『ヘンリー８世』上演中に火災が発生。屋根裏の舞台用大砲を撃ったところ、火花で茅葺き屋根に引火したことが原因。幸い、負傷者はいなかった。

1900 クルーズ船が進水

初のクルーズ客船として建造されたドイツ船「プリンツェッシン・ヴィクトリア・ルイーゼ」が進水。120室全部が豪華な1等客室で、ジムや図書館もあった。

他にもこんな出来事が

1995 米国のスペースシャトル「アトランティス」が、初めてロシアの宇宙ステーション「ミール」にドッキング。

2007 アップル社が最初のiPhone（アイフォーン）を米国で発売し、顧客に熱狂的に歓迎された。

2014 イスラム過激派組織ISIL（アイシル）が、かつてのイスラム帝国を模して指導者を「カリフ」の称号で呼び、組織名も「イスラム国（IS）」に変更。

6月

30

命がけの綱渡り

1859

フランスの軽業師シャルル・ブロンダンが、米国とカナダの国境に位置するナイアガラ渓谷を、安全ネットも命綱も使わずに綱渡りで渡った。

初の黒人宇宙飛行士

1967

飛行訓練に合格した米国の黒人パイロット、ロバート・ヘンリー・ローレンス・ジュニアが、米空軍の機密計画である有人軌道実験室の乗員に選ばれた。これにより、彼は黒人初の宇宙飛行士となった。

他にもこんな出来事が

1908 ロシアのシベリアを流れるツングースカ川上流の上空で大爆発が起こり、推定で8000万本の木がなぎ倒された。隕石が空中で爆発したのが原因とされている。

1960 コンゴ共和国・レオポルドヴィル（現在のコンゴ民主共和国）が、ベルギーから独立。

2016 国連が、性的指向と性自認を理由とする暴力と差別から人々を守るために行動するという決議を可決した。

ロンドン名物

1894

8年かけて建設された英国ロンドンのタワーブリッジが、正式に開通を宣言。この橋は、今もロンドンで最も有名なランドマークのひとつである。

この日が誕生日

1985 マイケル・フェルプス 米国の水泳選手。オリンピックの金メダル通算23個という最多記録を持ち、「トビウオ」の異名を取った。

7月

1

この日が誕生日

1961 ダイアナ・スペンサー 英国王チャールズ3世の皇太子時代の元妃（216, 249ページ参照）。慈善活動に熱心に取り組み（115ページ）、国民の人気と敬愛を集めた。ファッションでも大きな影響を与えた。

1971 ミッシー・エリオット 米国の黒人ラッパー。最も成功した女性ラッパーのひとりで、「ワーク・イット」などのヒット曲で知られる。

1912

男装の女優

英国ロンドンのパレス劇場に王室の人々を迎えて行われたチャリティー公演の際、人気俳優で男装家のヴェスタ・ティリーが男装で舞台に登場。客席のメアリー王妃は、公的な場所での女性のズボン姿を目にして驚き、顔を覆ったという。

1903

ツール・ド・フランス

フランスのパリで、第1回ツール・ド・フランスが開幕（206ページも参照）。この自転車長距離ステージレースは毎年開催されるようになり、今や世界一有名な自転車レースである。

1867

カナダ統一

「憲法法」により、カナダ、ノヴァスコシア、ニューブランズウィックという3つの英国植民地が、連邦制のカナダ自治領に統一された。カナダの完全独立への第一歩を踏み出したこの日は、現在「カナダ・デー」として祝われている。

他にもこんな出来事が

1908 モールス信号のSOSが正式に世界的な救難信号となり、船舶が危機的状況で使用するようになった。

1968 核保有国を増やさず、核軍縮を目指すことを目的に、「核拡散防止条約」が62ヵ国によって調印された。現在の締結国は191ヵ国。

1997 1世紀以上にわたる英国の統治が終わり、香港が中国に返還された。

7月

2

他にもこんな出来事が

1823 独立を宣言したブラジルと宗主国ポルトガルの戦いで、バイーア州からポルトガル軍が撤退。人々は植民地支配からの解放を祝った。

1937 女性初の世界一周飛行を目指した米国の飛行士アメリア・イアハート（147ページ参照）が、太平洋上で消息を絶つ。

1964 何十年にもわたる大規模な差別反対運動を経て、リンドン・B・ジョンソン米大統領が、人種差別を違法とする公民権法に署名。

1900

ツェッペリン初飛行

ドイツの発明家フェルディナント・フォン・ツェッペリンが、ボーデン湖上空で自身の設計した硬式飛行船「LZ 1」の初飛行を行った。ツェッペリンの飛行船はおよそ18分間で5km以上飛んだ。

2005

ライヴ・エイト

LIVE 8（ライヴ・エイト）という一連のチャリティーコンサートが世界8都市で開催され、豊かな国の政府に、アフリカなどの貧しい国々への支援を強化するよう訴えた。1000人以上のミュージシャンがライブ演奏し、182のテレビ局と2000のラジオ局が中継した。

1839

アミスタッド号の反乱

スペインの商船アミスタッド号で、“積荷”だったセングベ・ピエ（別名ジョゼフ・シンケ）率いる53人のアフリカ人奴隷が船長らを殺害。彼らは米国で捕えられ裁判にかけられたが、のちにアフリカへの帰還を認められた。

この日が誕生日

1929 イメルダ・マルコス フィリピン第10代大統領フェルディナンド・マルコスの妻。多くの国民が貧困に苦しむ中で贅沢三昧（ぜいたくざんまい）の生活をしたことで悪名高い。第17代大統領フェルディナンド・マルコス・ジュニアは長男。

1987

熱気球で大西洋横断

英国の大富豪リチャード・ブランソン（右）とスウェーデンのパイロット、ペール・リンドストラント（左）が、史上初めて熱気球で大西洋を横断した。彼らは、米国のメイン州を離陸して4947km飛行し、北アイルランドのリマヴァディに着陸した。

この日が誕生日

1962 トム・クルーズ 米国の俳優。最も成功した映画スターのひとりで、『トップガン』や『ミッション・インポッシブル』シリーズなどの大ヒットアクション映画をはじめ40本以上の作品に主演している。

最速の蒸気機関車

1938

英国の蒸気機関車「マラード」が、グランサム付近を走行中に時速203kmに達し、蒸気機関車の世界最高速度記録を樹立。この記録は現在も破られていない。

他にもこんな出来事が

1863 米国南北戦争におけるゲティスバーグの戦いで、北軍が南軍に初めて大勝。これを境に戦争の流れが変わった。

1886 ドイツの技術者カール・ベンツが、マンハイムの公道で三輪自動車「モートルヴァーゲン」（34ページ）を走らせた。これが世界初の自動車である。

1928 スコットランドの発明家ジョン・ロジー・ベアードが、初のカラーテレビの公開デモンストレーションを行った。

手品で世界記録

2004

クリーブランドで開催された国際マジシャン組織の大会で、米国の手品師モンティ・ウィットの指揮に従って129人のマジシャンが534個のスチール製リングをつなぎ合わせ、世界最長のリングチェーンを作った。

1054
昼でも見える明るい星

中国・宋(そう)代の天文学者が、突然現れた非常に明るい星を発見。その後も2年間見え続けたこの星は、今でいう超新星爆発だった。おうし座にある「かに星雲」はその残骸である。

1956
記録的豪雨

米国メリーランド州に大嵐が襲来し、ユニオンヴィルでは60秒間に31.2mmもの雨が降った。これは1分間降雨量の世界記録である。この嵐で町は大洪水に見舞われ、家屋は浸水し、農作物は倒れ、電話は不通になった。

他にもこんな出来事が

1187 ヒッティーンの戦いでイスラム軍がキリスト教の十字軍を破る。イスラム勢力は進軍を続け、エルサレムの支配権を奪還した。

1959 チャールズ・ダーウィンがガラパゴス諸島で観察した生物の姿にヒントを得て執筆した『種の起源』が出版されてから100年、エクアドルがガラパゴス諸島を同国初の国立公園に指定した。

1997 米国の火星探査車「ソジャーナ」が火星に着陸。その後83日間調査を行った。

この日が誕生日

1868 ヘンリエッタ・スワン・リーヴィット
米国の女性天文学者。地球から他の銀河までの距離の測定方法を発見した。

1776
アメリカ合衆国の独立

北米の13の英国植民地が、宗主国からの分離を宣言する「独立宣言」を採択した。新しい国はアメリカ合衆国と命名された。このため、この日は米国の独立記念日として毎年盛大に祝われる。

7月 5

1687 運動の法則

英国の科学者アイザック・ニュートンがラテン語で書いた『自然哲学の数学的原理』が出版された。伝説によれば、ニュートンはリンゴが落ちるのを見て物体の運動やその際に働く力の研究を思い立ったという。

この日が誕生日

1968 スーザン・ウォジツキ YouTube の CEO。IT 業界で最も力のある女性のひとり。かつて、グーグル創業チームの一員だった。

1996 羊のドリー 世界で初めて誕生した、哺乳類のクローン個体。スコットランドの研究所で生まれ（58 ページ）、米国の歌手ドリー・パートンにちなんで命名された。

1943 クルスク大戦車戦

第 2 次世界大戦の「クルスクの戦い」がソ連西部で始まる。ドイツ軍とソ連軍が 8000 両近い戦車を投入。ソ連軍は大きな損害を受けながらも独軍を撃退した。

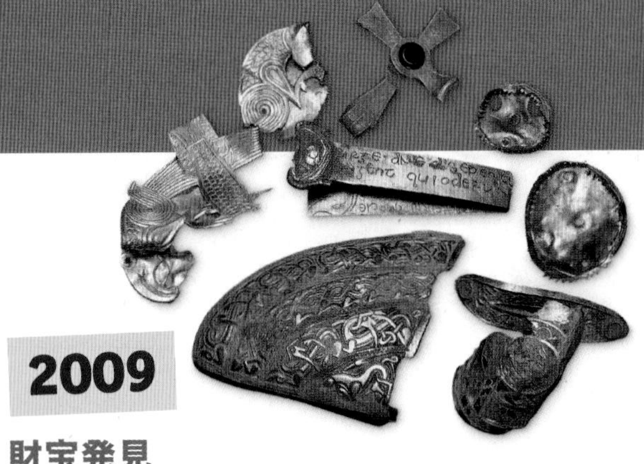

2009 財宝発見

英国スタッフォードシャーの草原で、金属探知機愛好家のテリー・ハーバートが、アングロサクソンが遺したものとしては過去最大の財宝が埋まっているのを発見した。金製品 5kg 以上や数千個の宝石が掘り出された。

他にもこんな出来事が

1948 英国政府が国民保健サービス（NHS）を開始。国民は無料で国営の医療サービスを受けられるようになった。

1950 イスラエルで「帰還法」が成立。すべてのユダヤ人は、イスラエルに移住して市民権を得ることが可能になった。

1994 ジェフ・ベゾスが、米国ワシントン州ベルヴューの自宅ガレージで、オンライン書店「amazon（アマゾン）」を設立。

2019 古代の墓

日本の百舌鳥・古市古墳群がユネスコ世界遺産に登録された。古墳は1300年以上前に築かれた古代の有力者の墓で、前方後円墳、方墳、円墳などいろいろな形がある。最大の大山古墳（伝・仁徳天皇陵）は墳丘長が525mある。

アラビアのロレンス 1917

中東でオスマン帝国の支配に対して反乱を起こしたアラブ人勢力と、その軍事顧問となった英国の情報将校T・E・ロレンスが、アカバ港を奇襲して陥落させた。アラブはこの港を通じて英国の援助を受けた。

この日が誕生日

1907 フリーダ・カーロ メキシコの画家。バス事故で負傷した後に本格的に絵画を描きはじめた。色彩豊かな自画像で有名（311ページ）。

2016 ポケモンゲットだぜ！

位置情報を利用したモバイルゲームアプリ「Pokémon GO」が米国などで発売。誰でもスマートフォンを使って架空の生き物「ポケモン」をゲットできるようになった。

他にもこんな出来事が

640 ヘリオポリスの戦いでビザンツ帝国がイスラム軍に敗北。エジプトがイスラムの支配下に入った。

1942 オランダのアムステルダムで、ユダヤ人少女アンネ・フランクの一家がナチスの手を逃れるため隠れ家に潜伏を開始（169、222ページも参照）。

1964 英国で、ロックバンド「ビートルズ」の初主演映画『ビートルズがやって来る ヤァ！ ヤァ！ ヤァ！』が公開された。

他にもこんな出来事が

1911 初の野生動物保護のための国際条約「北太平洋オットセイ保護条約」が調印された。この条約は、ラッコとオットセイの乱獲防止を目的としていた。

1950 南アフリカで、住民を人種による分類に従って登録することを定めた「人口登録法」が施行され、人種間の分断が強まる。

2005 英国のロンドンで、朝のラッシュアワーにテロリストが地下鉄3ヵ所とバスを爆破、52人が死亡する事件が発生。

1881

ピノッキオ

イタリアの作家カルロ・コッローディがいたずら好きの木の人形を主人公にして書いた子供向けの物語が、イタリアの週刊誌で連載開始。その後、1883年に『ピノッキオの冒険』として本にまとめられ、出版された。

1978

テニス界のレジェンド

チェコスロヴァキア出身のテニス選手マルチナ・ナブラチロワが、ウィンブルドンの女子シングルスで初優勝。ウィンブルドンでは12回決勝に進出し、男女を通じて史上最多の通算9回優勝した。1982年から1987年までは6連覇している。

この日が誕生日

1980 ミシェル・クワン 米国のフィギュアスケート選手。オリンピックで2個のメダルを獲得し、世界選手権で5回優勝、全米選手権では9回優勝。

1981 マヘンドラ・シン・ドーニ インドのクリケット選手。抜群の実力と人気を誇る名選手で、2011年のワールドカップでインドを優勝に導いた。

初めてのスライスパン

1928

米国ミズーリ州チリコシーのパン店が、世界で初めてスライス済みパンの販売を開始して、話題を集めた。「製パン業界における、パンの包装以来の最大の進歩」と宣伝された。

1817 ジェットコースター

フランス・パリの遊園地に、世界初のジェットコースターが登場。このコースターは「空中散策」と名付けられ、車輪付きのカートが曲線状のコースを時速 64km で疾走した。

この日が誕生日

1593 アルテミジア・ジェンティレスキ イタリアの画家。17 世紀の最も成功した女性画家のひとりで、聖書に登場する女性を大胆な構図とリアルな表現で色彩豊かに描いて有名になった。

1996 ガール・パワー

英国の女性ポップグループ「スパイス・ガールズ」が、デビューシングル「ワナビー」をリリース。女性同士の強い友情を歌ったこの曲は世界中の若いファンを魅了し、大ヒットした。

1853 日本を開国させよ

200 年以上鎖国していた日本に開国を迫る目的で、米国の海軍士官マシュー・ペリー率いる４隻の艦隊が浦賀沖に到着（嘉永６年６月３日）。日本人はこの船を「黒船」と呼んだ。

他にもこんな出来事が

1497 ポルトガルの探検家ヴァスコ・ダ・ガマの船団が、ヨーロッパからアフリカ経由でインドへ向かう航海に出発（146 ページ参照）。

1775 北米の英国植民地が、本国との戦争を回避するために「オリーブの枝請願」に署名。しかし、英国王はこの請願を拒否し、その後、米国独立戦争が始まることになる。

1947 米軍がニューメキシコ州ロズウェル付近で謎の「空飛ぶ円盤」を発見・回収したとの報告が伝わり、「宇宙人の乗り物」をめぐる陰謀論に火が付く。

7月

9

1877

ウィンブルドンの始まり

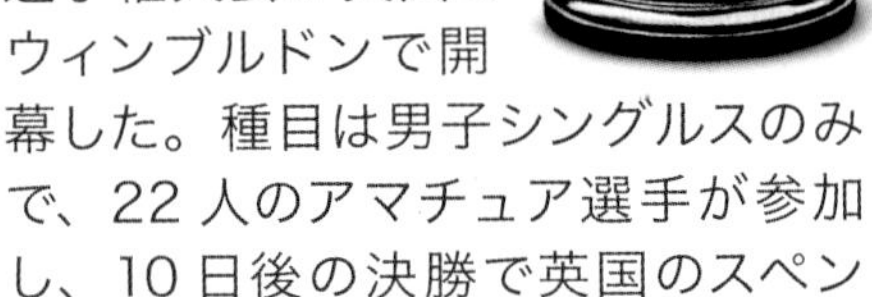

世界初の公式テニス選手権大会が英国のウィンブルドンで開幕した。種目は男子シングルスのみで、22人のアマチュア選手が参加し、10日後の決勝で英国のスペンサー・ゴアが優勝した。

1958

超巨大津波

米国アラスカ州のリトゥヤ湾で、マグニチュード7.8の地震によって大規模な山体崩落が起こる。海になだれ込んだ土砂で大津波が発生し、対岸を襲った。津波の遡上高は最大で524mに達した。

1922

水泳の王者

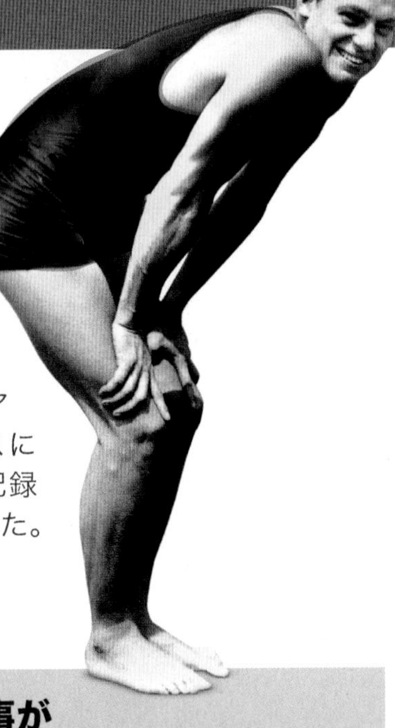

後にハリウッド映画のターザン役で有名になるジョニー・ワイズミュラーが、水泳選手時代に米国カリフォルニア州の100m自由形レースに出場し、1分を切る世界記録でゴール。歴史に名を残した。

他にもこんな出来事が

1981 日本のアーケードゲーム『ドンキーコング』内で、ゲームキャラクター「マリオ」が初登場。

1982 英国ロンドンのバッキンガム宮殿で、マイケル・フェイガンという30歳の男が排水管をよじ登り、厳重な警備をかいくぐって、女王エリザベス2世の寝室まで侵入した。女王は無事で、男は間もなく逮捕された。

この日が誕生日

1935 メルセデス・ソーサ アルゼンチンのフォルクローレ歌手。抑圧された人々を支援する歌を歌った。

1956 トム・ハンクス 米国の俳優・映画監督。90本以上の映画に出演し、『フィラデルフィア』『フォレスト・ガンプ 一期一会』でアカデミー賞主演男優賞を受賞。

7月 10

2018 最初の巨大恐竜

アルゼンチンで、2億年前の恐竜化石が発見された。この化石の主は知られている限り最古の巨大恐竜で、体長10m、体重9トンと、当時の他の恐竜の約3倍の大きさだった。「インゲンティア・プリマ」と命名された。

この日が誕生日

1891 イーディス・クインビー 米国の医学研究者・物理学者。がんの発見と治療に放射線を利用する技術の開発に貢献し、副作用を抑える方法を発見した。

1995 アーダ・ヘーゲルベルグ ノルウェーの女子サッカー選手。2016年にUEFA(ウエファ)欧州最優秀女子選手に選ばれた。

1940 バトル・オブ・ブリテン

ドイツの空軍戦隊が英国上空に飛来。第2次世界大戦における最も有名な航空戦のひとつ「バトル・オブ・ブリテン」が始まった。最終的にスピットファイア（70ページ）を主力機とする英空軍が独空軍を撃退し、ドイツに英国上陸を断念させた。

1943 英雄犬

第2次世界大戦中のシチリアで、米軍のチップスという名の軍用犬が、塹壕から機関銃を撃ってくるイタリア兵に向かって突進し、攻撃。イタリア兵は逃げ出した。チップスは小隊の防衛に功績があったとして多くの勲章を授与された。

他にもこんな出来事が

1913 米国カリフォルニア州のモハベ砂漠の北に位置するデス・バレーで、史上最高気温となる56.7℃が記録された。

1962 NASAが世界初の通信衛星「テルスター」を打ち上げた。

1962 米国で、取っ手付きポリ袋の特許が申請された。この発明はたちまち世界中で紙袋に取って代わったが、やがて環境汚染の原因にもなる。

7月

11

1405 南海への大航海

中国・明(みん)代の武将で航海者の鄭和(ていわ)が、皇帝の命を受け、62隻の大船団を率いて東南アジアからインドまでを訪れる第1次航海に出発。鄭和は合計で7回の大航海を行う。

1897 北極圏の悲劇

スウェーデンの探検家サロモン・アウグスト・アンドレーと2人の仲間が、熱気球での北極点到達を目指してノルウェーを出発。しかし彼らは消息を絶ち、33年後にようやく遺体が発見された。

この日が誕生日

1923 トゥン・トゥン インドのコメディアン・歌手。インド映画界初の女性コメディアンで、100本以上の映画に出演した。

1957 マイケル・ローズ ジャマイカのミュージシャン。レゲエグループ「ブラック・ウフル」時代の1985年にグラミー賞最優秀レゲエアルバム賞を受賞。

他にもこんな出来事が

1801 生涯で彗星を37個発見したフランスの天文学者ジャン=ルイ・ポンが、最初の1個を発見。

1914 米国野球界の伝説的存在ベーブ・ルースが、投手として大リーグ・デビュー。

2018 科学者が中国陝西(せんせい)省で210万年前の石器を発見したと報告。人類がアフリカを出たのが従来の説よりずっと早かった可能性が浮上。

1899 フィアット創業

イタリアの実業家ジョヴァンニ・アニェッリらの投資家が、トリノにFIAT(フィアット)（Fabbrica Italiana Automobili Torino =トリノのイタリア自動車製造所）を設立。アニェッリの経営により、イタリア最大の自動車メーカーとなった。

7月 12

1770 ジェニー紡績機

英国ランカシャーのジェームズ・ハーグリーヴスが、原綿の繊維を織物用の木綿糸にする装置「ジェニー紡績機」の特許を取得。この発明は産業革命の大きな推進力となった。

この日が誕生日

1997 マララ・ユスフザイ パキスタン人の社会活動家。女子が教育を受ける権利を求めたために銃撃されたが一命をとりとめ、活動を続けた。2014 年に史上最年少でノーベル平和賞を受賞（106 ページも参照）。

他にもこんな出来事が

1576 ムガル帝国がラージマハルの戦いでスルタンのダウド・カーン・カラニを破り、インド亜大陸のベンガル地方を支配下に置く。

1776 英国の探検家ジェームズ・クックが、北極海経由で大西洋と太平洋を結ぶ北西航路を発見する目的で出航。途中、ハワイで先住民とトラブルになり殺される。

1863 ニュージーランドのワイカトで、英国の植民地軍が先住民マオリの土地を侵略。

1971 オーストラリアのアデレードで、「アボリジニの日」に、赤・黄・黒の３色の「アボリジニ旗」が初めて掲揚された。

1493 ニュルンベルク年代記

ドイツの歴史家ハルトマン・シェーデルがラテン語で書いた『ニュルンベルク年代記』が出版された。最も挿絵が多く入った15 世紀の書物のひとつで、キリスト教世界の歴史が記されている。

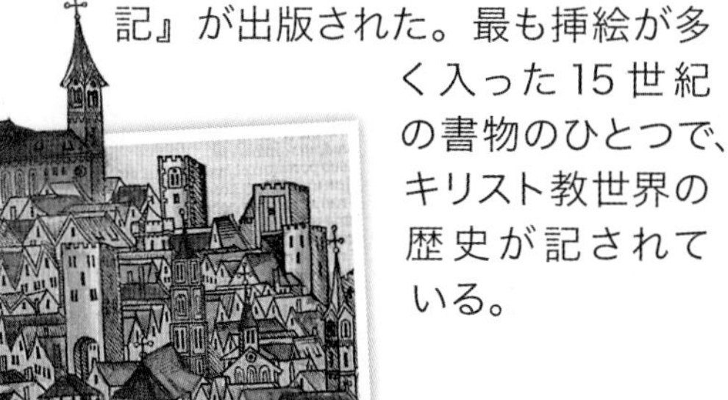

7月

13

2013 ブラック・ライヴズ・マター

丸腰の黒人青年トレイボン・マーティンを射殺した白人が釈放されたことに怒りを覚えた米国のアリシア・ガーザが、Facebook（フェイスブック）にハッシュタグ #BlackLivesMatter（ブラックライヴズマター）を付けてメッセージを投稿。この言葉は人種間の正義を求める叫びとなった。

1985 ライヴ・エイド

英国ロンドンのウェンブリー・スタジアムで、アフリカの飢餓救済のための慈善コンサート「ライヴ・エイド」開催。スターが次々に演奏して全世界に放送され、推定1億5000万ポンドの寄付が集まった。

他にもこんな出来事が

1772 英国の探検家ジェームズ・クックが第2回航海に出航。南半球にあるとされた広大な大陸（テラ・アウストラリス）の発見を目指したが、見つからなかった。

1930 第1回 FIFA ワールドカップがウルグアイのモンテビデオで開幕。

1977 米国ニューヨーク市で落雷により大停電が発生。暗闇の中で多くの商店が襲われ、略奪や放火が起こった。

この日が誕生日

1942 ハリソン・フォード 米国の俳優。『スター・ウォーズ』のハン・ソロや『インディ・ジョーンズ』シリーズで有名。

1944 ルビク・エルネー ハンガリーの発明家。子供の頃からパズルに熱中し、1974年にルービック・キューブを作った。

1871 初のキャットショー

英国ロンドンのクリスタルパレスで、シャム猫、アフリカ系、フランス系など約170匹のネコが展示された。この世界初のキャットショーは、2万人以上の来場者が詰めかける大成功となった。

1712 蒸気機関

英国の発明家トマス・ニューコメンが作った初の実用的蒸気機関が、ティプトンで鉱山から水をくみ上げて排水した。蒸気機関は英国の産業革命を支える動力としてその後大きく発展する。

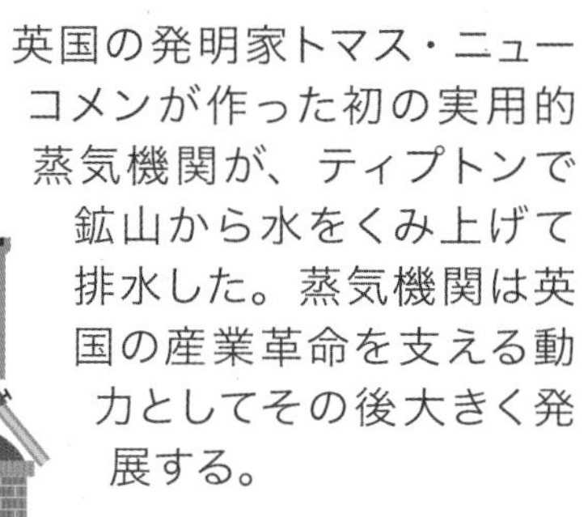

1881 ビリー・ザ・キッド

アメリカ西部開拓時代、少なくとも9人を殺して悪名をとどろかせたガンマン、ビリー・ザ・キッド（ヘンリー・マッカーティ）が、保安官パット・ギャレットに射殺された。21歳だった。

他にもこんな出来事が

1957 エジプトで、選挙区選挙で当選したラウィヤ・アテヤが国民議会に登院。アラブ世界初の女性国会議員となった。

2011 独立達成から5日後、南スーダンが193番目の国連加盟国となった。

2012 ノンバイナリー（性自認が男性と女性のどちらにもはっきり当てはまらないと感じている人々）のための「国際ノンバイナリー・ピープル・デー」の第1回目がこの日に祝われた。

この日が誕生日

1917 ベン・エンウォンウ ナイジェリアの画家、彫刻家。モダニズム様式で知られ、20世紀で最も影響力の大きいアフリカ人アーティストのひとりになった。

1941 マウラナ・カレンガ 米国のアフリカ研究者・社会活動家。アフリカ系米国人のための祭り「クワンザ」（366ページ）を創始。

1789 バスティーユ襲撃

数百人のフランス市民が、パリのバスティーユ監獄を襲撃して占拠。この事件をきっかけにフランス革命が起こった。現在この日はフランス革命記念日として祝われている。

1890

卓球の原型

英国の発明家デヴィッド・フォスターが、卓球の特許を申請した。彼のアイディアは、ゴムのボール、縦横に糸を張ったラケット、木製の小さなフェンスを使うものだった。

他にもこんな出来事が

1099/1244 キリスト教軍が1099年のこの日に聖地エルサレムを占領し、第1回十字軍が終了した。それからちょうど145年後の1244年、十字軍はイスラム軍にエルサレムを奪われた。

1965 探査機「マリナー4号」が火星に最接近（距離9846km）。この際に撮影された火星の画像は、地球以外の惑星を宇宙から撮影した最初の写真となった。

2010 アルゼンチンが、南米で初めて同性婚を合法化した。

1799

解読の鍵

エジプトのラシード近郊で、3つの異なる古代言語で同じ内容が刻まれた石柱「ロゼッタ・ストーン」が発見された。これを手掛かりとして、古代エジプトで使われていたヒエログリフが解読されることになる。

この日が誕生日

1606 レンブラント・ファン・レイン オランダの画家。自画像を含む人物画が有名で、光と影の扱いが巧みだった。

1914 ビーラボン・バーヌデート王子 タイの王子・セーリング選手・レーシングドライバー。1950年にアジア初のF1ドライバーとなり、55年まで参戦した。

1858

大悪臭

英国ロンドンで、テムズ川に下水が流入して発生した「大悪臭」に対処するための法案の審議が始まった。8月初めに可決され、下水道の整備につながる。

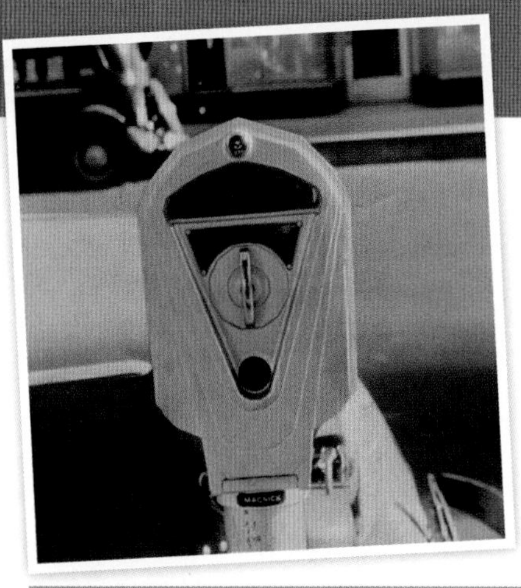

1935 駐車メーター

米国の新聞社主カール・C・マギーが発明した世界初のパーキングメーター「パーク・O（オー）・メーター No.1」が、オクラホマシティに設置された。1940 年代までに、全米のメーター設置数は 14 万個以上になる。

1945 原爆実験

世界初の核爆弾のテストが米国ニューメキシコ州アラモゴードの砂漠で行われた。「トリニティ」と名付けられたこの実験は、「核の時代」の始まりを告げた。

他にもこんな出来事が

622 ヒジュラ暦（イスラム暦）の第1日。預言者ムハンマドがメディナに移ってから最初の新月を迎えた日。

1809 南米のスペイン植民地の都市ラパスで、ペドロ・ムリーリョの指揮のもとスペインに対する反乱が勃発。

1911 イタリア系アルゼンチン人のフリエタ・ランテリが、法的な手続きを経て、南米で初めて選挙権を得た女性となった。

この日が誕生日

1911 ジンジャー・ロジャース 米国の女優・ダンサー・歌手。70 本以上の映画に出演し(369 ページも参照)、『恋愛手帖』でアカデミー賞主演女優賞を獲得。

2017 新記録

ウィンブルドン男子シングルス決勝で、スイスのテニス選手ロジャー・フェデラーがクロアチアのマリン・チリッチをストレートで破って 8 度目の優勝。この種目での大会最多優勝記録を樹立した。

1955

ディズニーランド

米国カリフォルニア州に、ウォルト・ディズニーが監修したテーマパーク「ディズニーランド」がオープン。毎年数百万人の来園者を楽しませる「夢の国」が誕生した。

他にもこんな出来事が

紀元前 709　記録として残る最古の皆既日食がこの日に中国で観測された。孔子の『春秋（しゅんじゅう）』の解説書『春秋（しゅんじゅう）左氏傳（さしでん）』に記されている。

1936　スペインの左派人民戦線政府に対して、軍部がクーデターを起こした。これをきっかけに1939年まで続くスペイン内戦が始まり、最終的に軍が勝利してフランコ将軍の独裁に至る。

この日が誕生日

1954 アンゲラ・メルケル　ドイツの政治家。旧東ドイツ出身で、2005 年にドイツ初の女性首相に就任して 2021 年まで務め、EU でも大きな存在感を示した。

1717

水上のオーケストラ

ドイツ生まれの作曲家ゲオルク・フリードリヒ・ヘンデルの「水上の音楽」が、英国のテムズ川に浮かぶ遊覧船の上で初めて演奏された。別の船からこれを鑑賞した国王ジョージ１世はこの曲をいたく気に入り、何度も繰り返し演奏するよう頼んだという。

ローマの大火

64

古代ローマの巨大な戦車競技場「キルクス・マクシムス」近くの商店から出火。火は強風にあおられて瞬く間に燃え広がり、9日間でローマ市街の3分の2近くが焼け落ちた。

この日が誕生日

1918 ネルソン・マンデラ 南アフリカ共和国の政治指導者。アフリカ民族会議のメンバーで、人種隔離に反対して戦った。27年間の獄中生活の後、1994年から1999年まで黒人として初めて同国大統領を務めた。

1863

南北戦争の英雄

米国南北戦争中、黒人兵ウィリアム・ハーヴェイ・カーニーが、北軍部隊の一員としてワグナー砦の戦いに参加。勇敢な行動が評価され、後に米国で最も権威のある軍の勲章「名誉勲章」を授与された。

他にもこんな出来事が

1892 ウクライナ系フランス人細菌学者ヴァルデマール・アフキン（ハフキン）が、パリのパスツール研究所で、自身が開発した初めてのヒトコレラワクチンを自らに注射して人体実験。

2005 ブラジルのウィンドサーファー、フラーヴィオ・ジャルジンとジオーゴ・ゲヘイロが、ブラジル沿岸8120kmをウィンドサーフィンで帆走して、世界最長距離記録を樹立した。

1976

10点満点

ルーマニアの体操選手ナディア・コマネチが、モントリオール五輪の段違い平行棒で完璧な演技を披露し、オリンピック体操競技史上初の10点満点を獲得。点数掲示板は10.00を表示できなかったため、「1.00」と表示された。

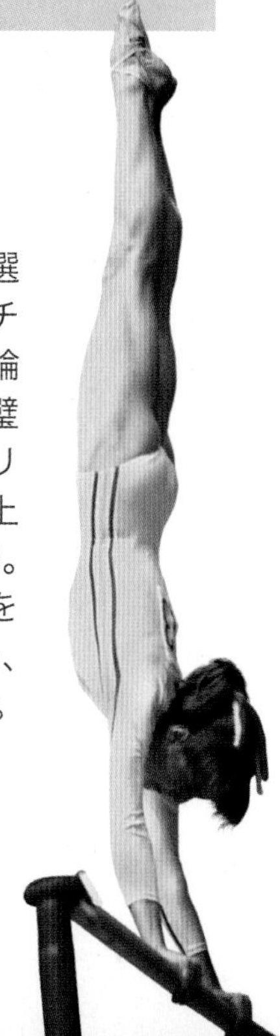

7月

19

1903

ツールの初代王者

フランスの自転車選手モーリス・ガランが、2位に3時間差をつけて第1回ツール・ド・フランスを制覇。参加61選手のうち、19日間のフランス縦断を完走したのはわずか21人だった（188ページも参照）。

パリのメトロ

1900

フランスで、パリ・オリンピックとパリ万博の開催期間中に、パリの地下鉄（メトロ）の1号線が開通。万博や五輪の会場を結ぶ交通手段として、市の西部のポルト・マイヨと東部のポルト・ド・ヴァンセンヌの間で運行した。

他にもこんな出来事が

1848 米国ニューヨーク州セネカ・フォールズで、女性の権利に関する会議が初めて開催された。

1912 米国アリゾナ州ホルブルック上空で200kgの隕石が爆発し、1万6000個近い破片が街に降り注いだ。

2019 ケニアが、トゥルカナ湖畔に建設したアフリカ最大の風力発電施設を公開。

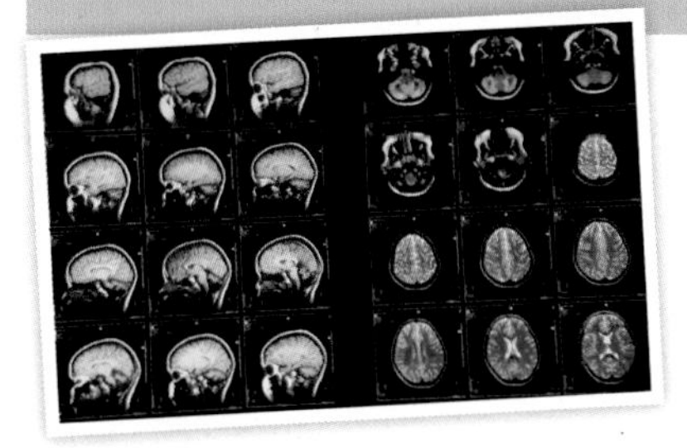

1983

脳の立体画像

米国の医師マイケル・W・ヴァニアーのチームが、コンピューター断層撮影（CT）で作成した一連のスキャンを発表。それらのスキャン画像を組み合わせて、人間の頭骨の内部を初めて3次元で表示した。

この日が誕生日

1965 イヴリン・グレニー スコットランドの女性打楽器奏者。耳がほとんど聞こえないが、身体のそれ以外の部分で音を感じる訓練を重ねた。

1969

月面に立つ

地球上で５億人がテレビ生中継を見守る中、米国の宇宙飛行士ニール・アームストロングが、人類で初めて月面に足跡をしるした。彼に続いて、バズ・オルドリン（左の写真）も月面に降り立った。

他にもこんな出来事が

1960 スリランカで、シリマヴォ・バンダラナイケが世界初の女性首相に就任。60-65、70-77、94-2000 年の３期務める。

1968 米国のシカゴで開催された第１回スペシャルオリンピックスに、知的障害のあるアスリート約 1000 人が参加。

1976 モントリオール五輪の体操男子団体総合で、日本の藤本俊（しゅん）が膝の負傷を押して演技し、日本チームは金メダルを獲得。

この日が誕生日

1822 グレゴール・メンデル オーストリアの修道士・科学者。エンドウマメを使って、形質が親から子へどのように受け継がれるかを研究した（44 ページも参照）。

1919 エドモンド・ヒラリー ニュージーランドの登山家。エヴェレストに人類で初めて登頂し（155 ページ）、北極・南極の両方にも到達した。

沈没船の財宝

1985

米国の探検家メル・フィッシャーが、15 年にわたる捜索の末、フロリダ沖で 17 世紀のスペインの沈没船「ヌエストラ・セニョーラ・デ・アトーチャ号」を発見。船には金、銀、エメラルドが何トンも積まれていた。

車椅子での離れ業

2018

米国のアスリート、アーロン・フォザリングハムが、カリフォルニアで、ランプジャンプ最長飛距離、最も高いクォーターパイプドロップイン、最も高いハンドプラントという、３つの車いすスタント世界記録を樹立した。

他にもこんな出来事が

1865 “ワイルド・ビル”・ヒコックが、米国ミズーリ州スプリングフィールドでデーヴィス・タットを決闘で射殺。最初の早撃ち決闘として知られるようになる。

1919 アゼルバイジャンが、イスラム圏で初めて20歳以上の女性に参政権を認めた。

1983 ソ連の南極観測基地「ヴォストーク」で、地球の地表面としては最も低いマイナス89.2℃という気温が記録された。

相撲の大記録 **2017**

大相撲名古屋場所で、モンゴル出身の横綱・白鵬(はくほう)が大関・高安(たかやす)を破って通算1048勝目を挙げ、歴代最多勝利の新記録を作った。

1904 世界最長の鉄道路線

10年以上の工期を費やしてシベリア鉄道が完成。ロシアを横断して西のモスクワと東のウラジオストクを結ぶ、全長9289kmの世界一長い鉄道。列車「ロシア号」が7日かけて走行している。

この日が誕生日

1972 キャサリン・ニャンブラ・ヌデレバ ケニアの女子マラソン選手。ボストンマラソンで4回、シカゴマラソンと世界陸上競技選手権で各2回優勝した伝説的なランナー。

マッスルパワー **2012**

トルコ出身の冒険家エルデン・エルーチが、人間の筋力だけを用いた初の単独地球一周を達成し、米国のボデガ･ベイにゴールイン。彼は自転車、徒歩、カヌー、カヤック、手漕ぎボートなどを駆使し、5年以上かけて6万6299kmの旅をやり遂げた。

7月 22

1802

ベトナム統一

今のベトナムの地で、阮朝の創始者、阮福暎（嘉隆帝）がハノイを占領して国土の大半を統一。富春（現在のフエ）に首都を置き、後に国号を越南に改めた。阮朝はこの地で最後の王朝となる。

他にもこんな出来事が

1342 ヨーロッパ中部に降り続く雨によって、ドナウ川やライン川などあちこちの河川で堤防が決壊。「マグダラの聖マリアの日」に起きたこの洪水は、中欧に過去最大の被害をもたらした。

1997 日本の漫画『ONE PIECE』が連載開始。連載は25年以上続き、2022年8月時点での単行本の世界累計発行部数は5億1000万部以上。

2015 イスラムの聖典「コーラン」の最古の断片が、放射性炭素年代測定で約1370年前のものと判明。

2009

長い日食

21世紀の最初の20年間で最も長い皆既日食が起き、6分39秒続いた。アジアから太平洋にかけての広い範囲で、数百万人がこの日食を見ることができた。

この日が誕生日

1992 セレーナ・ゴメス 米国の歌手・女優。子役としてディズニーのテレビ番組に出演して人気を得、映画に進出。歌手としても、自身のバンドやソロ活動で成功を収めている。

1933

世界一周飛行

米国の飛行士ワイリー・ポストが、史上初の単独世界一周飛行を終えてニューヨークに着陸。所要時間は7日18時間49分で、飛行距離は2万5099km以上だった。

7月

23

2010 新星の登場

英国のオーディション番組『X ファクター』に別々に応募した5人の若者が、審査員のサイモン・コーウェルのアイディアでバンド「ワン・ダイレクション」を結成。デビューするや、瞬く間に世界的な人気グループに。

他にもこんな出来事が

1952 エジプトで軍事革命。約150年にわたるムハンマド・アリー朝が倒れ、共和制が敷かれる。

1980 ベトナム人宇宙飛行士ファム・トゥアンがソ連の宇宙船ソユーズ37号に搭乗。ソ連国民以外のアジア人として初の宇宙滞在。

2015 NASAが、太陽系外にある太陽型恒星のハビタブルゾーン（地球と似た生命が存在可能な環境領域）に存在する地球型惑星「ケプラー452b」の発見を発表。

1966 全速前進

米国の元空軍パイロット、ドン・ウェッツェルの運転で、ロケット推進式列車「ブラック・ビートル」がテスト走行。平坦で直線的な線路で、米国の鉄道の最高速度となる時速296kmを記録した。

この日が誕生日

1931 テ・アタイランギカアフ マオリ女王。40年にわたる統治は、マオリの君主として最長。

1989 ダニエル・ラドクリフ 英国の俳優。映画『ハリー・ポッター』シリーズでハリー役を演じた。

2012 自転車世界一周

英国系ドイツ人の自転車長距離選手ジュリアナ・バーリングが、女性で初めて自転車による世界一周を成し遂げた。彼女はイタリアのナポリを出発して2万9000km以上を走り、152日後にゴールした。

2019 地球温暖化

科学的研究の結果、この2000年の間に地球の気温には上下動があったが、人間活動による20世紀後半の急激な平均気温上昇は過去に例を見ない上がり方だとする論文が発表された。

この日が誕生日

1966 アミナトウ・アリ・アフメド・ハイダル モロッコの人権活動家。西サハラのモロッコからの独立を提唱している。

1969 ジェニファー・ロペス 米国の歌手・女優。ポップ界の人気アーティストで、米国でも屈指の資産を持つエンターテイナー。

他にもこんな出来事が

1847 ブリガム・ヤングが率いる148人のモルモン教徒が、米国ユタ州のグレートソルトレーク渓谷に到着。彼らはその地にソルトレークシティを建設する。

1943 第2次世界大戦中、英空軍の700機以上の爆撃機が、ドイツのハンブルクへの8日間にわたる空襲を開始。

1944 第2次世界大戦中のメキシコで、兵士約300人の飛行隊「アステカ・イーグルス」が創設された。太平洋戦線に派遣されてフィリピンで日本軍と戦う。

1911 インカの都市

ペルーのアンデス山脈で、米国の探検家ハイラム・ビンガムが地元民に案内されてマチュ・ピチュ遺跡に到着。彼は論文や書籍でこの15世紀の遺跡について発表する。

7月

25

この日が誕生日

1920 ロザリンド・フランクリン 英国の科学者。DNAの二重らせん構造の発見に大きく貢献した。

1967 マット・ルブランク 米国の俳優。人気テレビドラマ『フレンズ』のジョーイ・トリビアーニ役で有名。

2006 トゥマニ・ジャバテ

マリの音楽家トゥマニ・ジャバテの有名なアルバム『独立大通り』がリリースされた。彼は、コラ（西アフリカのリュート型弦楽器）を使った音楽を早くから録音してきたアーティストのひとりである。

1909 英仏海峡横断飛行

フランスの飛行機製作者で飛行家のルイ・ブレリオが、飛行機での英仏海峡横断に初めて成功。賞金1000ポンドを獲得し、時代を代表するパイロットとして有名になった。

他にもこんな出来事が

1814 米英戦争中のランディーズ・レーンの戦い。現在のカナダ・オンタリオ州で、カナダ軍と英軍が米軍から自国の領土を守った。

1984 ソ連の宇宙飛行士スヴェトラーナ・サヴィツカヤが、ソ連の宇宙ステーション「サリュート7号」から外に出て、女性初の宇宙遊泳を行った。

1984 体外受精

英国で、世界で初めての体外受精（IVF）による赤ん坊が誕生。ルイーズ・ブラウンと名付けられる。

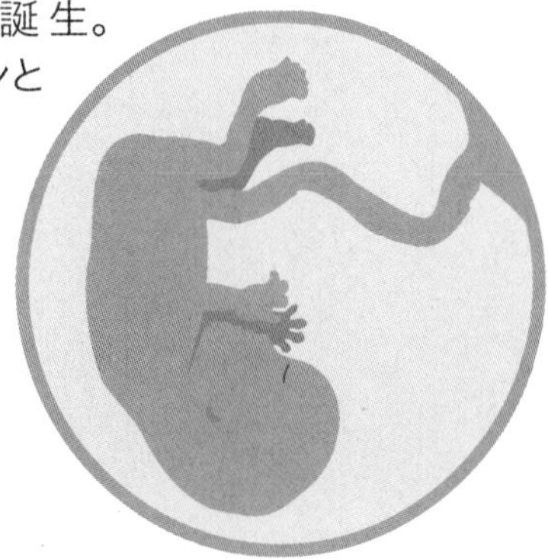

2016 女性の大統領候補

米国フィラデルフィアで開催された民主党全国大会が、ヒラリー・クリントンを大統領候補に選出。主要政党からの女性大統領候補は、史上初めてだった。

1509 王国の最盛期

今の南インドのヴィジャヤナガル王国で、クリシュナ・デーヴァ・ラーヤ（絵の左側の人物）が即位。遠征によって国土を拡張しつつ、文化の振興にも務め、王国の最盛期を築く。

この日が誕生日

1964 サンドラ・ブロック 米国の女優。『スピード』『しあわせの隠れ場所』『ゼロ・グラビティ』など多数の映画に出演。

2012 コンゴ盆地を守れ

国連の主導するプロジェクトの一環として、アフリカ中部の10ヵ国が、コンゴ盆地の熱帯雨林を監視し、この地域における違法な森林伐採、採掘、建設の防止に向けて努力することに合意した。

他にもこんな出来事が

1920 ベルギーで開かれたアントワープ五輪で、スウェーデンの射撃選手オスカー・スヴァーンが72歳で銀メダルを獲得。史上最年長の五輪メダリストとなる。

1943 米国のロサンゼルスが濃いスモッグに覆われる。日本の化学兵器攻撃を疑う声もあったが、排ガスが主な原因と判明した。

7月 27

1896 無線電信

イタリアの発明家グリエルモ・マルコーニが、英国ロンドンで無線電信のデモンストレーション。ある郵便局から300m離れた別の郵便局に、モールス信号で送信した。

1940 バッグス・バニー

米国のウサギのキャラクター、バッグス・バニーが、短編アニメ映画『野生のバニー』で初登場。その後、数々のアニメ作品で人気を博する。

1996 ビーチバレー

米国アトランタで開催されたオリンピックで、初採用種目ビーチバレーの女子決勝が行われ、シウヴァ（手前）とピレスのペアが、同じブラジルのホドリゲスとサムエル（奥）のペアを破って優勝。

この日が誕生日

1923 大山倍達（ますたつ） 朝鮮半島出身で日本で活躍した武道家。空手デモンストレーションや素手での牛との対決などを経て、極真（きょくしん）空手を創設する。

他にもこんな出来事が

1377 ペストの大流行を受けて、ラグーサ共和国（現在のクロアチアのドゥブロヴニク）が初めて強制検疫法を制定。外から来た者は30日間の隔離を経なければ市内に入れないと定めた。

1921 カナダの科学者フレデリック・バンティングとチャールズ・ベストが、血液中の糖分濃度を調節するホルモン「インスリン」を発見。糖尿病の治療に使われるようになる。

1953 朝鮮戦争で、北朝鮮側と韓国側が休戦協定に調印し、3年余り続いた戦闘が終結した。

火船で無敵艦隊を攻撃

1588

イングランドとスペインが戦ったアルマダの海戦で、ユリウス暦のこの日の夜、フランスのカレーに停泊していたスペイン艦隊に向けて、イングランドが8隻の船に火をつけて送り込む。スペイン側はパニックを起こして船は散り散りになった。

この日が誕生日

1866 ビアトリクス・ポター 英国の作家・イラストレーター。ピーターラビットなどの動物を主人公とした児童書を20作以上書いた。

1923 夏培粛 中国の計算機科学者。中国初の電子計算機「107型」を研究・設計し、「中国コンピューター科学の母」と呼ばれた。

無言の抗議

1917

米国で、人種偏見に基づいて黒人数十名が白人に殺害された事件に抗議するため、ニューヨーク市の五番街を1万人が無言で行進した。

1939

アングロサクソンの兜

英国サフォーク州のサットン・フーの埋葬地遺跡で、細かい装飾が施された兜が発掘された。このアングロサクソンの兜は鉄製で、頭にかぶる部分、首あて、顔を覆うマスク、頬を保護するシールドがあり、あらゆる方向の攻撃から戦士を守っていた。

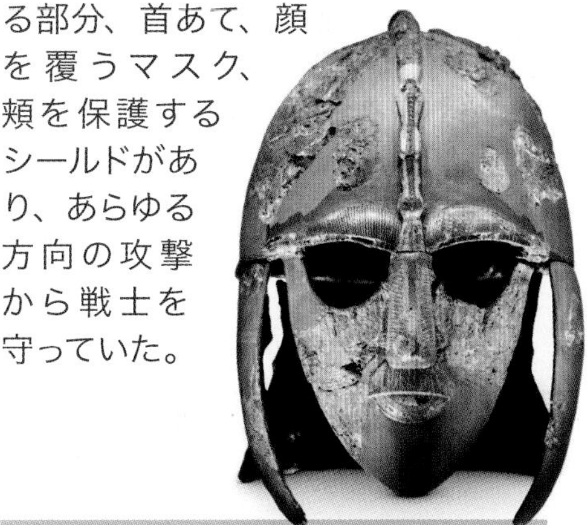

他にもこんな出来事が

1821 スペイン植民地のペルーで、アルゼンチン人将軍ホセ・デ・サン・マルティンに率いられた住民が独立を勝ち取った。

1914 サラエヴォ事件（185ページ）をきっかけに、オーストリア=ハンガリーがセルビアに宣戦布告。第1次世界大戦が始まった。

1976 中国の唐山市でマグニチュード7.6の大地震が発生。市内のほとんどの建物が倒壊し、壊滅的な被害が出た。

7月

29

1981 皇太子の結婚

世界中のメディアが注目する中、英国ロンドンのセント・ポール大聖堂で、王位継承順位1位のチャールズ皇太子（現・国王チャールズ3世）が貴族の令嬢ダイアナ・スペンサー（188ページ）と結婚式を挙げた。

他にもこんな出来事が

1030 ノルウェー王オーラヴ・ハラルソン(オーラヴ2世）が、スティクレスタズの戦いで死去。彼は後に教会によって聖人とされ、その人気により同国でのキリスト教の普及に貢献した。

1921 ドイツで、アドルフ・ヒトラーが国民社会主義ドイツ労働者党（ナチス）の党首となる。この党は1933年に政権を握り、ヒトラーの独裁政治のもとで第2次世界大戦を引き起こすことになる。

この日が誕生日

1959 サンジャイ・ダット インドの俳優。薬物中毒などの困難を乗り越え、インド映画界のスターとなる。

1981 フェルナンド・アロンソ スペインのレーシングドライバー。2005年にF1世界選手権の最年少優勝記録(当時)を作った。ダカールラリーやインディアナポリス500など、他のレースにも参戦している。

1836 パリの凱旋門

フランスのために戦って死んだ兵士の慰霊を目的として建てられたパリの凱旋門を、国王ルイ・フィリップが除幕。フランスを象徴するランドマークのひとつになっている。

7月
30

2016

信じて跳ぶ

米国の冒険家ルーク・エイキンズが、カリフォルニア州のシミ・ヴァレー上空の高度 7620m を飛行中の飛行機から、パラシュートなしで飛び降りた。彼は巨大なネットの中に見事に落ち、無傷で地上に立った。

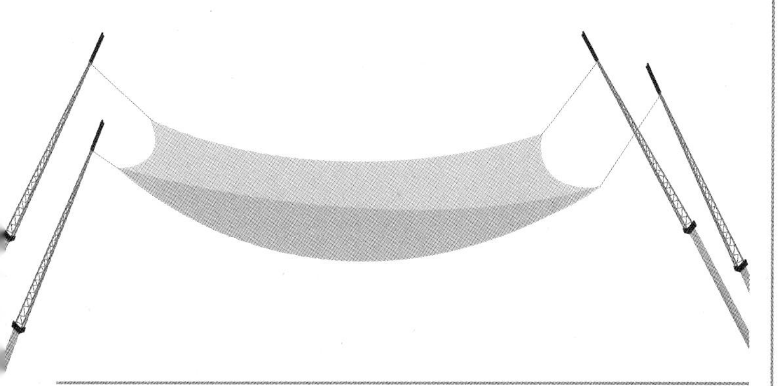

2011

友情の喜び

国連が制定した「国際フレンドシップ・デー」の第1回。この記念日は、人間同士、コミュニティ同士、国同士の親密な結びつきの重要性を謳(うた)い、そうした友情が困難な時の助けになるという意識を広める目的で定められた。

他にもこんな出来事が

762 中東を治めるアッバース朝の支配者アル・マンスールが、バグダードを建設。円形の城を中心とした「円城の都」は、彼の帝国の首都として繁栄した。

2009 日本人宇宙飛行士の若田光一が、約4ヵ月滞在した国際宇宙ステーション（ISS）から地球に帰還。彼はISS滞在中に、汗を吸ってもすぐ乾いて臭わない特別仕様の「臭わない下着」を1ヶ月間着用する実験を行い、実験は成功したと語った。

この日が誕生日

1947 アーノルド・シュワルツェネッガー オーストリア出身の米国人ボディビルダー・俳優・政治家。ミスター・ユニバース優勝、『ターミネーター』などのハリウッド映画主演、カリフォルニア州知事（2003-2011）など多方面で活躍。

最も歴史の古い動物園

1752

神聖ローマ皇帝フランツ1世が、オーストリアのシェーンブルン宮殿の敷地内にウィーン動物園を開設。1778年に一般公開され、今に至る。

この日が誕生日

1973 アンディ・マクドナルド 米国のスケートボーダー。スケートボードのワールドカップで9回優勝。

命知らずのダイブ

2003

オーストリアのスカイダイバー、フェリックス・バウムガートナーが、カーボン製の翼を装着して英仏海峡を横断。英国のドーバー上空で飛行機から飛び降り、35km飛んで、フランスのカレー近郊に無事着地した。

他にもこんな出来事が

1581 ヨハン・フォン・シェーネンベルクが神聖ローマ帝国のトリーア大司教になった。その後、魔女裁判で大量の処刑を行う。

1658 ムガル帝国で、アウラングゼーブが第6代皇帝として即位。彼の治世に、帝国の領土は最大になる。

2013 若い女性にコンピューター技術を教える団体「ブラック・ガールズ・コード」を設立した米国の黒人女性エンジニア、キンバリー・ブライアントが、「変革の旗手」としてホワイトハウスから表彰された。

月面でドライブ

1971

NASAのアポロ15号ミッションで月に着陸したデヴィッド・スコットとジェームズ・アーウィンが、4輪の電動月面車（LRV）で探査に出発し、月面で車両を運転した最初の人間となった。

8月 1

スカウトのはじまり

1907

英国のブラウンシー島で、陸軍士官ロバート・ベーデン＝パウエルが企画した最初のスカウト・キャンプが始まり、参加した子供たちは野外での調理や地図の読み方などの技術を学んだ。この日は現在、「世界スカウトの日」になっている。

この日が誕生日

1901 フランシスコ・ギリェド フィリピンのボクサー。通称パンチョ・ビリャ。1923年にアジア人として初めて世界フライ級チャンピオンになった。

1979 ジェイソン・モモア 米国の俳優。人気TVシリーズ『ゲーム・オブ・スローンズ』のドロゴや、映画のアクアマン役で知られる。

音楽専門チャンネル

1981

米国で音楽専門ケーブルチャンネルMTVが開局。最初に流れたミュージックビデオは、英国のバンド、バグルスの「ラジオ・スターの悲劇（Video Killed the Radio Star）」だった。

他にもこんな出来事が

1834 英国で奴隷廃止法（1833年制定）が発効。セントヘレナ島とインド亜大陸を除く大英帝国内で奴隷制が廃止された。

1944 第2次世界大戦中、ナチス・ドイツの占領下にあったポーランドのワルシャワで、レジスタンスによる「ワルシャワ蜂起」が始まった。63日後に鎮圧された。

1984 英国の農民が、2000年前のボグ・ボディ（泥炭地に埋まって極めて良好な状態で保存された遺体）を発見。後にリンドウ・マンと名付けられる。

ロボットのヒッチハイク

2015

カナダのヒッチハイク・ロボット「hitchBOT（ヒッチボット）」はカナダ、ドイツ、オランダを無事に旅したが、米国では入国2週間後にフィラデルフィアで破壊され、最期を迎えた。

川の下をくぐる

1870

英国ロンドンのテムズ川の下を横断するように掘られたトンネル「タワー・サブウェイ」が開通。トンネル内では、木製の鉄道車両が対岸側まで乗客を運んだ。このトンネルはその後、歩行者用地下道になった。

他にもこんな出来事が

1776　北米で、英国の13の植民地がアメリカ独立宣言に署名。

1944　ナチスがポーランドに作ったアウシュヴィッツ強制収容所で、数千人のロマ(ジプシー)が殺害された。現在この日は、「ロマ・ホロコースト・メモリアル・デー」になっている。

1990　独裁者サダム・フセインが支配するイラクの軍が、隣国クウェートに侵攻。これに対し、国連決議に基づく「多国籍軍」が翌年1月にイラクを攻撃し、第1次湾岸戦争になる。

1971

月面の記念碑

月面に到着した米国の宇宙船アポロ15号の乗組員が、「Fallen Astronaut（倒れし宇宙飛行士）」と名付けた小さなアルミ製彫刻を月面に置き、そばに宇宙開発の途上で命を落とした米国とソ連の宇宙飛行士14人の名前を記したプレートを設置した。

この日が誕生日

1979 ルーベン・コスゲイ ケニアの陸上選手。21歳の時、3000m障害の史上最年少オリンピック金メダリストとなる。

紀元前47

カエサルの勝利

古代ローマの将軍ユリウス・カエサルが、ゼラの戦い（ゼラは現トルコのジレ）でポントス王国に大勝利を収めた。カエサルは「Veni, vidi, vici（来た、見た、勝った）」と書いた手紙をローマに送った。

1862

勇気ある看護師

米国の看護師クララ・バートンが、南北戦争の戦場で兵士に医療品を届けることを北軍から正式に許可された。彼女は南軍北軍を問わず負傷者や病人の看護に力を尽くし、後にアメリカ赤十字社を設立する。

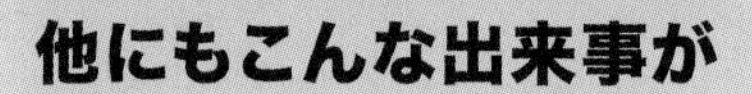

他にもこんな出来事が

1492 イタリアの探検家クリストファー・コロンブスが、インドへの西回り航路を求めてスペインを出航。10月に今の西インド諸島に着く。

1914 第1次世界大戦の初期、ドイツがフランスに宣戦布告。

1946 米国インディアナ州で、世界初のテーマパーク「サンタクロースランド」が開園。

1958

原子力潜水艦

世界初の原子力潜水艦である米国の「ノーチラス号」が、潜航して北極の氷床の下を1600km近く進み、北極点に到達した。

2017

ネイマール獲得

フランスのサッカークラブ「パリ・サンジェルマン」が、ブラジル人ストライカーのネイマールを2億2200万ユーロという高額移籍金で獲得したと発表。

この日が誕生日

1904 ドロレス・デル・リオ メキシコの女優。ラテンアメリカ出身の最初期の映画女優のひとり。ハリウッドと母国の映画界で50年以上活躍した。

1964 ラッキー・ドゥベ 南アフリカのレゲエ・ミュージシャン。ズールー語、英語、アフリカーンス語で歌う。

8月 4

2006 エクストリームな離れ業

米国のモトクロスレーサー、トラヴィス・パストラーナが、ロサンゼルスで開催されたXゲームズで史上初めてバイクでのダブル・バックフリップを成功させ、98.6点を獲得して金メダルを手にした。

2011 初の電動ヘリ

フランスのエンジニア、パスカル・クレティアンが製作した電動ヘリコプター「ソリュシオンF／クレティアン」が、初飛行に成功。地面に繋がれた機体が地上50cmの高さに舞い上がり、2分余りホバリングした。

他にもこんな出来事が

1944 オランダのアムステルダムで、ユダヤ人少女アンネ・フランクとその家族が、2年以上の隠れ家生活の末にナチスに発見され、逮捕された（169、193ページ参照）。

1945 モスクワの米大使の執務室に、密かに盗聴器が取り付けられた。これは最初期の電子盗聴器のひとつで、発見されるまでの7年間、ソ連情報部員が米国をスパイするために使用した。

2020 レバノンのベイルート港の倉庫で大規模な爆発が発生。200人以上が死亡し、およそ6500人が重傷を負った。

この日が誕生日

1901 ルイ・アームストロング 米国の黒人トランペット奏者・歌手。たぐいまれな演奏と独特の歌唱でジャズを大きく変えた。

1929 キショール・クマール インドの歌手・俳優。インドのさまざまな言語で2000曲以上を歌った。

1590 秀吉の小田原攻め

安土桃山時代の日本で、3ヵ月にわたる小田原城包囲戦の末、城主の北条氏直（うじなお）が関白・豊臣秀吉の軍に降伏した（天正18年7月5日）。この戦いの結果、後北条氏は滅び、秀吉の天下統一がほぼ完成した。

8月 5

2020 ニューギニアの植物

国際的な科学調査で、南太平洋のニューギニア島は世界で最も植物の多様性が豊かな島であることが明らかになった。島には1万3634種の植物が生育しており、その5分の1がランである。

2013 ハッピーバースデー

火星探査車キュリオシティの火星着陸1周年を記念して、NASAの科学者が探査機に「ハッピーバースデー」を演奏するようプログラムを組んだ。地球以外の惑星でこの曲が演奏されたのは史上初。

他にもこんな出来事が

1963 英、米、ソ連の3国が、「部分的核実験禁止条約」にモスクワで調印。核実験を行う場所が地下に限定されることになった。

1993 初のトレーディングカードゲーム「マジック：ザ・ギャザリング」発売。

この日が誕生日

1962 パトリック・ユーイング ジャマイカ系米国人のバスケ選手・コーチ。ニューヨーク・ニックスで15年間プレーし、オリンピックで2個の金メダルを獲得。

1888 自動車業界のパイオニア

ドイツの企業家ベルタ・ベンツが、夫の発明した世界初の内燃機関自動車「ベンツ・パテント・モートルヴァーゲン」（34ページ）の発売に際してのテストとして、ドイツのマンハイムからプフォルツハイムまで104kmを走行した。自動車による初の長距離走行だった。

8月

6

1926

高速スイマー

米国のアスリート、ガートルード・エデルが、女性として初めて英仏海峡を泳いで横断。大きな波と寒さとクラゲに悩まされながらも、それまでの男性の記録を2時間更新した。

この日が誕生日

1911 ルシル・ボール 米国の女優。TVの『アイ・ラブ・ルーシー』で世界的な人気を獲得。ハリウッドの大きなスタジオを経営した最初の女性でもある。

1945

広島に原爆投下

第2次世界大戦末期、米国が広島に原子爆弾を投下。戦争での初めての核使用だった。街は灰燼（かいじん）に帰し、約8万人が即死、その後何万人もが放射線障害により死亡し、その何倍もが後遺症を患う。

1960

ツイストが流行

米国の人気黒人歌手チャビー・チェッカーが、TV番組で「ザ・ツイスト」を披露。それをきっかけに、腰をひねる新しいダンス「ツイスト」が米国中に広まった。

他にもこんな出来事が

1965 米国のリンドン・ジョンソン大統領が「投票権法」に署名し、選挙管理者が人種・言語の異なる有権者を差別することを禁じた。

1991 英国のコンピューター科学者ティム・バーナーズ=リーが「World Wide Web（ワールド ワイド ウェブ）プロジェクト」の要約を発表。

2015 香港の科学者チームが、ネット上で世界中のアリの分布がわかる初のインタラクティブ・アリマップを公開。

8月
7

綱渡り

1974

フランスの綱渡り師フィリップ・プティが、米国ニューヨークの世界貿易センターのツインタワーの間に張ったワイヤー（高さ400m）を綱渡りした（非合法）。地上の人々は驚き、固唾を呑んで見守った。

1942

暗号通信

第２次世界大戦中、ナバホ族のコードトーカー（暗号通信兵）15人を含む米海兵隊部隊が、対日戦のため太平洋のガダルカナル島に上陸。米軍は英語のできるナバホ兵に通信文をナバホ語に訳させて暗号化し、ナバホ語を理解できない日本軍による解読を防いだ。

この日が誕生日

1975 シャーリーズ・セロン 南アフリカ出身の米国の女優・映画製作者。映画『モンスター』でアカデミー賞主演女優賞を受賞。

他にもこんな出来事が

1819 スペインからの独立を目指す南米で、ベネズエラ出身の将軍シモン・ボリバルがボヤカの戦いでスペイン軍を撃破。ベネズエラとコロンビアをスペインの支配から解放した。コロンビアではこの日が祝日になっている。

1987 米国の水泳選手リン・コックスが、米ソの間にあるベーリング海峡を泳いで渡った最初の人物となる。

1996 南極に落下した火星隕石（火星が起源の隕石）を調査した科学者たちが、36億年以上前に火星に単純な生命体が存在した可能性を示す残存物を隕石内部で発見したと発表。

1948

歴史的なジャンプ

米国の陸上選手アリス・コーチマンが、ロンドンオリンピックの走り高跳びで優勝。黒人女性として初めてオリンピックで金メダルを獲得するとともに、1.68mという当時の世界記録を樹立した。

1876

電気ペン

米国の発明家トーマス・エジソンが、ロウ紙に微小な穴をあけて印刷用原紙を作るための電気ペンの特許を取得。最初期の謄写版(とうしゃばん)印刷技術のひとつ。

1709

気球が宙に浮く

ブラジル出身のポルトガルの聖職者バルトロメウ・デ・グスマンが、リスボンで熱気球の模型実験に成功。気球は約 4m 上昇した。

この日が誕生日

1879 エミリアーノ・サパタ メキシコの革命家。メキシコ革命の際、農民の土地所有権を求めて戦った。

1969 王菲（フェイ・ウォン） 中国の歌手・女優。「アジアの歌姫」とも呼ばれ、広東語と標準中国語（普通話）の曲を多数歌っている。

他にもこんな出来事が

1963 英国のギャング団がロンドン行きの列車から 200 万ポンド以上を強奪する「大列車強盗事件」が起こった。

1967 東南アジアの発展促進を目的とした東南アジア諸国連合（ASEAN(アセアン)）が創設された。最初の加盟国は 5 ヵ国だった。

1988 ビルマ（ミャンマー）で軍政の終結と民主化を求める大規模な全国デモが行われた。88 年 8 月 8 日という日付から、8888 民主化運動と呼ばれる。

1992

ドリームチーム

スペインのバルセロナで開かれたオリンピックの男子バスケットボールで、プロ選手を集めた米国が優勝。マイケル・ジョーダンやマジック・ジョンソンなどのトッププレーヤーが綺羅星(きらぼし)のように並び、ドリームチームと呼ばれた。

8月 9

2019 大技の成功

米国カンザスシティで開催された体操の全米選手権の女子平均台で、シモーン・バイルズが「後方抱え込み２回宙返り２回ひねり降り」を成功させた。これまで競技会で披露されたことのない新しい技で、審判や観客を驚かせた。

この日が誕生日

1914 トーヴェ・ヤンソン フィンランドの作家・画家。架空の生き物「ムーミン」の一家とその仲間たちが登場する小説や漫画で知られる。『ムーミン』シリーズは人気が高く、何度も舞台やテレビ化されている。

1993 ディパ・カルマカル インドの体操選手。インドの女性体操選手として初めてオリンピックに出場。

ブルージーンズ 1872

米国の実業家リーヴァイ・ストラウスと仕立屋のジェイコブ・デーヴィスが、厚手の木綿生地（デニム）を使いリベット（鋲）で補強した労働用ズボンの特許を申請。今や普段着として誰もがはくジーンズはここから始まった。

他にもこんな出来事が

1942 インドの指導者マハトマ・ガンディーが、英国による植民地支配の終了を求める「インドを立ち去れ」運動を始めた。

1945 第２次世界大戦終盤、米軍が日本の長崎に史上２発目の原子爆弾（コードネーム「ファットマン」）を投下した。

1974 米国大統領リチャード・ニクソンが、ウォーターゲート事件の責任を取る形で正式に辞任。在職中の大統領の辞任は初めてだった。

稀代のスプリンター 1936

ベルリン・オリンピックの男子400mリレーで、米国の黒人陸上選手ジェシー・オーウェンスが、100m、200m、走り幅跳びに続く自身４個目の金メダルを獲得。アドルフ・ヒトラーの白人優越主義に対する大きな反証を示した。

8月

10

1937

エレキギター

米国の発明家G・D・ボーシャンが、最初のエレキギター「リッケンバッカー・フライング・パン」の特許を取得した。エレキギターはやがて20世紀の音楽に革命をもたらす。

1993

RBG

米国で、女性の権利を擁護し、性差別と闘ってきた弁護士ルース・ベイダー・ギンズバーグが連邦最高裁判事に就任。リベラル派判事として知られ、しばしば頭文字をとって「RBG」と呼ばれた。

1628

船出と沈没

スウェーデンの軍艦「ヴァーサ」が、初めて出航して20分もしないうちに横転・沈没。船出を見守った群衆にショックを与えた。現代の考古学者は、青銅の大砲や装飾で重くなりすぎたことが原因とみている。

他にもこんな出来事が

1792 フランス革命期、デモ隊がパリのテュイルリー宮殿を襲撃し、国王ルイ16世とその一家を捕えた。

1924 フランスのパリで、聴覚障害者の国際スポーツ大会「デフリンピック」が初めて開催され、9ヵ国が参加した。

2017 南極で、100年前以上に英国の探検隊が置いていったフルーツケーキが、良好な保存状態で発見された。

この日が誕生日

1962 スーザン・コリンズ 米国の作家。子供向けテレビ番組の作家から出発し、児童書作家に。『アンダーランド年代記』『ハンガー・ゲーム』シリーズで有名。

8月 11

他にもこんな出来事が

1858　スイスアルプスのアイガー（標高 3967m）に、登山家が初登頂。アイルランドのチャールズ・バリントンと、スイスの山岳ガイド２名（クリスティアン・アルマーとペーター・ボーレン）が頂上に立った。

1919　第１次世界大戦に敗北し、帝政が倒れて共和政となったドイツで、初代大統領フリードリヒ・エーベルトが民主的なワイマール憲法に署名。すべての成人市民に選挙の投票権が与えられた。

1934　米国のサンフランシスコ湾に浮かぶアルカトラズ島に極めて警備が厳重な連邦刑務所が作られ、この日、囚人の第一陣として 137 人が送られた。

1929 野球界のレジェンド

ベーブ・ルースの通称で知られる米国の野球選手ジョージ・ハーマン・ルース・ジュニアが、クリーブランドのリーグパーク球場で、メジャーリーグ初の 500 号本塁打を達成。

初代女王

ヨーロッパで開催された女性だけのF3レース「W シリーズ」の初年度、英国のレーシングドライバーのジェイミー・チャドウィックが６戦中２戦で勝利し、110 ポイントを獲得して総合優勝を果たした。

この日が誕生日

1965 ヴァイオラ・デーヴィス 米国の黒人女優。数多くの舞台、テレビシリーズ、映画に出演している。トニー賞、エミー賞、アカデミー賞の３つすべてで演技部門の賞を受賞した初の黒人俳優である。

1999 皆既日食

20 世紀最後の皆既日食。２分 23 秒続き、全世界で３億 5000 万人がこの日食を見た。

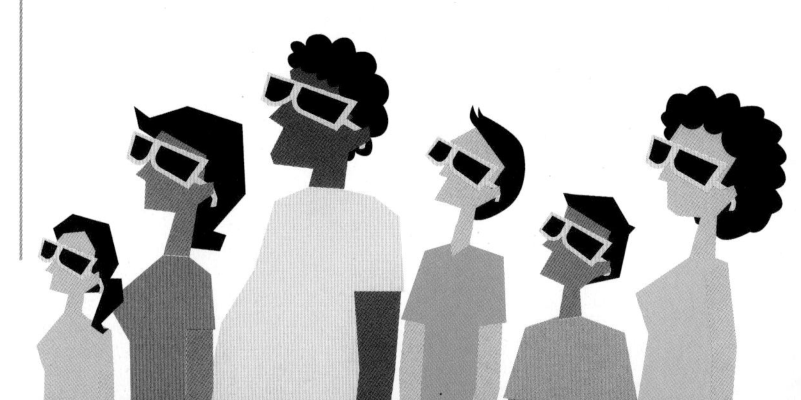

8月

12

1883
ある動物の絶滅
オランダの動物園で飼育されていた、南アフリカ原産のシマウマの一種クァッガの最後の1頭が死亡。野生種はすでに狩猟により絶滅していた。

他にもこんな出来事が
1990 米国サウスダコタ州で、ティラノサウルスの全身化石が発見された。この標本は「スー」の愛称で呼ばれる。

2016 約400歳とみられる大型のサメ、ニシオンデンザメの発見が報告された。脊椎(せきつい)動物としては最も長寿。

2018 NASAの太陽探査機「パーカー・ソーラー・プローブ」が打ち上げられた。時速69万キロで太陽に向かって飛行する、史上最速の人工物である。太陽に接近し、太陽コロナや磁場の調査を行う。

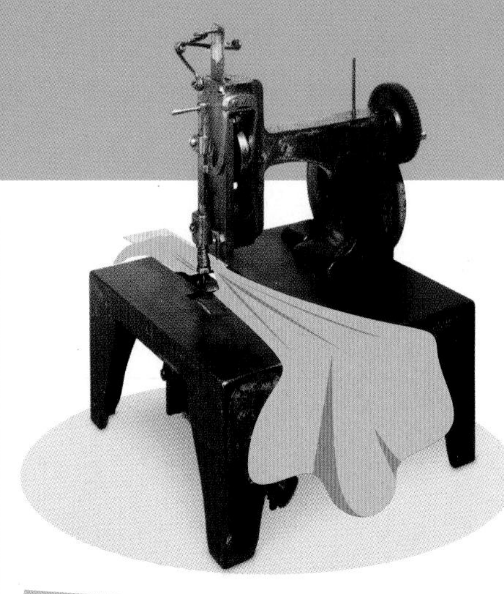

1851
ミシンの発明
米国の発明家アイザック・メリット・シンガーが、既存の設計に改良を加えたミシンの特許を取得。彼のミシンは、針を高速で上下動させることができ、また、布を定位置に保持する「押さえ」が付いていた。

この日が誕生日
1911 カンティンフラス メキシコの俳優。本名マリオ・モレノ。ラテンアメリカで最も人気のあるコメディアンのひとりだった。

1865
消毒革命
英国の外科医ジョゼフ・リスターが、骨折した少年の傷口をフェノールという薬品をしみこませた包帯で覆い、細菌感染を防いだ。手術器具や傷口をフェノールで消毒するリスターの手法はやがて広まり、外傷や手術後の死亡率は劇的に低下した。

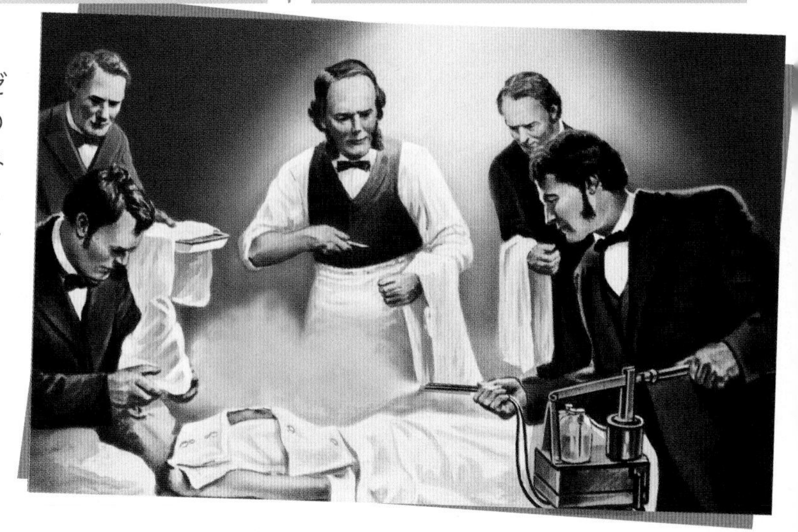

8月 13

1961 ベルリンの壁

ソ連が支配する東ベルリンから西ベルリン（英、米、仏の占領地）へ人々が流出するのを防ぐため、ソ連と東ドイツが西ベルリンの周囲に壁の建設を開始した。「ベルリンの壁」は、1989年に崩壊するまで、冷戦の象徴であった。

他にもこんな出来事が

1521 現在のメキシコの地で、征服者エルナン・コルテスが率いるスペイン軍がアステカ帝国の首都テノチティトランを征服。スペインによる植民地支配が始まる。

1918 第1次世界大戦中の米国で、インディアナ州のオファ・メイ・ジョンソンが海兵隊に入隊し、初の女性海兵隊員となる。

2003 カナダのスタント・マジシャン、スコット・ハメルが、地上2195mの熱気球にぶら下がった状態で拘束衣から脱出。

2016 五輪の王者

ブラジルで開催されたリオデジャネイロ五輪で、米国の水泳選手マイケル・フェルプスが自身23個目の金メダルを獲得。オリンピックの金メダル獲得の最多記録である。

1976 左利きの団結

米国の軍人ディーン・R・キャンベルが「国際左利きの日」を制定。左利きの人を祝福するとともに、左利きが日常生活で直面する困難について多くの人に知ってもらう機会として祝われている。

この日が誕生日

1860 アニー・オークリー 米国の射撃の名手。「ワイルド・ウェスト・ショー」に出演して全米を巡業し、射撃の腕前を披露した。

1899 アルフレッド・ヒッチコック 英国の映画監督・製作者・脚本家。50本以上のサスペンス映画を監督し、世界的な名声を得た。

8月

14

1880 ケルン大聖堂

632年の歳月をかけて、ケルン大聖堂が完成。ゴシック様式で、世界一の高さの双塔を持つ。ドイツのランドマークのひとつで、1日に2万人近くが訪れる。

この日が誕生日

1959 アーヴィン・"マジック"・ジョンソン 米国のバスケットボール選手。ロサンゼルス・レイカーズで13年間プレーし、1992年のオリンピックで金メダルを獲得。

2016 ボルトが3連覇

ブラジルのリオデジャネイロで開かれたオリンピックの陸上男子100mで、ジャマイカのウサイン・ボルトが9秒81で優勝。2008年、2012年大会に続く男子100mの3連覇を達成した。

2019 雨の中のプラスチック

科学者たちが、米国コロラド州ボールダーで採取した雨水からマイクロプラスチック（大きさが5mm以下の微小なプラスチック粒子）が発見されたことを報告。生物への影響が懸念されている。

他にもこんな出来事が

1941 ナチスがポーランドに作ったアウシュヴィッツ強制収容所で、他の囚人の身代わりに餓死刑を引き受けたポーランド人神父マクシミリアン・コルベが、この日に死去。彼は後に聖人に列せられた。

1945 第2次世界大戦末の日本で、日本に降伏を求める「ポツダム宣言」の受諾が正式に決定され、天皇が「終戦の詔勅（しょうちょく）」に署名。

1947 印パ分離独立

インドが英国から独立。しかし、英国が植民地インド亜大陸の独立を認める際に、イスラム信者の多いパキスタン(1日早く8月14日に独立)とヒンドゥー教徒の多いインドに分割すると定めたため、何百万人もの人々が故郷を離れ、満員の列車でそれぞれの新しい国に移動せねばならなかった。

この日が誕生日

1964 メリンダ・フレンチ・ゲイツ 米国の人道主義者。ビル＆メリンダ・ゲイツ財団の共同会長として、男女平等や保健衛生や教育問題に取り組んでいる。

2013 アライグマ科の新種

米国のスミソニアン博物館に所属する研究者たちが、雑食性で夜行性の哺乳類を発見しオリンギートと命名したことを発表。アライグマの仲間としては最も小さく、コロンビアとエクアドルの森林に生息している。

他にもこんな出来事が

1914 長年にわたる工事の末に、全長77kmのパナマ運河が開通。パナマ地峡を横断する水路で太平洋と大西洋が結ばれた。それまでは、船は南米をぐるりと回らなければならなかった。

1948 朝鮮半島南部（米軍の統治地域）で、5月の選挙で成立した議会により選ばれた李承晩（イ・スンマン）大統領が、大韓民国の独立を宣言。

1969 ウッドストック・フェスティバル

米国ニューヨーク州ベセルの農場で大規模な野外コンサートが開幕。40万人以上の聴衆が集まり、ジミ・ヘンドリックス（上）、ザ・フー、グレイトフル・デッド、ジャニス・ジョプリンなどのロック界のスターたちが歌って、音楽史に残るイベントとなった。

8月

16

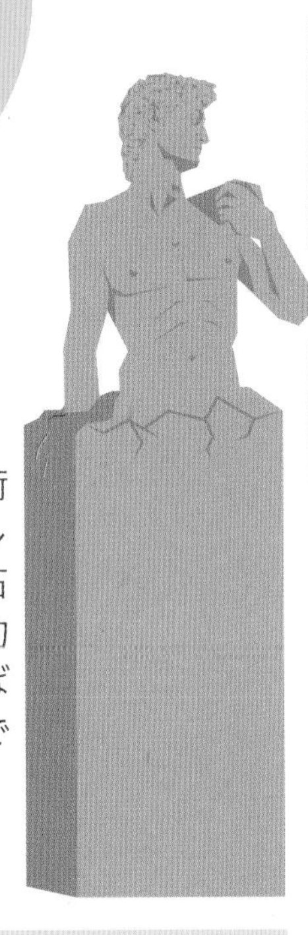

1501

大理石のダヴィデ

イタリア・ルネサンスの芸術家ミケランジェロが、フィレンツェで高さ5.2mの大理石の塊から像を彫り出す契約を結ぶ。ダヴィデ像と呼ばれるこの彫刻は、完成までに3年の歳月を要した。

1994

元祖スマートフォン

米国企業IBMが「IBM Simon（サイモン）」というPDA（パーソナル・デジタル・アシスタント）を発売。タッチパネル式で、通話、メールやファクスの送受信、メモなどの操作ができた。現在では、世界初のスマートフォンと言われている。

2018

魚のゴラム

インドのケーララ州で大洪水が発生した後、地元の人々が地下水とともに流出した新種の魚を発見。ファンタジー作品『指輪物語（ロード・オブ・ザ・リング）』に登場するゴラムにちなんで、ゴラム・スネークヘッドと名づけられた。

他にもこんな出来事が

1858 大西洋の海底に敷設された4000kmのケーブルを通じて、英国から米国へ初の大西洋横断電報が打たれた。

1896 3人の男がカナダのユーコン地区のクロンダイク地方で金を発見。クロンダイク・ゴールドラッシュが始まった。

2007 中国のある夫婦が赤ん坊を@（アット）と名付けようとしたと伝えられた。発音が「愛他」（彼を愛す）に通じるとの理屈。

この日が誕生日

1958 マドンナ 米国のシンガーソングライター・女優。「クイーン・オブ・ポップ」と呼ばれ、世界中で3億枚以上の売り上げを誇る。

他にもこんな出来事が

1612 英国ランカシャーのペンドルで、同国史上最も有名な魔女裁判のひとつが始まった。魔女の罪に問われた10人のうち9人が有罪となり処刑された。

2015 化石として残っている太古の植物「モントセキア・ヴィダリイ」が、花の咲く植物としては現在知られている中で最古（1億2500万年前）だと判明。

1959 シートベルト

スウェーデンの自動車会社ボルボのニルス・ボーリンが、3点式シートベルトの特許を申請。ボルボは、競合他社に特許使用料を請求することなく、この技術を無償で提供した。現在ではどの自動車にも標準装備されている。

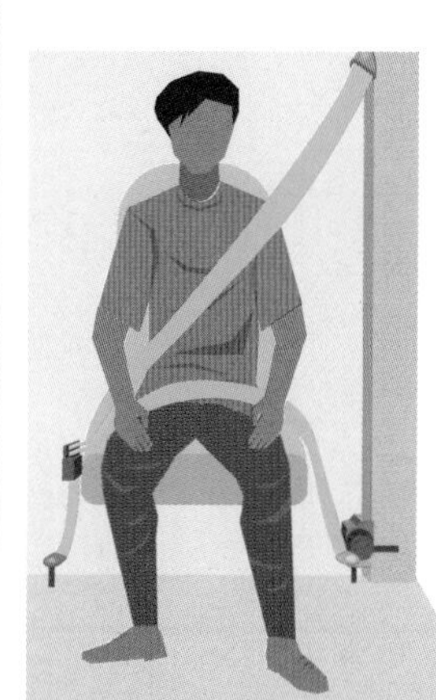

1908 世界初のアニメ

フランスの漫画家・アニメ作家のエミル・コールによる世界初の手描きアニメーション映画『ファンタスマゴリー』が公開された。線画で描かれた登場人物が繰り広げる冒険が描かれている。

1807 進め、蒸気船

米国の技師ロバート・フルトンが建造した蒸気船「クラーモント」が、旅客を乗せてニューヨーク市を出発し、ハドソン川の64km上流の町オールバニーに向かった。これが蒸気船の初めての商業利用だった。

この日が誕生日

1992 サラヤ・ジェイド＝ベヴィス
英国のプロレスラー。WWEディーヴァズ選手権とNXT女子選手権で最年少優勝。現在のリングネームは「ペイジ」。

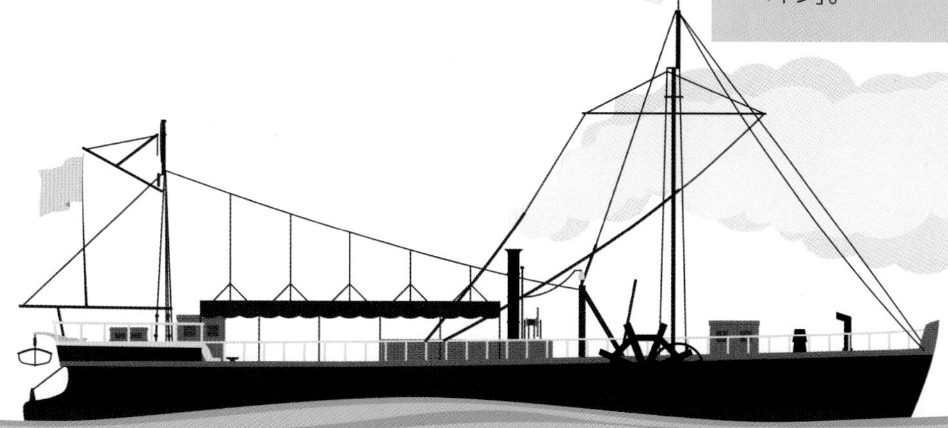

8月
18

1805
空飛ぶ女性
フランスのトゥールーズで、ソフィー・ブランシャールが初めて単独で気球に乗って飛行。女性初のプロ気球乗りとしてのキャリアをスタートさせた。

1931
新種のバラ
米国ニュージャージー州のヘンリー・ボーゼンバーグが、「ニュー・ドーン」という新品種のバラで初めて植物特許を取得した。この品種はつる性で、シルバーピンクの花を年に何度か咲かせる。

この日が誕生日
1911 アメリア・ボイントン・ロビンソン 米国の黒人公民権運動家。アラバマ州セルマからの抗議行進（90ページ）を率いた。

1988 G-DRAGON（ジードラゴン） 韓国のラッパー、プロデューサー。本名クォン・ジヨン。音楽グループBIGBANG（ビッグバン）で有名になり、2009年には初のソロアルバムをリリース。

1920
最後の綱引き
ベルギーのアントワープで開かれたオリンピックで、五輪種目としての綱引きの最後の試合が行われ、英国がオランダに勝利した。

他にもこんな出来事が
1590 イギリス本国から3年ぶりに北米大陸のロアノーク入植地に戻った総督ジョン・ホワイトが、100人ほどいた入植者が全員失踪しているのを発見した。

2005 インドネシアのジャワ島とバリ島で大規模な停電が発生し、1億2000万人近くが闇の中に残された。

2019 アイスランドのオークヨークットル氷河（2014年に消失が宣言された）の跡地で、気候変動への警鐘を鳴らすため、氷河の追悼式典が行われた。

8月

19

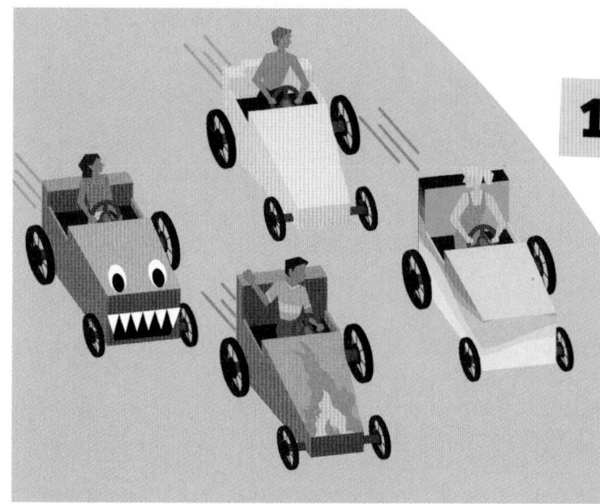

1934

ソープボックスダービー

子供たちが手作りの四輪車で下り坂を「重力の力だけで」走って速さを競う「ソープボックスダービー」の初の全米大会が、オハイオ州デイトンで開催された。優勝は、木製の車体にバギーの車輪を付けた車で出場した11歳のロバート・ターナー。

他にもこんな出来事が

1839 写真術を研究していたフランスのルイ・ダゲールが、自身の発明したダゲレオタイプ（銀板写真）を紹介する講演を行い、その技術を公開した。初の実用的な写真法で、19世紀後半には世界に普及する。

1887 ロシアの化学者ドミトリー・メンデレーエフが熱気球で単独飛行し、上空で日食を観察した。

1931 中国各地で7月から11月にかけて洪水が起き、数百万人が被災。この日には武漢で水位が通常時を16m上回った。

オリンピックのクリケット

1900

五輪における唯一のクリケット試合が、フランスのパリのヴェロドローム・ド・ヴァンセンヌ・スタジアムで行われ、英国が158ラン差でフランスを下した。

この日が誕生日

1883 ココ・シャネル フランスのファッションデザイナー。シャネルブランドを創設し、リトルブラックドレスに代表される婦人服や、ハンドバッグ、香水（131ページ）などを生み出した。

ハリスを副大統領に

2020

米国大統領選で、弁護士から政治家になり成功を収めたカマラ・ハリスが民主党の副大統領候補に指名された。有色人種の女性が主要政党の候補に選ばれたのは初めてだった。バイデンとハリスのコンビは選挙に勝ち、彼女は米国初の女性副大統領に就任する。

8月

20

1999 ひとまず危機回避

米国魚類野生生物局が、ハヤブサを絶滅危惧種から除外した。「絶滅の危機に瀕する種の保存に関する法律」（368 ページ）や有害な農薬の禁止などが功を奏して、減少していた個体数が回復してきたため。

他にもこんな出来事が

636 ヤルムークの戦いでアラブ軍がビザンツ帝国軍に勝利。ビザンツによるシリアの支配に終止符が打たれた。

1619 英国が北米に築いたヴァージニア植民地に、アフリカからの奴隷が初めて到着。

1897 インドでマラリアを研究していた英国人医師ロナルド・ロスが、マラリアの原因となるマラリア原虫をメスのハマダラカの胃の中から発見した。

2018 気候のためのストライキ

スウェーデンの 15 歳の少女グレタ・トゥーンベリが、学校を休んでストックホルムの議会前に座り、「気候のための学校ストライキ」と書いたプラカードで気候変動対策の強化を訴えた。彼女のこの行動は、その後世界的な若者の運動へと拡大した（269 ページも参照）。

この日が誕生日

1992 デミ・ロヴァート 米国の歌手・俳優。テレビで人気を得た後、歌手としても成功を収めた。LGBTQ+ コミュニティのための活動にも力を入れている。

1922 国際女子競技大会

フランスのパリで、初の女子陸上競技の国際大会が開催された。約 1 万 5000 人の観客が集まり、5 ヵ国から参加した 77 人の女性アスリートの試合を観戦した。

1961 ケニアの指導者

英国植民地のケニアで、7 年の獄中生活と釈放後 2 年の保護観察を終え、ジョモ・ケニヤッタが自由の身になった。彼は 1963 年のケニア独立に大きく貢献し、初代首相、次いで初代大統領となる。

他にもこんな出来事が

1968 チェコスロヴァキアで進められていた民主的な政治改革（「プラハの春」）を阻止するため、ソ連の率いるワルシャワ条約機構軍が国境を越えて侵攻。チェコスロヴァキア全土を支配下に置く。

1986 カメルーンのニオス湖で、湖水爆発と呼ばれる高濃度の二酸化炭素の噴出が突然起こり、周辺の村の 1800 人近い住民や家畜を窒息死させた。

2018 インドの月探査機「チャンドラヤーン 1 号」の調査データによって、月面に水（氷）があることを科学者が確信した。

計算機 1888

米国の発明家ウィリアム・S・バロウス 1 世が、新型加算機の特許を取得。加算機自体はすでにあったが、彼の装置はより正確で、一貫して正しい答えを出すことができた。

モナ・リザ盗難事件 1911

レオナルド・ダ・ヴィンチの世界的に有名な絵画『モナ・リザ』が、フランス・パリのルーブル美術館から盗まれた。盗品の美術品を買った経歴のあったスペインの若き画家パブロ・ピカソも容疑者のひとりとされたが、後に真犯人が捕まり、ピカソの疑いは晴れた（352 ページも参照）。

この日が誕生日

1986 ウサイン・ボルト ジャマイカの陸上選手。オリンピックや世界選手権の100m、200m、400m リレーで何度も優勝し、史上最高のスプリンターのひとりといわれている。

8月 22

1902 キャデラック

自動車会社キャデラックが、米国の技術者ヘンリー・リーランドによって設立された。ライトや電気式イグニッションを装備した車を初めて販売した高級車メーカーとして知られる。

他にもこんな出来事が

1642 イングランド王チャールズ1世がノッティンガム城に王旗を掲げ、王党派と議会派によるイングランド第1次内戦が始まる。

1963 NASAのロケットエンジン搭載飛行機X-15が、地上107.8kmという最高到達高度記録を樹立。

1993 中央アフリカ共和国でジャンヌ＝マリー・ルート＝ロランが、大統領選に立候補。アフリカで女性が大統領選に出馬したのは初めてだった。当選には至らなかった。

1791 ハイチの英雄

カリブ海の島にあったフランスの植民地サン＝ドマングで奴隷の反乱が起こり、独立を目指すハイチ革命が始まった。その後、優れた指導者トゥサン・ルヴェルチュールが反乱軍に加わり、反乱軍を指揮する。

1720 伝説の女海賊

カリブ海の島で、海賊ジョン・ラカムとその部下の女海賊アン・ボニー、メアリー・リードが、帆船ウィリアム号を強奪した。アンとメアリーは、海賊の黄金時代に向こう見ずな冒険で名を売った。

この日が誕生日

980 イブン・スィーナー／別名アヴィケンナ
イスラムの医学者。大著『医学典範』で西洋医学に大きな影響を与えた。

1898

サザンクロス遠征

英国系ノルウェー人探検家カルステン・ボルクグレヴィンク率いる英国初の南極遠征隊が「サザンクロス号」という船でロンドンを出航。彼らは初めて南極大陸本土で越冬した人間となる。

他にもこんな出来事が

1939 ナチス・ドイツとソヴィエト連邦が独ソ不可侵条約を締結。

1942 第２次世界大戦中、ドイツ空軍がソ連のスターリングラードを爆撃。スターリングラード攻防戦が始まる。

1966 NASA の宇宙探査船ルナ・オービター１号が、月の周回軌道から地球を写した最初の写真を撮影。

1989

バルト海の人間の鎖

バルト３国（エストニア、ラトビア、リトアニア）で、約 200 万人の人々が歌いながら手をつなぎ、600km 以上にわたる人間の鎖を作った。ソ連の支配からの独立という共通の目標を示すための行動だった。

この日が誕生日

1769 ジョルジュ・キュヴィエ フランスの博物学者。化石研究により古生物学の分野で大きな貢献をし、生物種が絶滅しうることを証明した。

1988 ジェレミー・リン 米国のバスケットボール選手。アジア系米国人として初めてNBAチャンピオンになる。

2007

ハッシュタグ

米国のブロガー、クリス・メッシーナが、ソーシャルメディア「ツイッター」上でのハッシュタグ（#）の使用を提案。

8月

24

他にもこんな出来事が

410　ゲルマン人の西ゴート族がローマ市に侵攻し、占拠・略奪した。ローマが敵に陥落したのは800年ぶりだった。

1821　コルドバ条約が締結され、スペインによるメキシコ支配が終了。

2006　惑星の定義が変更され、それにより冥王星が惑星ではなく準惑星に分類されることになった。

1967

クールなお客様

英国ロンドンのチェシントン動物園で飼育されていたイワトビペンギンのロッキーとその相方のメスが、暑さ厳しいこの日、近くのアイススケートリンクに連れていってもらって涼んだ。

最後のヒエログリフ

394

エジプトのイシス神殿で、壁に古代エジプトの冥府の神オシリスを称える碑文が刻まれた。この「エスメト＝アコムのグラッフィート」は、ヒエログリフ（聖刻文字）で書かれた最後の碑文として知られる。

この日が誕生日

1945 マーシャ・P・ジョンソン　米国の黒人ドラァグクイーン。LGBTQ+の権利獲得運動を展開した。

1957 スティーヴン・フライ　英国の俳優・司会者・作家。『ハリー・ポッター』シリーズのオーディオブック全7巻の朗読で知られる。

1609 望遠鏡の実演

イタリアの天文学者ガリレオ・ガリレイが、ヴェネツィアの商人たちの前で初めての望遠鏡の実演を行った。彼は望遠鏡を空に向け、太陽や月やその他の天体を観測してみせた。

1958 即席めん

台湾出身の日本の実業家、安藤百福（ももふく）が、袋入り即席めん「チキンラーメン」を発売。最初の1年間で約1300万食を売り上げ、インスタントラーメンのブームを巻き起こした。

この日が誕生日

1927 アルシア・ギブソン 米国の女子テニス選手。黒人として初めて全仏オープン、ウィンブルドン、全米オープンを制覇した。

1958 ティム・バートン 米国の映画監督・脚本家。『アリス・イン・ワンダーランド』など、奇抜なキャラクターが登場するファンタジー映画で知られる。

他にもこんな出来事が

1944 第2次世界大戦中、フランスのパリが連合国軍によって解放され、4年に及んだナチスによる占領が終了。

2012 NASAの宇宙探査機ボイジャー1号が太陽圏を脱出し、人工物として初めて星間空間に到達した。

2017 ミャンマー軍による迫害から逃れるため、何十万ものロヒンギャ族イスラム教徒がミャンマーから国境を越えてバングラデシュに流入しはじめた。

2006 最も高い木

米国の生物学者2人が、米国のレッドウッド国立公園で、生きている植物としては世界一高い木を発見。高さ116m、樹齢は推定600～800年のセコイアで、後にハイペリオンと命名された。正確な所在地は秘密にされている。

8月

26

1346

クレシーの戦い

英仏の百年戦争時代、フランス北部に侵攻したイングランド軍に、クレシー近郊でフランス軍が攻撃を仕掛けた。イングランド軍は速射性の高いロングボウ（長弓の一種）を巧みに使用し、クロスボウ（ボウガン型の弓）主体のフランス軍に圧勝した。

この日が誕生日

1918　キャサリン・ジョンソン　米国の黒人数学者。NASAで働いた最初の黒人女性のひとりで、フレンドシップ7、アポロ宇宙船、スペースシャトルの飛行に不可欠な計算を行った。

他にもこんな出来事が

1789　フランスの国民議会で「人間と市民の権利の宣言」（フランス人権宣言）が採択され、国内における普遍的な平等と自由が宣言された。

1914　第１次世界大戦中のタンネンベルクの戦いで、ヒンデンブルク将軍率いるドイツ軍がこの日からロシア軍に攻勢をかけ、数日かけて勝利を収めた。

2018　英国の冒険家アッシュ・ダイクスが、中国の長江の水源から河口までの全踏破に出発。6437kmの道のりを歩き通し、約1年後にゴールした。

1959

ミニの時代

英国の自動車会社ブリティッシュ・モーター・コーポレーションが、「モーリス・ミニ・マイナー」を正式に公開。「ミニ」の愛称で親しまれたこのコンパクトカーは、魅力的なデザイン、手頃な価格、４人乗りの車内空間で人気を博した。

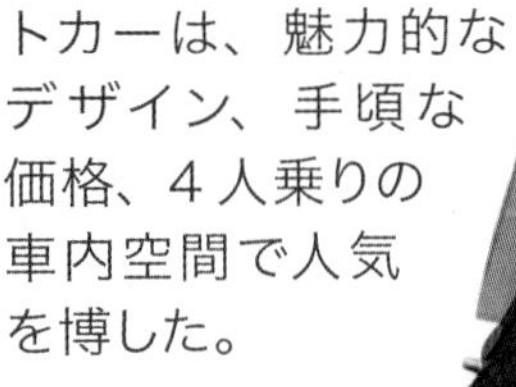

8月

27

1869 ボートレース

英国のテムズ川で、初の国際ボートレースが開催され、英国のオックスフォード大学が米国のハーヴァード大学を破った。このレースは米国の新聞各紙に大きく取り上げられた。

この日が誕生日

1908 ドン・ブラッドマン オーストラリアのクリケット選手。1イニング平均99.94ラン(点)という通算打率を誇った。

1958 セルゲイ・クリカリョフ ソ連・ロシアの宇宙飛行士。6回の宇宙飛行で合計803日を宇宙で過ごした。

1914 ジッパー

スウェーデン系米国人の技師ギデオン・サンドバックが、自身の発明したジッパーの特許を申請した。彼の発明品は日常的な使用に適した最初の金属製ファスナーで、それ以後の衣類、靴、バッグに大きな変化をもたらした。

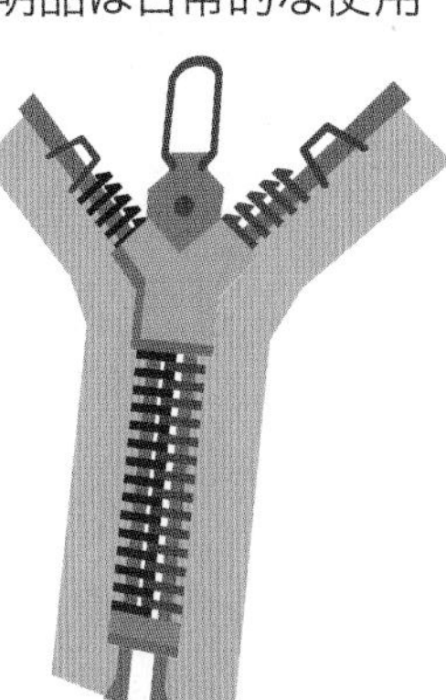

1883 クラカタウ火山

インドネシアの小島クラカタウで発生した史上まれにみる大規模な火山噴火が、この日にピークに達した。この日の4回の大噴火と津波で、3万6000人以上が死亡した。

他にもこんな出来事が

1689 ロシアと中国がネルチンスク条約に調印。両国間の国境を定め、交易ができるようになった。(日付は露暦＝ユリウス暦)

1896 英国・ザンジバル戦争がわずか45分で終結し、史上最短の戦争となった。

1964 米国ロサンゼルスで、魔法を使える乳母が主人公のファンタジー映画『メリー・ポピンズ』が公開された。

8月

28

2020 空飛ぶクルマ

日本の企業SkyDriveが、25日に豊田市で行った新しい空飛ぶ自動車の公開有人飛行実験の成功を発表した。電動モーター式の空飛ぶクルマは4分間飛行した。

この日が誕生日

1965 シャナイア・トゥエイン カナダのシンガーソングライター。カントリーミュージックの人気歌手で、売り上げは1億枚以上。

1830 蒸気機関車

米国のボルティモアからリレーまでの区間で、蒸気機関車「トム・サム」が馬の引く鉄道車両と競走した。機関車は途中で故障して馬に追い抜かれたが、見物人には強烈な印象を与えた。地元の鉄道会社は1年たたないうちに馬から蒸気機関車に切り替えた。

1963 私には夢がある

米国の黒人公民権運動の指導者マーティン・ルーサー・キング・ジュニアが、25万人を前に「I have a dream（私には夢がある）」というフレーズを含む有名な演説を行い、人種差別の撤廃を訴えた。

他にもこんな出来事が

1859 太陽活動が極端に活発化。数日後に史上最強の太陽嵐（太陽から爆発的に放出された電磁波や粒子線）が地球を襲い、電力供給や電信に大きなトラブルが起きた。

1980 スコットランドのアバディーン王立病院で、患者の体をスキャンするMRI（磁気共鳴画像装置）が初めて使用された。

2017 ケニアが世界で最も厳しいプラスチックごみ対策を導入。レジ袋を全面禁止し、使用した者は4年の実刑または4万ドルの罰金を科されることに。

8月 29

1854 革命的な風車

米国の発明家ダニエル・ハラデイが「自律型風車」の特許を取得。この風車は、風向に合わせて自動的に向きを変え、羽根の回転速度も制御できる効率の高い設計になっていた。

この日が誕生日

1993 リアム・ペイン 英国の歌手。ポップグループ「ワン・ダイレクション」のメンバーとして有名になった。ソロ活動でもヒットを飛ばしている。

1997 Netflix(ネットフリックス)創業

米国の起業家リード・ヘイスティングスとマーク・ランドルフがNetflix(ネットフリックス)を創業。当初は映画のビデオを郵送でレンタルしていたが、現在では２億人以上が加入するオンライン動画ストリーミングサービスに成長している。

1945 トマト投げ祭

スペインのブニョールで、トマトを投げ合う祭り「ラ・トマティーナ」が初めて開催された。仮装パレードに参加した人々がトマトを投げはじめたのがきっかけとも言われる。毎年、何万人もがこの町に集まり、何百万個ものトマトをぶつけ合う。

他にもこんな出来事が

1833 英国で工場法が制定され、工場で働く子供の労働条件や環境の改善、労働時間短縮のために新たな規則が定められた。

1949 ソヴィエト連邦がカザフスタンの実験場で、同国初の原子爆弾「RDS-1(エルデーエス)」の核実験に成功。

2005 大型ハリケーン「カトリーナ」が、米国のニューオーリンズをはじめルイジアナ州の海ぞいの地域に暴風と洪水で甚大な被害をもたらした。

1983

宇宙へ

米空軍のパイロットで宇宙飛行士のギオン・S・ブルフォード・Jr（ジュニア）が、スペースシャトル「チャレンジャー」に搭乗。宇宙に行った初のアフリカ系米国人となった。

1906

優れた探検家

ノルウェーの探検家ロアール・アムンセンが、3年間の探索の末、北極圏を通って大西洋から太平洋に抜ける北西航路の航海を初めて成功させた。彼はこの5年後には、人類史上初めて南極点に到達する。

他にもこんな出来事が

1835 オーストラリアで、ヨーロッパからの入植者がメルボルン市を建設。この日は毎年「メルボルン・デー」として祝われる。

1941 第2次世界大戦中、英国のブレッチリー・パークの暗号解読チームが、ドイツのローレンツ暗号の解読に役立つメッセージを傍受。これをもとに、2年以上かけて暗号解読用計算機 Colossus（コロッサス）を開発する。

この日が誕生日

1797 メアリー・シェリー 英国の作家。彼女の小説『フランケンシュタイン』は、多くの映画や演劇の原作になった。

1972 キャメロン・ディアス 米国の女優。『チャーリーズ・エンジェル』など数々の作品に出演し、『シュレック』ではフィオナ姫の声優を務めた。

1904

マラソンでの不正

米国のセントルイスで開催されたオリンピックのマラソンで、米国代表のフレッド・ローズが一番早くゴール。しかしその直後、彼はコースのうち約18kmはマネージャーの車に乗っていたことを認め、失格となった。

1897
エジソンの動く写真

米国の発明家トーマス・エジソンが、初期の映写機である「キネトスコープ」の特許を取得。レンズを通して覗き込むと動く写真が見られる装置だった。

1968
画期的な移植手術

米国の外科医マイケル・ドベイキーが、1人のドナーから心臓、片肺、左右の腎臓を取り出して4人の患者に移植するという世界初の多臓器移植手術を行った。

この日が誕生日

1975 サラ・ラミレス メキシコ系米国人の俳優。ミュージカルで高い評価を得て、TVドラマにも出演し、LGBTQ+コミュニティのための活動も行っている。

他にもこんな出来事が

1943 米海軍の護衛駆逐艦「ハーモン」が就役。艦名は第2次大戦中の英雄的水兵レナード・ロイ・ハーモンに由来する。黒人の名前を冠した最初の海軍艦となった。

1955 米国の自動車メーカーのゼネラルモーターズが開発した世界初のソーラーカー「サンモビル」が、シカゴのショーでデモンストレーション走行。

1997 フランス・パリのトンネルで自動車事故が発生し、ダイアナ元英国皇太子妃とその恋人と運転手が死亡。

1885
プリンセスの日

オランダで、ヴィルヘルミナ王女の5歳の誕生日が、初の「王女の日」として祝われた。彼女の即位後は「女王の日」となり、以後は、その時の君主の誕生日が祝日になっている。人々は王室をことほぐためにオレンジ色の服を着る。

9月 1

疎開

1939

英国の対独宣戦布告が避けられない状況となり（このページ右下の「他にもこんな出来事が」参照）、ドイツ軍の英本土爆撃を予想して、英国内で子供たちを中心に何百万人もが都市部から田舎に疎開しはじめた。

この日が誕生日

1996　ゼンデイア 米国の女優。映画『スパイダーマン』シリーズのミシェル・ジョーンズ（MJ）役で知られる。

魯山大仏

2008

中国の河南省で、10年以上の工事の末に魯山大仏が完成。銅造の大日如来像で、高さは128m（20mの蓮華座を含む）。2018年までは世界一高い像だった。

トリノのレース

1946

イタリアのトリノでグランプリレースが開催された。後にフォーミュラ1（F1）のレース規定となる新ルールに従って行われた最初のレースだった。

他にもこんな出来事が

1939　ドイツ軍がポーランドに侵攻。これを受けて英・仏は9月3日にドイツに宣戦布告し、第2次世界大戦が始まる。

1941　ナチス占領下のヨーロッパで、ユダヤ人は黄色い星のマークを衣服に付けて民族を明示するよう定められた。

1985　73年前に沈没した豪華客船タイタニック号が大西洋の海底で発見された。

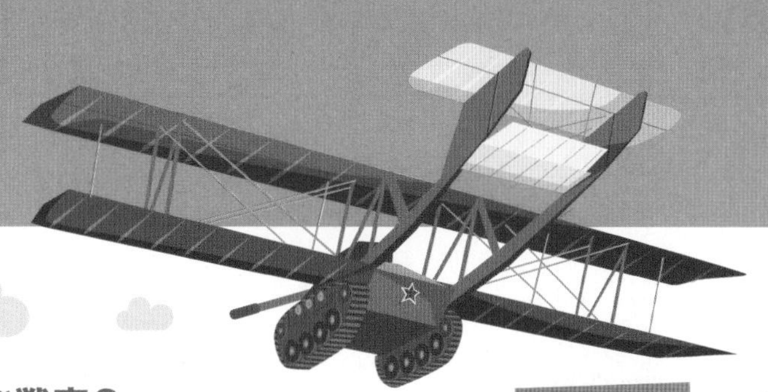

9月

2

空飛ぶ戦車？

1942

ソ連は、同国が「アントノフA-40」という空飛ぶ戦車の試験飛行を行ったと発表した。設計者は、これを輸送機から投下し、滑空させて戦場に送り込むことを考えていた。

この日が誕生日

1948 クリスタ・マコーリフ 米国の教師・宇宙飛行士。宇宙に行く最初の教師に選ばれたが、搭乗したスペースシャトル「チャレンジャー」の事故（33ページ参照）で死亡した。

1964 キアヌ・リーヴス カナダの俳優。映画『スピード』で国際的な人気を獲得。その後『マトリックス』『ジョン・ウィック』などで主演を務める。

アクティウムの海戦

紀元前31

ローマの指導者オクタウィアヌスが、政敵マルクス・アントニウスとエジプト女王クレオパトラの連合軍をアクティウム沖の海戦で破った。権力を握った彼はやがてアウグストゥスの称号を贈られ、ローマの初代皇帝となる。

レゴ®、宇宙へ

2015

初のデンマーク人宇宙飛行士アンドレアス・モーエンセンが、国際宇宙ステーション（ISS）にレゴ®の人形20体を持ち込む。人形は、ミッション終了後、母国の児童のコンクール入賞者に賞品として渡された。

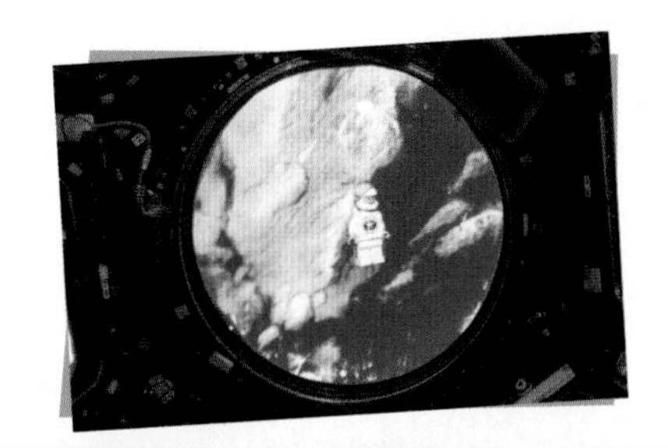

他にもこんな出来事が

1666 ロンドン大火。この日の未明にパン屋から出火して広がった火災は数日間続き、街の大半を焼いた後にようやく鎮火した。これ以後、木造建築の禁止などの建築規制が敷かれる。

1945 第2次世界大戦の日本の敗北を受け、ベトナムが「ベトナム民主共和国」として独立を宣言。

2013 米国の水泳選手ダイアナ・ナイアドが、サメの生息するキューバと米国フロリダ州の間の海を、サメ除けの金属の檻（おり）を使わずに初めて泳いで渡った。

1838

自由への脱出

米国の黒人奴隷フレデリック・ダグラスが、メリーランド州の農園を脱出して列車と蒸気船でニューヨークへ向かい、自由への道を歩み始めた。逃亡に成功した後、彼は奴隷制反対運動の重要な活動家となる。

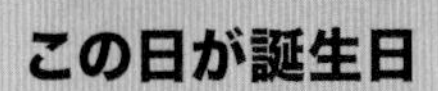

この日が誕生日

1875 フェルディナント・ポルシェ オーストリア生まれの自動車技術者。自動車会社ポルシェを設立。

2010 タニトルーワ・アデウミ 米国のチェスの天才少年。ナイジェリア難民。2019 年に 8 歳でニューヨーク州チェス選手権の幼稚園～小学 3 年生クラスで優勝。

1935

時速300マイル突破

米国ユタ州のボンネヴィル・ソルト・フラッツで、英国のレーシングドライバー、マルコム・キャンベルが特注車「キャンベル＝レイルトン・ブルー・バード」で最高時速 485km（301 マイル）を記録し、地上走行速度 300 マイルを越えた初めての人間になった。

1967

左側通行から右側通行へ

この日午前 4 時 50 分、スウェーデンの自動車の交通規則が左側通行から右側通行に切り替えられた。このために、国中の道路標識、信号機、交差点、バス停などを変更する大がかりな作業が行われた。

他にもこんな出来事が

301 世界最古の共和国であるサンマリノが、石工マリヌス（聖マリーノ）によって建国された。

1260 西アジアのヨルダン川近くでアイン・ジャールートの戦いが行われ、モンゴル帝国軍がエジプトのマムルーク朝軍に敗北。

1971 中東の産油国カタールが、英国の保護下から独立。9 月 11 日にアラブ連盟に、同 21 日には国連に加盟する。

476 西ローマの没落

ローマ軍の指揮官だったゲルマン人のオドアケルが、皇帝ロムルス・アウグストゥルスに叛旗を翻し、皇帝を廃位。西ローマ帝国が終焉を迎えた。

この日が誕生日

1913 丹下健三 日本の建築家。日本の伝統的な建築様式と20世紀のモダニズムを融合させた。代々木屋内総合競技場などが有名。

1886 長き戦いの終わり

北米先住民の土地を奪おうとする白人たちに抵抗して、30年近くもの間メキシコ軍や米軍との戦いを続け、その名をとどろかせたアパッチ族の戦士ジェロニモが、この日ついに投降した。

他にもこんな出来事が

1957 米国で、白人と黒人の分離教育が違憲とされたにもかかわらず、アーカンソー州知事がリトルロック高校に州兵を送って黒人学生9人の登校を阻止した。

1998 グーグルの創業者たちが、検索エンジン企業として正式に会社設立。

2002 米国のオーディション番組『アメリカン・アイドル』の第1シーズンで、テキサス州出身のケリー・クラークソンが優勝。デビューして人気歌手になる。

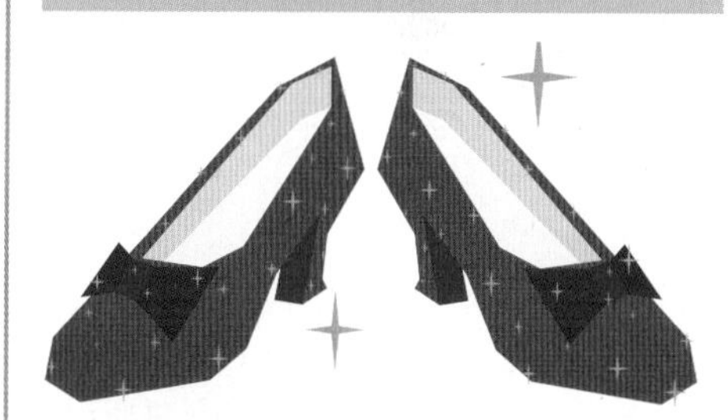

2018 ルビーの靴

米国の連邦捜査局（FBI）が、映画『オズの魔法使い』でジュディー・ガーランド演じるドロシーが履いていたルビー色の靴を発見し回収したと発表。靴は2005年にミネソタ州のジュディ・ガーランド博物館から盗まれていた。

2014

炎の荒業

南アフリカのスタントマン、エンリコ・スコーマンとアンドレ・デ・コックが、長さ120mの炎のトンネルを特殊なサイドカー付きバイクで走り抜ける世界記録を樹立。

他にもこんな出来事が

1882 米国で初めてレイバー・デー（労働者の日）のパレードが行われ、1万人の労働者がニューヨーク市庁舎からユニオンスクエアまで行進した。

1972 ドイツのミュンヘンオリンピックで、パレスチナのテロリストがイスラエル選手団の9人を人質に取る事件が発生。

1991 先住民の権利を保護する国際条約「1989年の先住民および種族民に関する条約」が発効。

1885

燃料ポンプ

米国の発明家シルヴァナス・バウザーが、ケロシン（燃料の一種）注入装置をインディアナ州の食料品店に販売。彼はこれを改良して1905年に自動車用のガソリン給油装置を売り出し、各地のガソリンスタンドで採用される。

2007

宇宙への旅

韓国の研究者・李素妍（イ・ソヨン）が、3万6000人以上の応募者の中から、宇宙ミッション参加者に選ばれた。彼女は訓練を経て、2008年に韓国初の宇宙旅行者としてソユーズ宇宙船で国際宇宙ステーションに行った。

この日が誕生日

1847 ジェシー・ジェームズ アメリカ西部開拓時代の無法者。銀行強盗や列車強盗で悪名を馳せた。

1946 フレディ・マーキュリー 英国の歌手。ロックバンド「クイーン」のリードボーカル。パワフルな歌声で知られたが、エイズの合併症により45歳で死去。

1593 海賊女王

イングランド女王エリザベス１世がアイルランドの“海賊女王”グレース・オマリー（左）と面会。イングランド船への襲撃をやめれば、捕えたグレースの息子たちを釈放すると約束した。

1776 初の潜水艇による攻撃

米国独立戦争中、潜水艇「タートル」がニューヨーク港で英国艦「イーグル」に爆弾を仕掛けようとしたが、失敗に終わった。

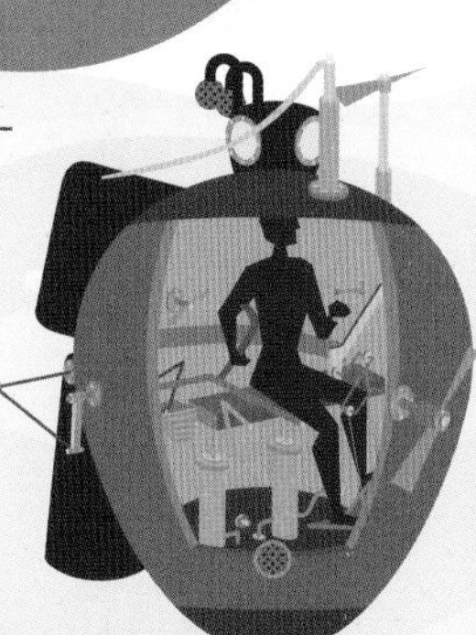

他にもこんな出来事が

1620 英国国教会から迫害を受けていた清教徒たちが、メイフラワー号に乗ってプリマスを出航。自由な土地に新しい入植地を作るため北米へ向かった（319 ページ参照）。

1916 世界初のスーパーマーケット「ピグリー・ウィグリー」が米国のメンフィスで開店。

1997 英国ロンドンでダイアナ元皇太子妃の葬儀が行われ、市中を巡る葬列を 100 万人以上が見送った（249 ページも参照）。

この日が誕生日

1860 ジェーン・アダムズ 米国の社会改革者。国際平和を推進し、米国女性として初めてノーベル平和賞を受賞。

1972 イドリス・エルバ 英国の俳優。多くのアクション映画や TV 番組に出演。

1522 世界一周航海

スペインが東南アジアの香料諸島への西回り航路を求めて送り出したマゼランの艦隊のうち、ビクトリア号だけが初の世界一周航海を終えて帰国。

9月

7

1695

海賊が来た！

悪名高い英国の海賊ヘンリー・“ロング・ベン”・エイヴリー一味が、財宝を満載してインドのスラートへ向かうムガル帝国の旗艦「ガンジュ=アイ=サワイ」を襲撃し、現在の貨幣価値で数百万ポンドに相当する品を略奪。エイヴリーは捕まることなく姿を消した。

1822

ブラジル皇帝

ポルトガルの王子ドン・ペドロが、ポルトガル議会の決定を無視し、自由を求めるブラジルを支持してブラジルのポルトガルからの独立を宣言。彼はその後ブラジル皇帝ペドロ1世となる。ブラジルではこの日が独立記念日となっている。

この日が誕生日

1943 グロリア・ゲイナー 米国の黒人歌手。ディスコ時代を代表する歌手で、名曲「恋のサバイバル」をはじめ、多くのヒット曲で知られる。

1940

ザ・ブリッツ

第2次世界大戦中のこの日、ドイツ空軍がロンドン（下の写真）、リヴァプール、ポーツマスなど英国の主要都市への大規模な空襲を開始した。英国ではこの攻撃を、ドイツ語で「稲妻」を意味する「ブリッツ（Blitz）」と呼んだ。

他にもこんな出来事が

1812 ロシア遠征中のフランス皇帝ナポレオン・ボナパルトの軍が、ボロジノの戦いでロシア軍と激戦を繰り広げ、ロシア軍を撤退させた（露暦では8月26日）。

1923 オーストリアのウィーンで国際刑事警察機構（ICPO、通称インターポール）が設立された。世界最大の警察組織で、世界各国の警察同士の連携や情報伝達を助ける役割を担っている。

1966

第1話

米国のテレビで、SFドラマ『スター・トレック』（邦題は『宇宙大作戦』）の第1話が放送された。番組は3シーズンしか続かなかったが、その後人気が高まり、スピンオフ番組や映画が作られる。

他にもこんな出来事が

1504 ミケランジェロの代表作「ダヴィデ像」が、イタリア・フィレンツェのヴェッキオ宮殿前で除幕された（234ページも参照）。

2020 カナダのハックスミス社が、『スター・ウォーズ』に登場する架空の武器に似たライトセーバー（玩具ではなく1400℃の高温になる）を世界で初めて制作。

1916

大義のために

第1次世界大戦中の米国で、ヴァン・ビューレン姉妹（オーガスタとアデリーン）が、女性にも軍のバイクライダーを務める能力があると証明するため、オートバイでの北米横断8900km走行をなしとげた。しかし軍は女性の採用を拒否した。

2013

スポーツ界の女王

米国の女子テニス選手セリーナ・ウィリアムズが全米オープンの女子シングルスで優勝。4大大会で17度目の優勝だった。これで獲得賞金の合計が5000万ドルを超え、世界一賞金を手にした女子スポーツ選手になった。

この日が誕生日

1979 アレシア・ベス・ムーア P!nk（ピンク）というステージネームで活動する米国の歌手。世界での売り上げは9000万枚以上。

2018 レジェンドが伝説に

米国の歌手ジョン・レジェンドがエミー賞を受賞。米国の黒人男性エンターテイナー初のEGOT（イーゴット）（エミー賞、グラミー賞、オスカー、トニー賞をすべて受賞）に。（黒人女性ではウーピー・ゴールドバーグが先に達成）。

この日が誕生日

1969 シェイン・ウォーン オーストラリアのクリケット選手。クリケット史上屈指のボウラー（投手）。

2009 ドバイメトロ

アラビア半島初の都市鉄道システム「ドバイメトロ」がアラブ首長国連邦のドバイで運行開始。全線で自動運転を行っている。

他にもこんな出来事が

1543 生後6日で父王の死により王位を継承したスコットランド女王メアリーが、生後９ヵ月で戴冠式を行った。

1739 北米の英国植民地サウスカロライナのストノ川の近くで、大規模な奴隷反乱「ストノ反乱」が始まる。しかし、翌日には鎮圧された。

1945 南京で日本が中国に対する降伏文書に調印し、1937年７月の盧溝橋（ろこうきょう）事件から始まった日中戦争が正式に終結した。

1969 カナダで英語とフランス語の両方を公用語と定める「公用語法」が施行された。

1000 スヴォルドの海戦

デンマークとスウェーデンの連合軍の船隊が、バルト海でノルウェー王オーラヴ・トリグヴァソンの船隊を待ち伏せして攻撃。ヴァイキング時代最大の海戦となり、ノルウェー側が全滅して終わった。

9月

10

2008 粒子の衝突

スイスのジュネーヴ郊外にあるCERN（欧州原子核研究機構）で、初めて大型ハドロン衝突型加速器（LHC）のスイッチが入れられた。LHCは世界最大の粒子加速器で、高エネルギーの素粒子同士を衝突させ、宇宙で働く基本的な力を研究するために利用されている。

この日が誕生日

1852 アリス・ブラウン・デーヴィス 北米先住民の指導者。米国オクラホマ州のセミノール族で初の女性族長となる。

1946 マザー・テレサ

アルバニア出身のカトリック修道女マザー・テレサが、インドの汽車の中で啓示を受け、貧民や病人の救済に生涯を捧げることを決意。

紀元前 210 始皇帝、死す

中国・秦王朝の始皇帝が崩御した。彼は戦国時代に他の国々を次々に破って中国を統一し、新たに「皇帝」の称号を用いることを定めて、始皇帝と号した。

他にもこんな出来事が

1960 ローマ五輪のマラソンで、エチオピアのアベベ・ビキラが、サハラ以南のアフリカ人として初めて五輪金メダルを獲得。彼はこの時、裸足で走った。

1984 英国の遺伝学者アレック・ジェフリーズが、DNAで個人を特定できることを発見。彼の技術は法医学の発展に貢献した。

2001 9.11テロ

テロ組織アルカイダのメンバーが米国の旅客機4機をハイジャックし、2機を米国ニューヨークの世界貿易センタービルのツインタワー（写真）に、もう1機をペンタゴンに突入させるという、史上最大のテロ事件が起きた（4機目は乗客の抵抗でペンシルヴェニアの平原に墜落）。このテロで3000人近くが死亡し、約2万5000人が重軽傷を負った。

1942 フェイマス・ファイブ

英国の児童文学作家イーニッド（エニード）・ブライトンの『フェイマス・ファイブ』シリーズの第1作『宝島への大冒険』が出版された。4人の子供と1匹の犬の冒険を描いたこのシリーズは、累計1億部以上売れている。

この日が誕生日

1945 フランツ・ベッケンバウアー ドイツのサッカー選手・監督。サッカー史上屈指の名選手。ワールドカップでは選手として1974年（西ドイツ）、監督として1990年（ドイツ）の優勝に貢献。

他にもこんな出来事が

1297 第1次スコットランド独立戦争で、ウィリアム・ウォレスとアンドリュー・モレー率いるスコットランド軍がイングランド軍を破った。

1903 米国ウィスコンシン州の自動車レース場「ミルウォーキー・マイル」で、こけら落としのレースが開催された。

1973 チリで、アウグスト・ピノチェト将軍によるクーデターが発生。17年間続く軍事独裁政権が誕生した。

1992 黒人女性宇宙飛行士

メイ・ジェミソンがNASAのスペースシャトル「エンデバー」の7名の搭乗員のひとりに選ばれ、米国の黒人女性初の宇宙飛行士となった。

この日が誕生日

1931 イアン・ホルム 英国の俳優。舞台から出発し、『エイリアン』『炎のランナー』など多くの映画に出演。『ロード・オブ・ザ・リング』ではビルボ・バギンズ役を演じた。

1957 ハンス・ツィマー（ジマー） ドイツの作曲家。映画音楽の分野で最も有名な作曲家のひとりで、『ライオン・キング』など150作品以上で音楽を担当している。

紀元前 490 マラソンの起源

ペルシア戦争の際、ギリシャのマラトンに上陸したペルシアの遠征軍を、アテネの重装歩兵を中心とするギリシャ軍が撃退した。この際にギリシャ兵フェイディピデスがマラトンからアテネまで41kmを走り続けて勝利を知らせたとされる故事から、現代のマラソン競技が生まれた。

1940 偶然の発見

フランスのモンティニャックで、10代の若者たちが、壁に古代の絵が描かれた洞窟（現在「ラスコー洞窟」として知られる）を発見した。ここの洞窟壁画は約1万7000年前のものとされる。

他にもこんな出来事が

1942 第2次世界大戦中、ドイツの潜水艦が英国の兵員輸送船ラコニア号を沈め、1400人以上の死者が出た。

2010 米国のナショナルフットボールリーグ（NFL）で、トニー・ゴンザレスがタイトエンドとして初の1000レシーブを達成。

2017 英国ロンドンで、長さ250mという巨大なファットバーグ（油脂とプラスチックが固まった塊）が下水道を塞いでいるのが発見された。

9月
13

1898
写真の特許
米国の聖職者ハンニバル・グッドウィンが、セルロイドの写真用ロールフィルムの特許を取得。柔軟で透明なフィルムは、後に映画撮影に使用される。

他にもこんな出来事が
1940 第2次世界大戦中、イタリアがエジプトに侵攻。後に英軍に撃退される。

1993 イスラエルのラビン首相とパレスチナ解放機構（PLO）のアラファト議長が、米国のホワイトハウスで「オスロ合意」に調印。

2004 米国のトーク番組司会者オプラ・ウィンフリーが、スタジオの276人の観覧者全員にポンティアックG-6の新車をプレゼントした。

1848
ショッキングな事故
米国の建設作業員フィニアス・ゲージが作業中に事故にあい、金属棒（写真で手にしている棒）が頭を貫通した。一命を取り留めたものの、その後の彼は劇的に性格が変わったため、人間の脳を研究する医師たちによる調査研究の対象となった。

この日が誕生日
1857 ミルトン・S・ハーシー 米国のチョコレート職人。菓子店の職人から出発して会社を興し、ミルクチョコレート・バーの販売で大成功した。

1916 ロアルド・ダール 英国の作家。世界で最も人気のある作家のひとりで、『チャーリーとチョコレート工場』などの作品で知られる。また、映画『007は二度死ぬ』の脚本を執筆した。

2016
カワガメの保護
カンボジアのココン爬虫類保護センターに、繁殖計画の一環として、200匹以上のロイヤルタートル（バタグル アフィニス *Batagur affinis*）が到着した。このカメは野生ではほぼ絶滅している。

9月 14

回転翼を持つヘリコプター 1939

米国コネティカット州で、初めてローター・ブレード（回転翼）を備えたヘリコプターが宙に浮いた。ロシア系米国人の航空機設計者イーゴル・シコルスキーが開発した「VS-300」で、この日は地面に繋留（けいりゅう）された状態で浮揚した。

この日が誕生日

1973 ナズ 本名ナシル・ビン・オル・ダラ・ジョーンズ。米国の黒人ラッパー、ソングライターで、2500万枚以上の売り上げを誇る。

1975 マオリの行進

ニュージーランドの北島で、マオリの指導者ウィナ・クーパー（中央右寄りのスカーフの女性）と50人の支持者が、マオリの土地の売却に抗議するため、「マオリ土地行進」を開始した。ウェリントンの国会議事堂までの1ヵ月にわたるこの行進には、何千人もの人々が参加した。

他にもこんな出来事が

786 南アジアから北アフリカを経てスペインにまで広がるイスラム帝国アッバース朝で、ハールーン・アッ=ラシードが第5代カリフとなった。彼の治世はイスラムの黄金時代の始まりとされる。

1814 米英戦争中、米国の弁護士フランシス・スコット・キーが、米軍の砦が死守されたことに感激して詩を書いた。この詩が、後に合衆国国歌『星条旗』となる。

黄金の便器 2019

英国オックスフォードシャーのブレナム宮殿で、美術展の展示品として設置されていた18金の便器が盗まれた。「アメリカ」と名付けられたこの便器はちゃんとトイレとして使用可能で、来場者はこの贅沢なトイレを3分間利用できた。

9月15

1916 戦車の初陣

第１次世界大戦中、フランスのフレール＝クーセレットの戦いで、英軍がドイツ軍との戦闘にマークI戦車49両を投入。実戦における最初の戦車の使用だった。

この日が誕生日

1890 アガサ・クリスティ 英国の推理小説作家。名探偵エルキュール・ポワロとミス・マープルの生みの親。

1984 サセックス公爵ヘンリー 英国の王族。チャールズ３世とダイアナ元妃の次男。通常「ハリー王子」と呼ばれる。英国陸軍兵としてアフガニスタンで軍務についた経歴を持つ。

1830 都市間を結ぶ鉄道

大勢が見守る中、リヴァプール＆マンチェスター鉄道が営業運転を開始。両都市を結んで貨物や乗客を運ぶ世界初の都市間鉄道で、また、馬の引く車両を使わず蒸気機関車のみで運行する最初の鉄道だった。

1983 ハクション！

英国の女子生徒ドナ・グリフィスは２年と246日もの間くしゃみをし続けたが、この日ようやく止まった。彼女は、最初の１年だけで約100万回もくしゃみをした。

他にもこんな出来事が

1821 中央アメリカ独立法により、グアテマラ、ニカラグア、エルサルバドル、コスタリカ、ホンジュラスがスペインから独立。

1935 ドイツでナチスがニュルンベルク法を制定し、国内のユダヤ人の公民権を剥奪。以後、ユダヤ人迫害が激化していく。

1835

ガラパゴスでの観察

英国の自然科学者ダーウィンが、南米沖の太平洋に浮かぶガラパゴス諸島に到着。植物や動物を調査した彼は、ガラパゴス諸島に生息するゾウガメが島によって異なる姿をしていることを知る。ここでの調査は、後に彼が進化論を唱えるきっかけとなった。

この日が誕生日

1948 ジュリア・ドナルドソン 英国の作家。韻を踏んだ児童書で知られ、グラファロなどの人気キャラクターを生み出した。

1992 ニック・ジョナス 米国の歌手・俳優。ポップバンド「ジョナス・ブラザーズ」のメンバーで、ソロでも成功している。

1979

気球での脱出

社会主義体制下の東ドイツの2家族が、幾多の困難を乗り越えて、手製の熱気球で国を脱出。夜中に国境を越え、無事西ドイツに着陸した。

1810

ドローレスの叫び

メキシコの司祭ミゲル・イダルゴが、ドローレス教区の人々に向かって、スペインの植民地支配に対する戦いを呼びかけた。この呼びかけは「グリト・デ・ドローレス（ドローレスの叫び）」と呼ばれ、メキシコ独立革命の引き金となった。

他にもこんな出来事が

1400 オワイン・グリンドゥールがウェールズ公の称号を名乗り、イングランドの支配に抵抗するウェールズの反乱を起こす。

1963 マラヤ、サバ、サラワク、シンガポールが合併し、マレーシアが誕生。

1976 アルメニアのフィンスイミング選手シャヴァルシュ・カラペティアンが、エレヴァン湖の深さ10mの場所に転落したバスまで潜って20人を救助する英雄的行動を取った。

9月 17

この日が誕生日

1960 ケヴィン・クラッシュ 米国の人形遣い。テレビ番組『セサミストリート』で、赤いモンスター「エルモ」の操作と声を担当した。

1916
レッドバロン

ドイツ軍のパイロット、マンフレート・フォン・リヒトホーフェンがフランス上空で初めて英軍戦闘機を撃墜。彼は第1次世界大戦中に80機を撃墜し、赤い機体から「レッドバロン（赤い男爵）」の異名を取った。

1631
スウェーデンの勝利

三十年戦争中、ドイツのブライテンフェルトで、軍略の才に長けたスウェーデン王グスタフ2世アドルフ率いる軍が神聖ローマ帝国軍を破った。宗教戦争として始まり、ヨーロッパの広範囲を巻き込んだ三十年戦争で、プロテスタント側が初めて勝利を収めた戦いだった。

他にもこんな出来事が

1683 オランダの科学者アントニ・ファン・レーウェンフックが英国の王立協会宛てに、人間の歯の汚れの中にいる微小動物を記述した手紙を書く。バクテリアについての初の記述とされる。

1978 米国のカーター大統領、エジプトのサダト大統領、イスラエルのベギン首相が、中東和平のための「キャンプデービッド合意」に調印。

1787
合衆国憲法

米国の法律と統治原則を詳細に記した合衆国憲法が作成され、フィラデルフィアで12州の代表者によって署名された。米国では現在、この日が憲法記念日となっている。

We the People of the United
insure domestic Tranquility, provide for the common defence, promote the
and our Posterity, do ordain and establish this Constitution for the United
Article. I.
Section. 1. All legislative Powers herein granted shall be vested in a Co
of Representatives.
Section. 2. The House of Representatives shall be composed of Members
in each State shall have the Qualifications requisite for Electors of the most numerous
No Person shall be a Representative who shall not have attained to the
and who shall not, when elected, be an Inhabitant of that State in which he shall
Representatives and direct Taxes shall be apportioned among the several
Numbers, which shall be determined by adding to the whole Number of free Persons
not taxed, three fifths of all other Persons. The actual Enumeration shall be ma

9月

18

1960 パラリンピック

イタリアのローマで国際ストーク・マンデビル大会が開催され、23ヵ国から集まった400人の障害者アスリートが8種目の競技に参加した。現在では、これが第1回パラリンピックと位置付けられている。

この日が誕生日

1976 ロナウド ブラジルのサッカー選手。史上最高のストライカーのひとりで、FIFA最優秀選手賞を3度受賞している。

他にもこんな出来事が

1850 米国議会が逃亡奴隷法を可決。逃亡奴隷を捕まえた場合、その奴隷の所有者に返すことを義務付けた。

1980 キューバ人宇宙飛行士アルナルド・タマヨ・メンデスが、ソ連のソユーズ宇宙船に乗り、ラテンアメリカ人として初めて宇宙へ。

2020 サウジアラビアのネフド砂漠で、考古学者が古代の人間の足跡を発見。12万年前のものと判明し、アラビア半島に人類がいたことを示す最古の証拠となる。

324 コンスタンティヌス大帝

ローマ帝国のコンスタンティヌス1世がクリュソポリスの戦いでライバルのリキニウスを破り、ローマ帝国の単独皇帝となった。彼は自らの名を冠したコンスタンティノポリス（現トルコのイスタンブール）という新しい都を建設した。

1793 議事堂の礎石

米国のワシントンDCで連邦議会議事堂の建設が始まり、初代大統領ジョージ・ワシントンが礎石を据えた。議事堂は100年近くをかけて完成し、現在は米国の下院と上院の会議がここで開かれている。

9月

19

1783

気球の実験

熱気球に生きものを乗せた初めての飛行実験が行われ、ヒツジとニワトリとアヒルが空を飛んだ。フランスのモンゴルフィエ兄弟が飛ばしたこの気球は、約8分間飛行して最高高度460mに達し、その後無事に着陸した（161ページも参照）。

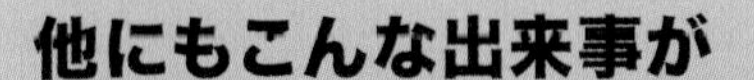

1946

欧州評議会創設を提唱

第2次世界大戦後、ウィンストン・チャーチルがスイスのチューリヒで演説し、ヨーロッパの統合を呼びかけた。これをきっかけに、ヨーロッパ諸国の統合、民主主義、人権を推進するための欧州評議会が1949年に創設されることになる。

この日が誕生日

1965 スニータ・ウィリアムズ 米国の女性宇宙飛行士。2回のミッションで合計322日宇宙に滞在し、宇宙遊泳を7回行った。

2000

まさかの1位

シドニーオリンピックの水泳男子100m自由形予選に、赤道ギニア代表のエリック・ムサンバニが出場。他の2人の選手がフライングで失格したため単独で泳ぎ、1分52秒72という遅いタイムでありながらその組の1位になった。

他にもこんな出来事が

1893 ニュージーランドで新しい選挙法が制定され、世界で初めて議会選挙での女性の投票権が認められた。

1940 第2次世界大戦下、ポーランド人将校ヴィトルト・ピレツキが、アウシュヴィッツ強制収容所の実態を明らかにするため意図的にナチスに捕まった（123ページも参照）。

1991 東アルプスのエッツ渓谷で、先史時代の人間の死体が冷凍保存状態で発見された。発見地から「アイスマン・エッツィ」と呼ばれている。

2014 HeForShe

英国の女優で国連女性機関の親善大使を務めるエマ・ワトソンが、男性も女性のジェンダー平等問題に取り組むよう訴えるHeForSheキャンペーンの顔として、力強いスピーチを行った。

他にもこんな出来事が

1857 インド大反乱（英国が進める植民地化に抵抗してインド各地で起きた反乱）の中で、反乱軍が一時占拠したデリーをイギリス東インド会社の軍が奪還した。

2001 9.11同時多発テロを受け、ジョージ・W・ブッシュ大統領が「テロとの戦い」を宣言。

2019 気候変動に関する国連サミットを前に、グレタ・トゥーンベリ（238ページ）に共鳴した世界各地の児童生徒約400万人が地球規模の気候変動ストライキに参加。

1973 キング対リッグス

女子テニスのトップ選手ビリー・ジーン・キングが、どんな女子選手にも勝てると豪語した元男子No.1プレーヤーのボビー・リッグスと試合をし、ストレートで勝利。

この日が誕生日

1934 ソフィア・ローレン イタリアの女優。イタリアやハリウッドで多くの映画に出演し、英語以外の映画で初めてアカデミー賞主演女優賞を受賞。

2019 北極の気候を調査

20ヵ国の研究者が参加するMOSAiC（北極気候の研究を目的とする学際的漂流観察）プロジェクトのため、ドイツの研究用砕氷船「ポーラーシュテルン」がノルウェーを出航。北極圏の中心部を1年かけて漂流しつつ、気候変動の影響を調査した。

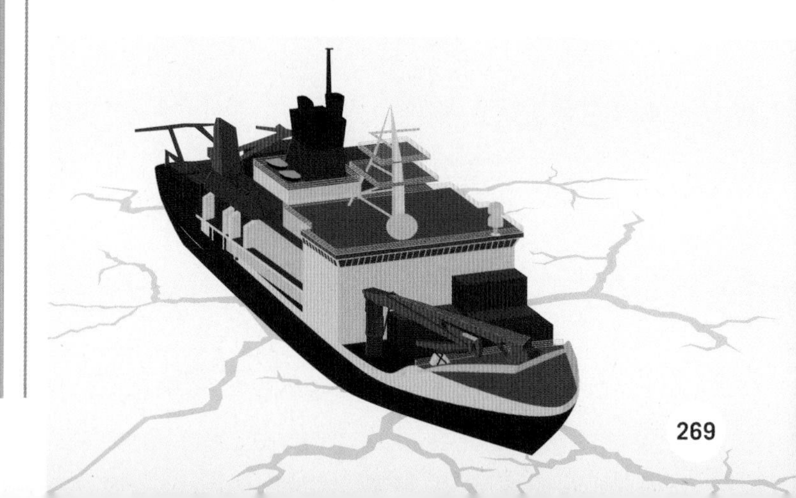

9月

21

1937

ホビットの冒険

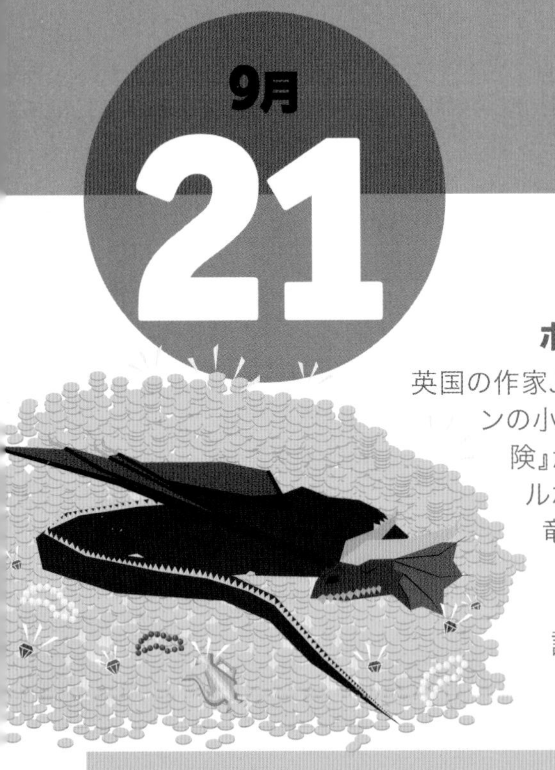

英国の作家J・R・R・トールキンの小説『ホビットの冒険』が出版された。ビルボ・バギンズが邪竜スマウグに奪われた財宝を探す物語で、『指輪物語』の前日譚(ぜんじつたん)にあたる。

1912 驚愕の脱出マジック

ハンガリー系米国人の奇術師ハリー・フーディーニが、ドイツのベルリンで「中国式水責め」の脱出マジックを初めて演じた。足を固定され逆さ吊りで水槽に沈められた彼は、見事に脱出して観衆を驚かせた。

この日が誕生日

1979 クリス・ゲイル 西インド諸島のクリケット選手。3種類の試合形式すべてで1試合100点以上を記録。

1898 西太后(せいたいこう)

中国・清朝(しんちょう)の光緒(こうしょ)帝(てい)が「戊戌(ぼじゅつ)の変法」と呼ばれる政治改革で中国近代化を目指したところ、これに反対する伯母・西太后の一派が光緒帝を幽閉。政治の実権を西太后が握る。

他にもこんな出来事が

1522 ドイツの宗教改革者マルティン・ルターによって、新約聖書がラテン語からドイツ語に翻訳された。

1792 フランス革命期、国民公会が王政廃止を決議。(ただ、すでに国王ルイ16世にはほとんど権力がなかった)。

2018 日本の探査機「はやぶさ2」が、小惑星リュウグウに小型ローバー(探査ロボット)2台を着陸させた。小惑星上での移動探査は世界初。

9月 22

1762

ロシアの女帝

夫であるロシア皇帝ピョートル3世から権力を奪ったエカチェリーナ2世が、モスクワで戴冠式を行い、正式に女帝として即位。彼女が統治した34年のあいだに、ロシアは世界最大の版図を持つ帝国へと拡大した。

1968

アブ・シンベル

エジプトで、ユネスコ主導の技術者チームによるアブ・シンベル神殿の移築が完了した。ダム建設によって湖に沈む運命を回避するため、神殿を解体し、元の位置から64メートルも高い場所に移す大工事だった。

この日が誕生日

1791 マイケル・ファラデー 英国の科学者。磁石を使って電流がどのように生まれるかを解明し、電気モーターを発明した。著書『ロウソクの科学』も有名。

2000

カーフリー・デー

世界の700以上の都市で、自動車が環境に与える影響に目を向けるため、都市中心部で自動車を使わずに自転車や徒歩や公共交通機関で移動する「カーフリー・デー」が初めて開催された。

他にもこんな出来事が

1948 ベルリン大空輸（183ページ）の際に米空軍のパイロット、ゲイル・ハルヴォーセンが個人的に始めた「ハンカチで作った小さなパラシュートにお菓子を付けて、西ベルリンの子供たちのために空から投下する行為」が軍の公認となり、この日から部隊の正規の作戦として行われた。

1991 聖書が成立した時代の聖書関連古文書群「死海文書」の写真が初めて公開された。これらの写本は1947年から56年にかけて死海近くの洞窟で発見された。

9月 23

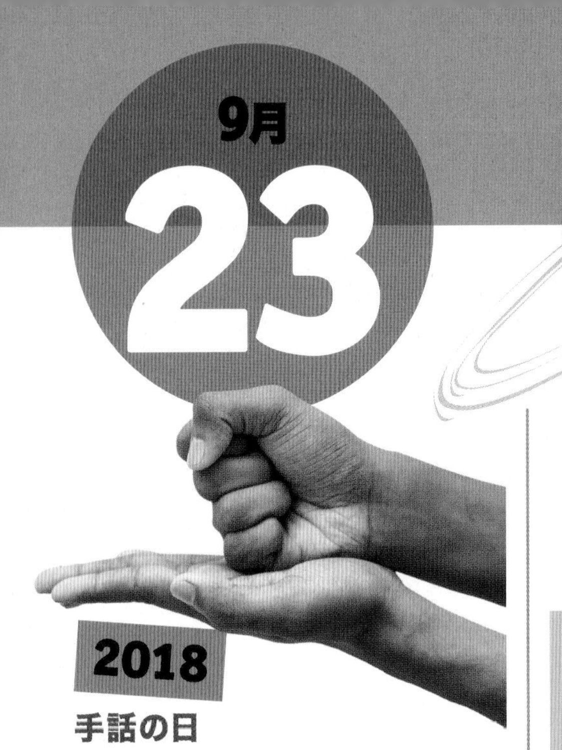

1846 海王星の発見

ドイツの天文学者ヨハン・ゴットフリート・ガレが、ベルリン天文台の望遠鏡を使って海王星を発見。彼は、フランスの天文学者ユルバン・ジャン・ジョゼフ・ルヴェリエと英国の天文学者ジョン・カウチ・アダムスの数学的計算に基づいて、この惑星の位置を特定した。

2018 手話の日

国連が、世界ろう連盟の要請を受けて、この日を「手話言語の国際デー」とした。聴覚障害者がコミュニケーションに使用する手話言語を音声言語と対等に扱い、手話に対する意識を高めることを目的としている。

この日が誕生日

1930 レイ・チャールズ 米国の黒人歌手。幼少時に失明した後、音楽の道に進み、米国のソウル・ミュージックのパイオニアとなった。

1889 任天堂創業

日本の京都で、山内房治郎が「任天堂骨牌」という会社を創業し、花札製造を始めた。任天堂はカルタやトランプの製造を経てビデオゲーム事業に進出し、さらにファミリーコンピューターとそのソフト『スーパーマリオブラザース』で世界的なゲーム企業へと成長する。

他にもこんな出来事が

1338 百年戦争で、イングランドの船とフランスの艦隊が、初めて大砲を使った海戦を行った。

1884 米国の発明家ハーマン・ホレリスが、コンピューターの発明よりもずっと早く、データを処理する機械の特許を出願した。

2000 オーストラリアで開かれたシドニー五輪で、英国のスティーヴ・レッドグレーヴが、ボート競技初の5大会連続金メダルを達成。

1957 リトルロック・ナイン

米国アーカンソー州で、州知事とそれに賛同する白人たちにリトルロック高校への通学を阻まれていた9人の黒人生徒（253ページ）の問題で、市長の要請を受けた大統領がこの日ついに陸軍兵士を派遣。9人の生徒は、兵士の護衛付きで登校した。

1974 耐久レース

米国カリフォルニア州で、近代的トライアスロンのレースが初めて開催された。参加者は、ゴールに着くまでに8.5kmを走り、自転車を8km漕ぎ、最後に太平洋で548m泳がなければならなかった。

この日が誕生日

1936 ジム・ヘンソン 米国の人形遣（つか）い・映画監督。TVの教育番組『セサミ・ストリート』のカーミット、ミス・ピギー、クッキーモンスターなどの人形（マペット）の生みの親。

他にもこんな出来事が

1852 フランスの技師アンリ・ジファールが蒸気機関でプロペラを回す飛行船を作り、パリからエランクールまでの27kmを時速10kmで初飛行した。史上初の有人飛行船だった。

1948 日本の実業家、本田宗一郎が静岡県浜松市で本田技研工業株式会社を設立。最初は自転車用補助エンジンを製造した。

2014 インドの火星探査機（愛称「マンガルヤーン」）が298日間の旅を経て火星周回軌道に入った。初挑戦で周回軌道に乗せたのはインドが初めて。

1906 ナショナル・モニュメント

米国大統領セオドア・ルーズヴェルトが、ワイオミング州にある高さ1558mの岩山「デビルスタワー」を米国で最初のナショナル・モニュメント（国定記念物）に指定。現在は国立公園局によって保護されている。

9月 25

2020

顔スキャン

シンガポール政府が、生体スキャンで得たデータを利用した、顔認証による国民の本人確認を開始すると発表した。

1790

京劇

中国・清王朝の乾隆帝の誕生日に、中国安徽省の４つの劇団が徽劇という歌劇を上演した。その後、この４劇団の徽劇と北京の演劇が次第に融合して、京劇へと発展した。美麗な衣装をまとい独特の化粧をした俳優が、音楽、せりふ、踊り、アクションを組み合わせて演じる。

この日が誕生日

1968 ウィル・スミス 米国の黒人俳優・ラッパー。TV シリーズ『ベルエアのフレッシュ・プリンス』で有名になり、アクション映画や劇映画に次々出演。

2000

スプリント記録

シドニーオリンピックで、オーストラリア先住民の陸上選手キャシー・フリーマンが女子 400m 決勝で 49 秒 11 を記録して優勝。個人種目で五輪の金メダルを獲得した最初のオーストラリア先住民となった。

他にもこんな出来事が

1956 大西洋の海底に敷設された 3584km の通信ケーブルを使って、大西洋をはさんだ北米と英国の間で世界初のケーブルによる電話の通話が行われた。

2016 中国・貴州省で、世界最大の電波望遠鏡「FAST」の運用が開始された。自然の窪地を利用して作られた直径 500m、サッカー場 30 面分の広さを持つ球面鏡を使って宇宙からの電波を観測し、異星人の存在を探る。

9月
26

2008 ジェットマン

スイス人パイロット、イヴ・ロッシーが、ジェットエンジン４基を搭載した炭素繊維の翼（自身の発明品）を背負ってフランスのカレー上空で飛行機から飛び出し、英仏海峡35kmを横断飛行して英国のドーバーに着陸した。

2009 ペットボトル禁止

オーストラリアの小さな町バンダヌーンで、ペットボトル入りの水の販売が禁止になった。この町は、環境に有害なペットボトルを禁止した世界で初めての場所となった。

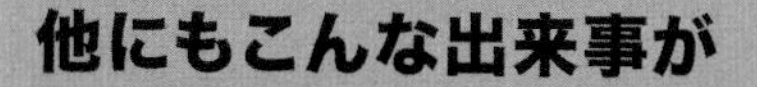

他にもこんな出来事が

1887　米国のジャーナリスト、ネリー・ブライが、患者を装って精神病院に潜入。10日の入院生活の後に救出され、病院での精神病患者への苛酷な扱いを実体験に基づく記事で暴露する。

1905　ドイツ生まれの物理学者アルベルト・アインシュタインが論文を発表し、空間と時間の性質に関する特殊相対性理論を確立した。

1969　英国のバンド、ザ・ビートルズの最後のスタジオアルバム『アビイ・ロード』が発売された。

この日が誕生日

1981　セリーナ・ウィリアムズ
米国の黒人テニス選手。４大大会の女子シングルス優勝23回は、歴代２位。姉のビーナスと組んだダブルスでも４大大会で14勝している。

2018 巨鳥

マダガスカルに生息していたが1000年以上前に絶滅したエピオルニスという飛べない鳥が、史上最も大きな鳥であったことが、英国王立協会のオープンアクセス誌に載った論文で確認された。この鳥は、体高が3mもあった。

9月

27

1922

立体映画

世界初の3D映画『The Power of Love（愛の力）』が、米国ロサンゼルスのアンバサダーホテル劇場で公開された。片方に赤、もう片方に緑のレンズが付いた特殊なメガネをかけると、映像が立体的に見えた。

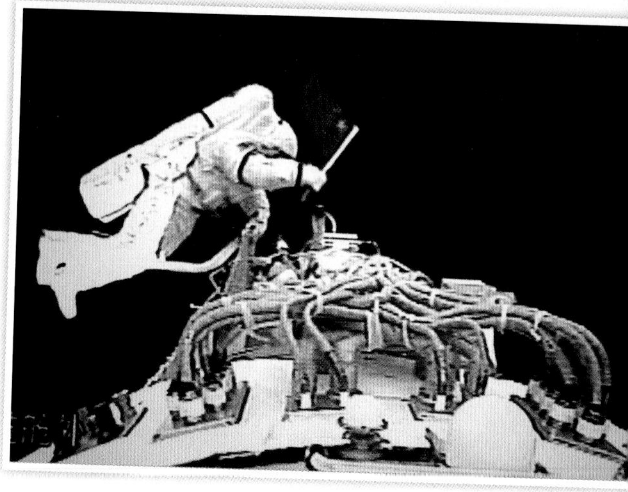

宇宙を歩く

2008

中国人宇宙飛行士の翟志剛（ざいしこう）が、中国人として初の宇宙遊泳を行った。彼は中国の3回目の有人宇宙飛行ミッション「神舟7号」の船長として、9月25日から28日まで宇宙に滞在した。

この日が誕生日

1972 グウィネス・パルトロウ 米国の女優。1999年に『恋におちたシェイクスピア』でアカデミー賞主演女優賞を受賞。

1937

ある虎の絶滅

インドネシア・バリ島だけに生息していたバリトラの最後の1頭（メスの成獣）が射殺され、バリトラは絶滅した。生息地の森林を人間が開発で破壊し、また、娯楽や毛皮目当てで過度な狩猟をしたことが原因だった。

他にもこんな出来事が

1825 英国で、世界初の蒸気機関車による公共鉄道であるストックトン・アンド・ダーリントン鉄道が開通。

1940 ドイツ、イタリア、日本がベルリンで日独伊三国同盟に調印し、第2次世界大戦における「枢軸国」の原型ができる。

1962 米国の自然保護活動家レイチェル・カーソンが『沈黙の春』を発表。この本は、農薬による環境破壊を広く知らしめた。

9月 28

他にもこんな出来事が

1889 フランスで開催された国際度量衡総会（CGPM）で、1メートルと1キログラムの基準（原器）が正式に承認された。

2008 自動車レースF1のシンガポール・グランプリで、F1史上初のナイトレースが開催された。

2018 地球温暖化の影響で北極海の氷が融けたことにより、コンテナ船「ヴェンチャ・メァスク」が初めて北極海を通り抜けることができるようになった。

1924

世界一周飛行

米陸軍航空部の航空機4機が、初の世界一周飛行を終えてシアトルに帰着した。175日間の任務中にさまざまな厳しい気象条件に見舞われたが、クルーは見事に目的を達成した。

1928

ペニシリンの誕生

スコットランドの科学者アレクサンダー・フレミングが、ペトリ皿の中でカビの一種が細菌を殺していることを発見し、医療への利用を思い立った。彼はこのカビが作る物質をペニシリンと名付け、最初の抗生物質を作り出す。

この日が誕生日

紀元前551 孔子 中国の思想家。多くの弟子を取って指導した。孔子が教え、弟子たちがまとめた彼の思想は、儒教として知られる。

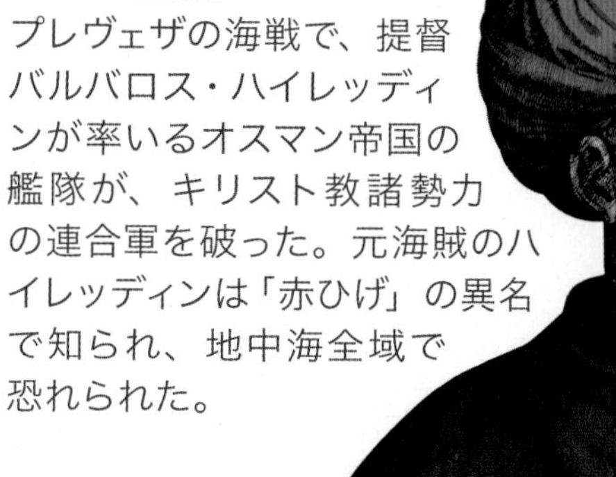

1538

恐るべき戦士

プレヴェザの海戦で、提督バルバロス・ハイレッディンが率いるオスマン帝国の艦隊が、キリスト教諸勢力の連合軍を破った。元海賊のハイレッディンは「赤ひげ」の異名で知られ、地中海全域で恐れられた。

9月

29

ロンドン警視庁 1829

英国の政治家ロバート・ピールの主導で、ロンドンの犯罪に対処する「首都警察隊」（いわゆるロンドン警視庁）が設置された。青いスーツにトップハット姿の世界初の警察官が登場した。

太平洋を見た男 1513

南米大陸で金を探していたスペインの探検家バスコ・ヌニェス・デ・バルボアが、パナマ地峡を徒歩で横断し、ヨーロッパ人として初めて太平洋を目にした。バルボアはこの海を「南の海」と呼び、スペインの領有権を主張した。

この日が誕生日

1758 ホレーショ・ネルソン 英国の海軍提督。フランス・スペイン連合艦隊を撃破したトラファルガー海戦をはじめ、数々の海戦における勝利で有名。

他にもこんな出来事が

1916 米国の石油王ジョン・D・ロックフェラーが史上初の億万長者（資産10億ドル以上）になる。

2004 小惑星4179トータティスが地球から約150万km（月までの距離のわずか4倍）のところを通過。

2020 火星周回軌道上の探査機マーズ・エクスプレスのレーダーにより、火星に3つの地下湖が発見される。塩分は水を凍結しにくくするため、これらの湖は非常に塩分濃度が高いのではと考えられている。

9月 30

2004

ダイオウイカ

日本の国立科学博物館の研究チームが、深海で、世界で初めて生きたダイオウイカの静止画像の撮影に成功した。

他にもこんな出来事が

1935 米国のフランクリン・ルーズヴェルト大統領が、当時世界最大のコンクリート構造物であるボールダー・ダム（後にフーヴァー・ダムと改称）の開所式を行った。

1949 15ヵ月続いたベルリン大空輸（183ページ）が終了。ソ連による西ベルリンの封鎖は5月に終わっていたが、その後も西ベルリン市民の生活を支えるためにこの日まで空輸が続けられていた。

1960 米国で、石器時代を舞台にしたTVアニメ『原始家族フリントストーン』が放映開始。

1520

スレイマン大帝

スレイマン1世が、オスマン帝国を統治する皇帝として即位。傑出した指導者の彼は領土を広げ、プレヴェザの海戦（277ページ）で地中海の制海権を握り、芸術、建築、法律の発展を促した。

この日が誕生日

1980 マルティナ・ヒンギス スイスのテニス選手。4歳で初めて大会に出場し、これまでに女子テニス協会（WTA）のタイトルを90以上獲得している。

1968 ボーイング747

初のジャンボジェット機「ボーイング747」が米国ワシントン州で公開され、航空輸送の新時代の幕が開いた。6階建てビルに匹敵する全高とバスケットボールのコートよりも広い翼面積を持つ747は、当時世界最大の旅客機だった（45ページ参照）。

10月

1

1908

T型フォード

米国の実業家ヘンリー・フォードが、自動車「フォード・モデルT」(T型フォード)の販売を開始。世界初の流れ作業の組み立てで、迅速かつ安価な生産を可能にした。

他にもこんな出来事が

紀元前 331 ガウガメラ(現在のイラク北部とされる)の戦いで、アレクサンドロス大王率いるマケドニア軍がダレイオス3世のペルシア軍を破った。

1982 フィリップスとソニーが開発した音声記録・再生用コンパクトディスク(CD)の音楽ソフトが、世界に先駆けて日本で発売開始。

1989 デンマークが、同性カップルがパートナーとして公的に登録することを認めた最初の国となる。

この日が誕生日

1959 ユッスー・ンドゥール セネガルのミュージシャン。ンバラと呼ばれる独自の音楽ジャンルの確立と発展に貢献した。

1990

隕石爆発

人工衛星が、太平洋はるか上空での巨大な隕石爆発を観測。爆発の威力は、強力な爆薬900トン以上に相当した。

弾丸列車

1964

日本初の高速鉄道、東海道新幹線が開通。「ひかり」は最高時速210kmで東京ー新大阪間を4時間で結んだ。「こだま」は5時間だった。〔現在の「のぞみ」での所要時間はおよそ2時間30分。〕

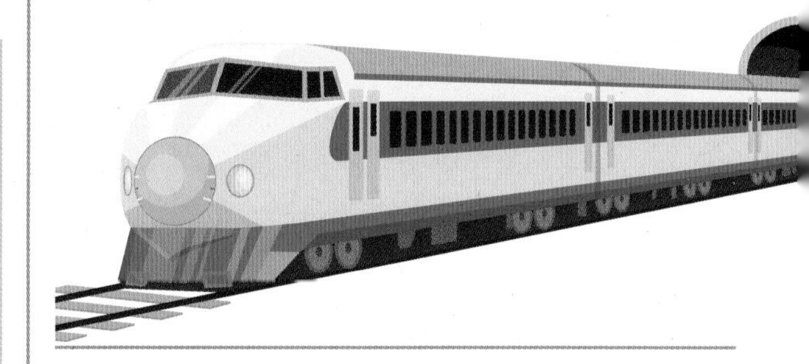

1949

新しい中国

日中戦争後、国共内戦を経て、中国共産党の毛沢東(もうたくとう)主席が北京(ペキン)の天安門(てんあんもん)広場で中華人民共和国の建国を宣言。

10月

2

他にもこんな出来事が

1870 ローマがイタリア王国の一部となり、1000年近くに及んだカトリック教会による支配に終止符が打たれた。

1967 サーグッド・マーシャルが黒人として初めて米国連邦最高裁判事に就任。

2018 米国の科学者アーサー・アシュキンのノーベル物理学賞受賞が発表された。レーザー光によって原子、ウイルス、細胞などの微小な粒子を捕捉し、移動させることができる顕微鏡装置「光ピンセット」を発明した功績が評価された。

1925

黒いヴィーナス

米国の黒人ダンサー、ジョセフィン・ベイカーが、フランス・パリのショー「ラ・ルヴュー・ネグル（黒人レヴュー）」に初登場。センセーションを巻き起こした。

1866

画期的な缶詰

米国の発明家J・オスターホウトがタブ付きのブリキ缶の特許を取得し、ふたを巻き取るように開缶できるようにした。それまでの缶詰の缶は鉄製で、ハンマーとノミで開けなければならなかった。

1608

リッペルハイの望遠鏡

ドイツ系オランダ人の眼鏡・レンズ職人ハンス・リッペルハイが、最初の実用的望遠鏡の特許を出願した。結果的に特許は取得できなかったが、政府から報奨を得た。

この日が誕生日

1869 モハンダス・カラムチャンド・ガンディー インドの民衆の指導者。マハトマの尊称で知られ、英国による植民地支配に対する非暴力抵抗運動を展開した。

10月 3

1888

ハカ

ニュージーランド・ラグビー協会のマオリ族主体のチームが、英国遠征時の国際試合の前に、初めて黒のユニフォームでマオリ族の伝統的な踊り「ハカ」を披露した。この儀式は代表チームに受け継がれ、今も続いている。

他にもこんな出来事が

紀元前 42 暗殺されたローマ帝国の将軍ユリウス・カエサルの後継者たちが、第1次フィリッピの戦いで共和派（暗殺者側）と戦闘。勝敗が決まらず、20日後に2度目の戦いに。

1904 米国の黒人公民権運動家メアリー・マクラウド・ベスーンが、フロリダ州のデイトナビーチに黒人女子校を開校。

この日が誕生日

1969 グウェン・ステファーニ 米国の歌手。バンド「ノー・ダウト」のボーカルとして有名になり、その後ソロ活動でも成功を収めている。

1983 テッサ・トンプソン 米国の黒人女優。マーベル映画のヴァルキリー役で知られる。音楽活動も行っている。

1990

東西ドイツ再統一

45年間にわたり分断国家だった資本主義の西ドイツと社会主義の東ドイツが、ソヴィエト連邦の崩壊を受けて統一され、ひとつのドイツ連邦共和国となった。

1949

伝説の王

第2次世界大戦後に建国した大韓民国で、初めて新暦（西暦）で開天節（建国記念日）が祝われた。この日付は、紀元前2333年に檀君（タングン）が即位して古朝鮮王国を建国したという伝説にちなんで定められた。

1883 豪華列車の旅

長距離豪華列車「オリエント急行」が、フランスのパリからトルコのイスタンブールまで初めて運行された。オリエント急行は極上の旅の代名詞として、多くの小説や映画やテレビ番組の舞台になった。

1957 宇宙時代の幕開け

ソヴィエト連邦が、世界初の人工衛星「スプートニク1号」を打ち上げ、地球周回軌道に乗せた。宇宙開発の新時代が始まった。

他にもこんな出来事が

1853 オスマン帝国がロシアに宣戦布告し、クリミア戦争が勃発。（10月4日は交戦する両国が使っていたユリウス暦での日付）。

1986 オランダで、全長9kmの東スヘルデ防潮水門の完成式がベアトリクス女王を迎えて行われた。この防潮堤は、オランダの低地（ライン川河口のデルタ地帯）を高潮から守るために堤防や水門など治水構造物を建築する計画(「デルタ計画」)の一環として作られた。

この日が誕生日

1946 スーザン・サランドン 米国の女優、社会活動家。数々の映画に出演し、アカデミー賞主演女優賞受賞。世界の飢餓撲滅のための慈善活動でも知られる。

1927 米国の記念碑

米国サウスダコタ州にあるラシュモア山の頂上部に、ジョージ・ワシントン、トーマス・ジェファーソン、セオドア・ルーズヴェルト、エイブラハム・リンカーンの4人の歴代大統領の顔を彫る作業が開始された。完成までに12年の歳月を要した。

10月

5

2006

太古のハンター

研究者が、北極圏にあるノルウェーのスヴァールバル諸島で、体長 10m ほどのプリオサウルスの全身骨格を初めて発見したと発表した。プリオサウルスは絶滅した古代の海棲爬虫類で、プレシオサウルス（首長竜）の仲間だが、首は短い。

2020

タスマニアデビル

オーストラリア本土で 26 頭のタスマニアデビルの野生復帰に成功した、と公表された。タスマニアデビルは、本土では絶滅し 3000 年近くタスマニア島にしか生息していなかった。

この日が誕生日

1975 ケイト・ウィンスレット 英国の女優。テレビと映画で 20 年以上活躍し、オスカーとエミー賞各 1 回、英国アカデミー賞 3 回、ゴールデングローブ賞 4 回受賞。

他にもこんな出来事が

1910 ポルトガルで共和主義革命が成功し、王政を廃して共和政（第一共和政）に移行。

1962 英国のロックバンド「ビートルズ」がデビューシングル「ラヴ・ミー・ドゥ」を発売。全英音楽チャートで最高位 17 位。

1962 英国で、映画『007』シリーズの第 1 作『007 ／ドクター・ノオ』が公開。スコットランドの俳優ショーン・コネリーがジェームズ・ボンドを演じた。

1789

ヴェルサイユ行進

フランス革命期、パンの値上がりと品不足に怒ったフランス・パリの女性たちが、ヴェルサイユ宮殿に向かって抗議のデモ行進を行った。翌日、国王一家は群衆の求めに応じてパリに戻ることを余儀なくされる。

10月

6

1829

ロケット号

英国の技師ロバート・スティーヴンソンの開発した蒸気機関車「ロケット号」が、リヴァプール&マンチェスター鉄道（264ページ）で使用する機関車を選ぶ「レインヒル・コンテスト」で優勝。

この日が誕生日

2000 ジャズ・ジェニングス 米国のトランスジェンダー活動家・ユーチューバー。米国でトランスジェンダーであることを公表した最も若い世代のひとりで、子供がトランスジェンダーとして成長する過程で直面するさまざまな問題をTVドキュメンタリー『I Am Jazz（アイ アム ジャズ）』で記録に残した。

他にもこんな出来事が

2001 南アフリカのネルスプロイトの小学生30人が、ソープボックス・カート（箱に車輪がついただけの車）を押して首都ケープタウンまで2061kmの国土縦断（ギネス記録）を達成。

2010 パプアニューギニアの島々で200種以上の新種の動植物が発見されたと研究者が発表。

2010 新しいソーシャルメディア「インスタグラム」が登場。初日に2万5000人以上がユーザー登録をした。

2007 人間の筋力だけで世界一周

英国の探検家ジェイソン・ルイスが、スケート、自転車、徒歩、カヤックなど、人間の筋力だけでの地球一周を初めて達成し、グリニッジにゴールイン。途中に中断をはさみつつ、4833日で約7万5000kmを走破した。（208ページのエルデン・エルーチとの違いは、ルイスが単独ではなかった点。）

10月

7

2018 新しいドクター

英国の女優ジョディ・ウィテカーが、人気SFテレビシリーズ『ドクター・フー』の13代目ドクターとして初登場。彼女は、『ドクター・フー』史上初めての女性ドクターである。

この日が誕生日

1991 レイ 中国出身の歌手・俳優。本名は張藝興。韓国の男性アイドルグループ「EXO」のメンバーで、ソロ活動でも成功を収めている。

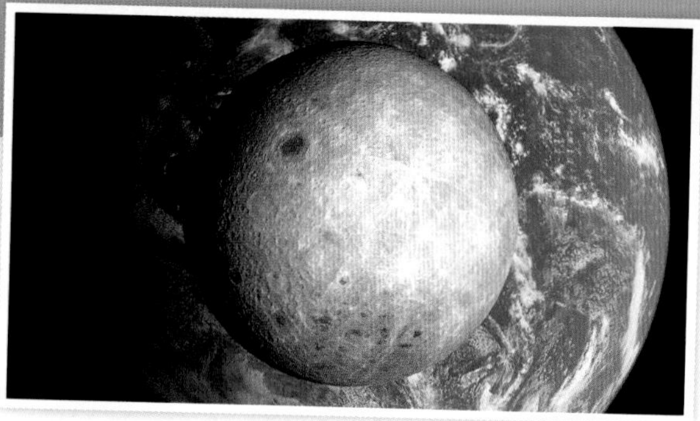

1959 月の裏側

ソ連の宇宙探査機「ルナ3号」が、地球からは見えない月の裏側の写真を初めて撮影した。

他にもこんな出来事が

2000 世界から選手が集まるeスポーツ大会「ワールド・サイバー・ゲームズ」の第1回が韓国の龍仁市で開幕。

2001 米国同時多発テロ事件後、テロ組織アルカイダを庇護するアフガニスタンに対し、米・英軍がタリバン政権の弱体化を目指して空爆を開始。

2010 キヌガサソウ（植物）の遺伝子が、人間の50倍という、知られている限り最大の塩基数（ゲノムサイズ）を持つことが発表された。

1571 レパントの海戦

スペイン・教皇領・ヴェネツィアの連合軍の艦隊が、ギリシャのレパント島沖での海戦で、オスマン帝国の艦隊を破った。ヨーロッパ史上屈指の大海戦で、ほぼ手漕ぎの船だけで戦われた最後の海戦のひとつでもある。

10月

8

2004

平和賞

ケニアの環境保護活動家ワンガリ・マータイが、「グリーンベルト運動」によるケニアの持続可能な開発への功績で、ノーベル平和賞を受賞することが発表された。

1945

電子レンジ

米国の技術者パーシー・L・スペンサーが、世界初の電子レンジの特許を申請。レーダー装置の近くでチョコレートバーが融けたことから、マイクロ波による食品調理を思いついた。

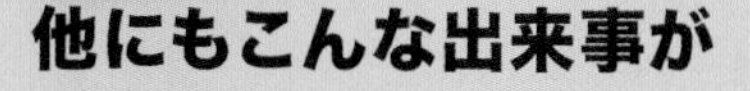

他にもこんな出来事が

1871 米国ウィスコンシン州でペシュティゴ火災（記録に残る中で最大の森林火災）が発生し、約49万ヘクタールが焼失。

1978 オーストラリアのモーターボートレーサー、ケン・ウォービーが、スピードボートで世界初の時速483kmでの水上走行に成功。

2008 タスマニア近海で約270種の新種の海洋生物の発見が報告された。

この日が誕生日

1910 カーク・アリン 米国の俳優。実写映画でスーパーマンを演じた最初の俳優。

1906

最初のパーマ

英国ロンドンで、ドイツ人美容師カール・ネスラーが、新発明の「髪をウェーブさせる装置」を披露した。真鍮のローラーに髪を巻き付けて電気で加熱することでウェーブやカールをつける装置だった。

1945

ハングルの日

中世の朝鮮王朝の王・世宗（セジョン）が表音文字であるハングルを創製したことを記念する「ハングルの日」が、韓国でこの年から10月9日に祝われることになった。

他にもこんな出来事が

768　今のフランス・ドイツあたりにあったゲルマン民族のフランク王国で、カール大帝とカールマン1世が共同統治者として戴冠。

2005　米国ネバダ州のモハベ砂漠で行われた無人自動運転車のレースで、スタンフォード大学のチームがフォルクスワーゲン・トゥアレグをベースに作った「スタンリー」が他の4台の無人運転車を破って優勝し、賞金200万ドルを獲得した。

1410

天文時計

チェコのプラハで、時計職人ミクラーシュと科学者ヤン・シンデルが設計・制作した天文時計が完成した。現在も動いている時計としては世界最古。

1000

ヴィンランドの発見

ヴァイキングのレイフ・エリクソンが現在のカナダの海岸に上陸し、北米大陸に足を踏み入れた最初のヨーロッパ人となった。この地にブドウが生えていたことから、彼はここを「ヴィンランド」と名付けた。

この日が誕生日

1823 メアリー・アン・シャッド・ケアリー　米国系カナダ人の教師・奴隷制廃止運動家・出版者・弁護士。北米で新聞発行者になった最初の黒人女性。

他にもこんな出来事が

1967 米・英・ソヴィエト連邦の３ヵ国が調印した国際条約「宇宙条約」が発効。この条約により、月やその他の天体を含む宇宙空間は、すべての国の利益のために探査および利用できることになった。また、宇宙空間の領有権主張や、地球周回軌道や宇宙空間への大量破壊兵器の配備を禁止し、平和利用の原則を定めた。

2013 スコットランドのセント・アンドリュースで、ペルーの発明家カティア・ベガが、ウインクによって起動・飛行する世界初のドローンを公開。

1964

東京オリンピック

日本の東京で1964年の夏季オリンピックが開幕。アジアで開催された初めてのオリンピックだった。

1903

参政権をすべての人に

英国の女性参政権活動家エメリン・パンクハーストが、マンチェスターで女性社会政治同盟（WSPU）を設立。デモや行進、ストライキなどの手段を使い、女性の参政権を求めて闘った。

断頭台

1789

フランスの医師ジョゼフ＝イニヤス・ギヨタンが、犯罪者に対する死刑は苦痛なく執行されるべきであるとして、角度のついた刃を落として首を一瞬で切断する断頭台の導入を議会に提案した。その装置が、彼の名からギロチンと呼ばれるようになる。

この日が誕生日

1970 マシュー・ピンセント 英国のボート選手。17年間の現役生活で世界選手権に10回優勝し、五輪金メダル4個を獲得。

10月

11

1919

機内食

英国のロンドンからフランスのパリへのフライトで、フルーツやサンドイッチなどの機内食が初めて提供された。

この日が誕生日

1821 ジョージ・ウィリアムズ 英国の人道主義者。YMCA（キリスト教青年会）を設立し、若者を支援した。

あなたを忘れない

1987

米国ワシントン DC のナショナル・モールで、1920 枚の AIDS（エイズ）メモリアルキルトが敷き詰められた。キルトは、大切な人をエイズで失った人々が追悼のために作ったもの。

カイトサーフィン

1977

オランダのサーファーで発明家のハイスベルトゥス・アドリアヌス・パンハウセが、パラシュート状の凧（たこ）でサーフボードに乗った人を引っ張るカイトサーフィンの特許を取得。

他にもこんな出来事が

1745 ドイツの聖職者エヴァルト・ゲオルク・フォン・クライストが、静電気を蓄えるライデン瓶（初期の電池の一種）を発明。

1984 米国の宇宙飛行士キャサリン・サリヴァンが、スペースシャトル「チャレンジャー」のミッションで、米国女性初の宇宙遊泳。

2010 インドで開催されたコモンウェルスゲームズ（英連邦の競技大会）で、円盤投げのクリシュナ・プーニアがインドにとってこの大会では 1958 年以来となる陸上競技の金メダルを獲得。

10月 12

1492 コロンブスの上陸

イタリア人探検家クリストファー・コロンブスが新世界に到着し、バハマ諸島に上陸した。これが、ヨーロッパ人による南北アメリカ大陸の探検と植民地化の始まりとなった。この日は、北米・南米の多くの国でコロンブス・デーとして祝われている。

他にもこんな出来事が

1979 台風20号が、直径2200km、中心気圧870ヘクトパスカル、最大風速70m／秒の史上最大・最強の熱帯低気圧となった。この台風は日本列島を縦断して大きな被害をもたらした。

1992 コロンブスの新大陸到着やヨーロッパの植民地支配によって失われた先住民のコミュニティとアイデンティティを記憶にとどめるために、米国で第1回目の「先住民の日」が祝われた。

この日が誕生日

1864 カミニ・ロイ インド亜大陸の詩人・ソーシャルワーカー。ほとんどの女性が教育を受けることすら許されなかった時代に、女性として初めて大学の優等卒業生となった。インドにおける婦人参政権運動にもかかわった。

1968 ヒュー・ジャックマン オーストラリアの俳優。多くのアクション映画やミュージカルに出演している。最も有名な役は、映画『X-MEN（エックスメン）』シリーズのウルヴァリン。

1810 十月の祝祭

ドイツ・ミュンヘンの市民が、王太子ルートヴィヒの結婚を祝うために集まった。この祝宴は毎年開催されるようになり、次第に現代の祝祭「オクトーバーフェスト」へと変化した。

2019 2時間を切る

"I BELIEVE NO HUMAN IS LIMITED" - ELIUD KIPCHOGE 01:59:40.2 FINISH

オーストリアのウィーンで行われたマラソンで、ケニアの陸上選手エリウド・キプチョゲが1時間59分40秒を記録。人類で初めて2時間を切ったが、公認大会でないため世界記録にはならなかった。

10月

13

エイダ・ラブレスの日

2009

世界初のコンピュータープログラムを書いた英国の女性数学者にちなむ「エイダ・ラブレス・デー」の第1回目。科学、技術、工学、数学の分野で活躍する女性の功績を称える日で、毎年10月の第2火曜に祝われる。

澄み切った海水

1986

南極に接するウェッデル海は地球上のどの海よりも透明度が高いことが発見された。ドイツのブレーマーハーフェンにあるアルフレート・ヴェゲナー研究所のチームは、その純度が蒸留水に匹敵すると述べている。

他にもこんな出来事が

1943 第2次世界大戦で、枢軸国だったイタリアは9月に連合国に無条件降伏したが、国土の大半をナチスに占領されていたため、この日にドイツに宣戦布告。

1958 英国の作家マイケル・ボンドの児童文学作品『くまのパディントン』が出版された。

この日が誕生日

1989 アレクサンドリア・オカシオ＝コルテス 米国の政治家。労働者階級出身で、29歳の時に、女性としては史上最年少で下院議員に当選。

恐竜の発見

2005

古生物学者が南米パタゴニアで鳥に近い小型恐竜の化石を発見したことが発表された。ブイトレラプトルと名付けられたこの化石の恐竜は、およそ9800万年前に生息していたと考えられている。

10月 14

1947 超音速飛行

米国のパイロット、チャールズ・“チャック”・イェーガーが操縦するロケットエンジン搭載の実験飛行機「ベル X-1」が、音速を超える時速 1127km で飛行した。これは、有人飛行機では初の快挙であった。

他にもこんな出来事が

1962 米軍偵察機がキューバに設置されたソ連の弾道ミサイルを撮影。ソ連による米国への核攻撃の可能性が浮上し、「キューバ危機」と呼ばれる緊張が高まる。幸い、交渉で核戦争は回避される（306 ページも参照）。

1968 米国の黒人陸上選手ジム・ハインズが 100m を 9 秒 95 で走り、人類史上初めて10 秒を切る記録を樹立。

2012 スペースダイブ

オーストリアのフェリックス・バウムガートナーが、地上 39km の気球から飛び降りて自由落下し、スカイダイビングで初めて音速を超えた。その後彼はパラシュートを開き、9 分後に米国ニューメキシコ州ロズウェル付近に着地した。

この日が誕生日

1978 アッシャー 米国の黒人シンガーソングライター。現代のR&B音楽界の中心的アーティストのひとりで、全世界で 1 億枚以上の売り上げを誇る。

1066 ノルマン・コンクエスト

ノルマンディー公ギヨーム 2 世率いるノルマン・フランス軍が、ヘイスティングスの戦いでハロルド 2 世率いるイングランド軍を破る。征服者ギヨームはイングランド王ウィリアム 2 世として即位した。

10月15日

1952 クモのシャーロット

米国の作家E・B・ホワイトの児童文学『シャーロットのおくりもの』が出版された。納屋に住むクモのシャーロットと子ブタのウィルバーの友情を描いた作品で、全世界で4500万部以上売れている。

1989 ホッケーの記録

カナダ人アイスホッケー選手ウェイン・グレツキーが、対エドモントン・オイラーズ戦で終了間際にゴールを決め、ロサンゼルス・キングスに勝利をもたらした。彼はこのゴールで北米ナショナル・ホッケー・リーグ（NHL）での通算得点を1851点とし、史上最多記録を更新した。

1997 音よりも速く

英国人ドライバーのアンディ・グリーンが、米国ネバダ州のブラックロック砂漠で「スラストスーパーソニックカー（ThrustSSC）」を駆って最高時速1227.9kmを記録。陸上を走る車として初めて音速の壁を突破した。

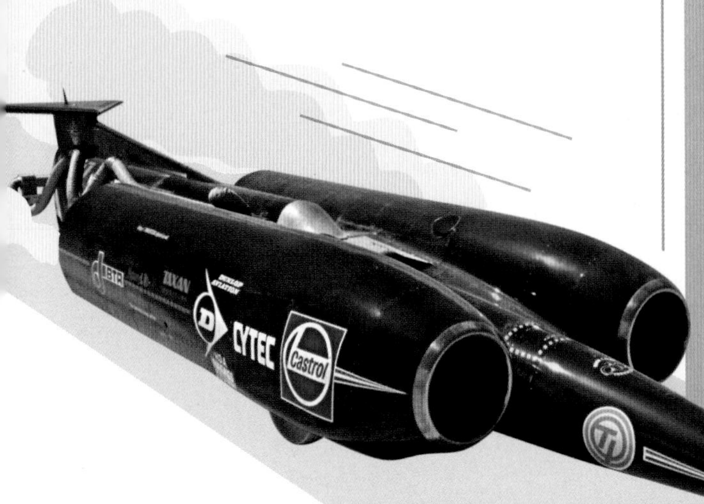

この日が誕生日

1938 フェラ・クティ ナイジェリアの音楽家・作曲家。米国と西アフリカの音楽を融合させ、アフロビートと呼ばれる新しいスタイルを生み出した。

他にもこんな出来事が

1582 スペインやポルトガルなどヨーロッパのカトリック諸国が、それまで使っていたユリウス暦から、より正確なグレゴリオ暦に世界で初めて切りかえた。

2003 中国初の宇宙飛行士楊利偉（ようりい）が、中国の宇宙船「神舟（しんしゅう）5号」で宇宙に行った。

2011 米国フロリダ州に、世界で5番目となるレゴランド®がオープン。展示は5000万個のレゴ®ブロックで作られている。

1950

ナルニア国ものがたり

英国の作家C・S・ルイスの『ライオンと魔女』が出版された。『ナルニア国ものがたり』7部作のうち最初に世に出た作品で、児童文学の古典的名作として知られる。

この日が誕生日

1997 大坂なおみ 日本の女子テニス選手。父はハイチ系米国人、母は日本人。4大大会で4勝を挙げ、2019年にはアジアの選手として初めて世界ランキング1位になった。

1793

断頭台の王妃

フランス革命期、パリの革命広場で、フランス王妃マリー・アントワネットがギロチンで処刑された。国民の苦しみをよそに夫のルイ16世とぜいたく気ままな生活をして国家財政を破綻させたことなどが罪状とされた。

1384

王として即位

ポーランドの首都クラクフで、10歳の王女ヤドヴィガが、(女王でなく)「王」として戴冠。ポーランド初の女性君主となった。彼女はその後に結婚した夫・ヴワディスワフ2世と共同統治を行い、文化、宗教、慈善の領域で力を発揮した。

他にもこんな出来事が

1968 メキシコシティで開かれたオリンピックの陸上男子200mの表彰台で、米国の黒人選手トミー・スミスとジョン・カーロスが、人種差別に抗議して、うつむいて拳を挙げるブラックパワー・サリュートを行った。

2001 フランスでミヨー高架橋が着工。完成時の高さが343mというこの道路専用橋は、現在も世界一高い橋である。

10月

17

690 中国の女帝

中国史上唯一の女帝・武則天が即位。それ以前から、病気がちな夫・高宗とその死後に跡を継いだ息子の中宗・睿宗の背後で実権を握っていた。彼女の治世には、有能な官吏の登用で、後の中国（唐）の発展の基礎が築かれた。

この日が誕生日

1914 ジェリー・シーゲル 米国のコミック原作者。漫画家ジョー・シャスターと組んで『スーパーマン』を創造した。

2008 記録より食い気

イランのテヘランで世界一長いサンドイッチを作るイベントが行われたが、審査員が測定しないうちに空腹の群衆が食べはじめてしまった。

2014 気候戦士

海面上昇の脅威にさらされている太平洋の12の島々からの抗議者たちが、化石燃料の危険性にもっと目を向けてもらおうと、カヌーでオーストラリアのニューキャッスル港に入り、石炭船の出港を阻止した。

他にもこんな出来事が

1604 ドイツの天文学者ヨハネス・ケプラーが超新星（SN1604）を観測。現時点で、銀河系内で観測された最後の超新星である。

1931 米国シカゴで悪名をとどろかせたギャング、アル・カポネが、脱税の罪で有罪判決を受けた。懲役11年。

2009 英国のサッカーチーム、サンダーランドのダレン・ベントがリヴァプール戦で放ったシュートが、ファンの投げ込んだビーチボールに当たってゴールに飛び込み、決勝点になった。

他にもこんな出来事が

1565 九州の福田浦に入港したポルトガル船を平戸の松浦氏の船団が攻撃するも、撃退された。記録に残る限り日本と西洋の最初の海戦とされる（永禄８年９月25日）。

2011 米国ニューメキシコ州に、世界初の宇宙港「スペースポート・アメリカ」が開港。

2019 国際宇宙ステーションのバッテリーユニット修理のため、クリスティーナ・コックとジェシカ・ミーアが、初の女性宇宙飛行士だけでの船外活動を実施。

1851

白鯨

米国の作家ハーマン・メルヴィルの『白鯨』が英国で出版された（米国での出版は翌月）。自分の片脚を食いちぎった白いマッコウクジラに復讐しようとするエイハブ船長の物語。

1921

トースト焼けた

米国の発明家チャールズ・P・ストライトが新型電気トースターの特許を取得。食パンの両面を同時に加熱する初めての設計で、焼きあがったパンは自動で飛び出した。

乾隆帝

1735

中国・清朝で、第６代皇帝の乾隆帝が即位。およそ60年にわたって統治し、一連の遠征で版図を拡大し、帝国を安定させた。彼の治世は文化も繁栄し、清の最盛期といわれる。

この日が誕生日

1926 チャック・ベリー 米国の黒人シンガーソングライター、ギタリスト。ロックンロールの父として知られる。

1984 フリーダ・ピントー インドの女優。映画『スラムドッグ＄ミリオネア』で一躍有名になる。

10月 19

英軍の降伏 1781

米国独立戦争期、ヨークタウンの戦いで英軍が米仏連合軍に敗れ、英国の将軍チャールズ・コーンウォリスは米国の将軍ジョージ・ワシントンに降伏した。これによって独立戦争は事実上終結した。

1901 サントス・デュモンの6号機

ブラジル人飛行士アルベルト・サントス・デュモンが、新たに設計した飛行船（6 号機）で、フランス・パリのサン＝クルー公園とエッフェル塔の間の往復飛行（11.3km）を初めて 30 分以内で行った。

1872 ホルターマン・ナゲット

オーストラリアのニューサウスウェールズ州の鉱山共同経営者バーンハート・ホルターマンらが、過去最大のナゲット（天然の金塊）を掘り当てた。厳密には、ナゲットというよりも大きな石英の中に金が埋まったもの。

この日が誕生日

1926 マージョリー・トールチーフ 米国のバレエダンサー。先住民オーセージ族の一員で、パリ・オペラ座バレエ団でプリンシパルになった初のアメリカ先住民。

他にもこんな出来事が

1469 アラゴンの王子フェルナンドとカスティーリャ王女イサベルが結婚し、アラゴンとカスティーリャの連合が成立。後のスペイン王国の礎（いしずえ）となる。

1914 第 1 次世界大戦中、ベルギーのイーペルで連合国軍とドイツ軍の戦いが始まった。

1972 米国で世界初のコンピューターゲーム大会。24 人が「スペースウォー！」ゲームで優勝を争った。

10月 20

2010 ナマケモノの日

第1回「国際ナマケモノデー」。中南米に生息し、非常にゆっくりと移動して葉を食べる哺乳類ナマケモノの生息地が脅威にさらされていることを広く知ってもらおうと、制定された。

この日が誕生日

1882 ベラ・ルゴシ ハンガリー出身で米国で活躍した俳優。1931年のハリウッド映画『魔人ドラキュラ』でドラキュラを演じてスターとなり、多くの怪奇映画に出演した。

1973 シドニー・オペラハウス

着工から14年を経てシドニー・オペラハウスが完成し、英女王エリザベス2世を迎えてこけら落としの公演が行われた。海に面したこの建物は、船の帆をイメージして設計された。

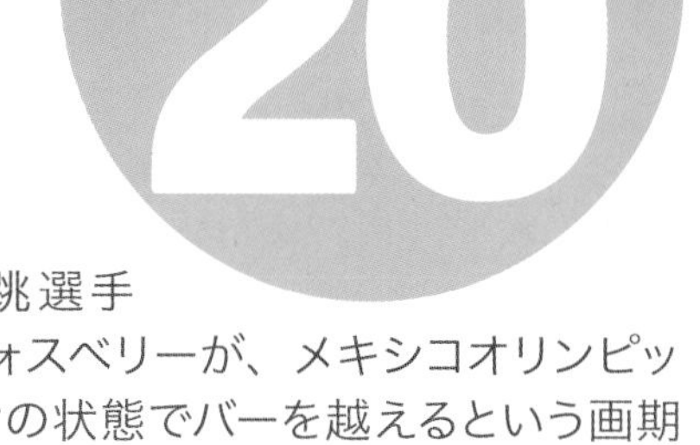

1968 背面跳び

米国の走高跳選手
ディック・フォスベリーが、メキシコオリンピックで、仰向けの状態でバーを越えるという画期的な跳び方で金メダルを獲得。「背面跳び」は走高跳という競技を一変させた。

他にもこんな出来事が

1818 米・英が、カナダ（英国支配下）と米国との国境を定める条約に調印。

2017 予算1億ドル以上のアニメ映画としては初めて声優が全員ラテンアメリカ人という『リメンバー・ミー』が公開される。

2019 アラブ首長国連邦のマラワ島で考古学者が発見した8000年前の真珠の画像が公開された。

1879
白熱電球
米国の発明家トーマス・エジソンが、竹の炭素フィラメントを内蔵した電球の特許を出願した。この白熱電球は、実用的で値段も手の届く範囲であり、13 時間以上点灯可能だった。

1600
天下分け目の戦い
日本で、豊臣秀吉死後の政権争いに端を発した関ヶ原の戦いが行われ、徳川家康の東軍が石田三成らの西軍を破った。これにより徳川が権力を握り、やがて江戸幕府が成立して、以後 2 世紀半にわたって日本を支配する（慶長 5 年 9 月 15 日）。

この日が誕生日
1833 アルフレッド・ノーベル スウェーデンの化学者。ダイナマイトの発明者。遺言で、自分の遺産を基に、人類に貢献した者に贈るノーベル賞を創設するよう指示した。

1854
偉大な看護師
英国の看護師フローレンス・ナイチンゲールが、仲間の看護師らとともにコンスタンティノープル（現在のトルコ・イスタンブール）に向けて出発。クリミア戦争の負傷兵を治療する病棟に新しい衛生基準や看護方法を導入する。

1959
新しい美術館
米国のニューヨークで、ソロモン・R・グッゲンハイム美術館が開館。それまでの画廊とはまったく異なるモダンなデザインの建物で話題になった。

他にもこんな出来事が
1520 ポルトガルの探検家フェルディナンド・マゼランの船団が、チリ南部の大西洋と太平洋を結ぶ狭い水路（後のマゼラン海峡）の航行を開始。

1805 スペイン沖で行われたトラファルガー海戦で、英艦隊がフランス・スペイン艦隊を破った。

10月 22

他にもこんな出来事が

1884 英国グリニッジの王立天文台の子午環の位置が本初子午線(経度 0°)と定められた。世界の経度と時間の基準となる、目には見えない線である。

1964 ノーベル文学賞受賞者としてフランスの哲学者ジャン=ポール・サルトルの名前が発表されるが、サルトルは受賞を辞退。サルトルは公的な賞をすべて辞退している。

ジャスティン・ファシャヌ 1990

世界のプロサッカー選手で初めて、英国のジャスティン・ファシャヌがゲイであることを現役中にカミングアウト。彼はまた100万ポンドの移籍金を手にした最初の英国黒人選手でもあり、パイオニアとして記憶されている。

1850 オリンピックのさきがけ

近代オリンピックにインスピレーションを与えた「マッチ・ウェンロック・オリンピアン・ゲームズ」がイングランドのシュロップシャー州で開催され、地元のアスリートたちが前輪の大きな自転車のレースや目隠しで手押し車を押す競技などで競い合った。

この日が誕生日

1913 ロバート・キャパ ハンガリー系米国人の戦場カメラマン。第2次世界大戦などの戦争を命がけで報道した。

1952 ジェフ・ゴールドブラム 米国の俳優。『ジュラシック・パーク』『インデペンデンス・デイ』などのハリウッド大作映画に多数出演。

パラシュート 1797

フランスの気球乗り、アンドレ=ジャック・ガルネランが、史上初のパラシュート降下に成功。彼は熱気球で高度1000mまで上昇した後、気球を切り離し、パラシュートでフランス・パリのモンソー公園に向かって降下。着地の際は衝撃があったが、無事に降り立った。

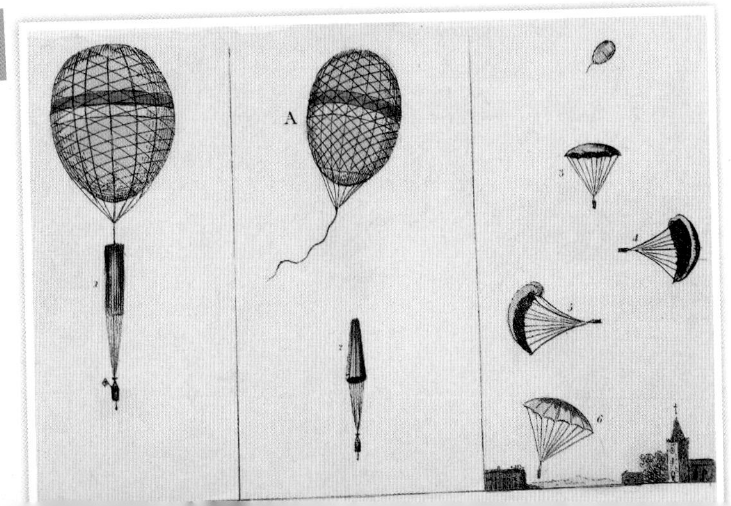

10月
23

高速走行
1970

米国のドライバー、ゲイリー・ゲイブリックが、ユタ州ボンネヴィル・ソルトフラッツで、ロケットエンジン搭載の特注車「ブルーフレーム」で時速1001.667kmの陸上走行速度記録（当時）を樹立。

レイテ沖海戦
1944

フィリピン諸島近海で、日本軍と米軍の艦隊により、第2次世界大戦中最大の海戦が始まった。4日間の戦闘で日本海軍の連合艦隊は壊滅的な損害をこうむり、米軍は太平洋で圧倒的優位に立った。

他にもこんな出来事が

1958 ベルギーの漫画家ペヨの漫画シリーズ『ジョアンとピルルイ』に、架空の小さな青い妖精の種族「スマーフ」が初登場。スマーフは後にアニメ化され人気になる。

1991 フランスで「パリ平和協定」が調印され、10年以上続いたカンボジア・ベトナム戦争が終結。

この日が誕生日

1940 ペレ ブラジルのサッカー選手。本名エドソン・アランテス・ド・ナシメント。16歳でブラジル代表入りし、史上最高のサッカー選手として「キング・ペレ」と呼ばれる。

最長の海上橋
2018

9年にわたる工事を経て、中国の香港（ホンコン）・珠海（しゅかい）・マカオを結ぶ港珠澳大橋（こうじゅおうだいきょう）が完成し、開通式で習近平（しゅうきんぺい）国家主席が正式開通を宣言した。全長55kmの世界最長の海上橋で、一部は海底トンネルになっている。

1929

暗黒の木曜日

米国ニューヨークの株式市場が大暴落。米国経済は深刻な打撃を受け、大きな混乱が起きた。この暴落は、1930年代まで続く世界的な経済恐慌の引き金を引いたとされる。

2014

落下の新記録

米国のエンジニア、アラン・ユースタスが、ガス気球で高度41kmの成層圏へ上昇してからスカイダイビングで降下し、着地直前にパラシュートを開いて無事に帰還。15分間のダイブで、最高地点からの最長自由落下距離の新記録を樹立した。

この日が誕生日

1632 アントニ・ファン・レーウェンフック オランダの科学者。微生物学の父として知られ、高倍率の顕微鏡を作って微生物を詳しく研究した。

1986 ドレイク カナダの俳優・ラッパー・歌手。ティーン向けのテレビ番組で知名度を上げた後、音楽の世界へ。ヒップホップ界のスターとして、世界で1億7000万枚以上を売り上げている。

他にもこんな出来事が

1945 国際平和の維持、人権の尊重、進歩と繁栄の推進のために50ヵ国が署名した国連憲章に基づき、国際連合（UN）が正式に設立された。

1975 アイスランドで、職場の男女不平等に抗議するため、ほとんどの女性がストライキを行った。これをきっかけに、男女の同一賃金を保障する新しい法律が制定されることになる。

1901

命がけの落下

米国の学校教師アニー・エドソン・テイラーが、63歳の誕生日のこの日、樽に入ってカナダのナイアガラの滝の上から51m落下した。彼女は軽い切り傷と打撲だけで脱出し、この試みから生還した最初の人物となった。

10月

25

1917

十月革命

第1次世界大戦中のロシアで、ウラジーミル・レーニン（右の絵で指差している人物）が率いるボリシェヴィキの主導で武装蜂起が始まり、主要な官庁や交通網を掌握した。新政権は社会主義化を進め、反対勢力との間での内戦状態が数年間続くことになる。（日付は露暦＝ユリウス暦による。）

2001

巨大ワニ

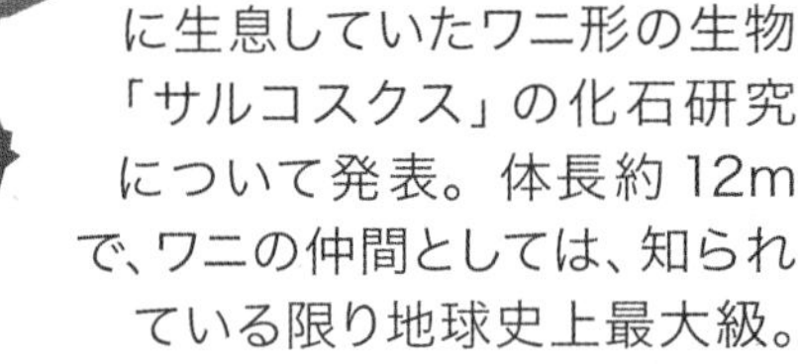

米国のシカゴ大学の研究者チームが、1億1000万年前に生息していたワニ形の生物「サルコスクス」の化石研究について発表。体長約12mで、ワニの仲間としては、知られている限り地球史上最大級。

この日が誕生日

1881 パブロ・ピカソ スペインの画家・彫刻家。ジョルジュ・ブラックとともに、幾何学的な形やデザインで表現する抽象芸術「キュビスム」を創始した。

1984 ケイティ・ペリー 米国の歌手。世界的な人気を誇り、シングル売り上げは1億2500万枚以上。

他にもこんな出来事が

1415 百年戦争中のアジャンクールの戦いで、数の上では劣勢なイングランド軍がフランス軍を破る。

2000 ケニアのトゥゲン丘陵で、600万年前の猿人「オロリン・トゥゲネンシス」の化石が発見された。

2001 米国のコンピューターソフト企業マイクロソフトが、「Windows（ウィンドウズ） XP」を発売。

1975

バイクでジャンプ

米国のスタントマン、イーヴル・クニーヴルが、オハイオ州でハーレー・ダビッドソンのバイクに乗り、14台のバスの上(40m)を跳び越えた。彼のスタント歴で最長距離の成功例。（146ページのロビー・クニーヴルは彼の息子。）

10月 26

他にもこんな出来事が

1881 米国アリゾナ州トゥームストーンで「OK牧場の決闘」が行われた。西部開拓時代の最も有名な銃撃戦のひとつ。

1917 第1次世界大戦で、ブラジルがドイツに宣戦布告。南米で唯一の参戦国となる。独軍の魚雷で自国船が攻撃されたことがきっかけ。

2020 NASAが、月面の太陽の光が当たる場所で水分子の存在を確認したと発表。

1863 最古のサッカー団体

英国ロンドンで、イングランドサッカー協会（FA）が設立された。地元の11のサッカークラブからチームの主将と代表者がパブに集まり、サッカーの統一ルールの作成と運用で合意した。

1985 ウルルを取り戻す

オーストラリア政府が、ウルルと呼ばれる神聖な赤い一枚岩の岩山の所有権を、先住民に返還した。これは、先住民の土地所有権運動が苦闘の末に手にした勝利だった。

2005 マリのミュージシャン

マリの盲目の音楽デュオ「アマドゥ&マリアム」がアフロブルースのアルバム『Dimanche à Bamako』を30万枚売り上げ、フランスのプラチナディスクを獲得。

この日が誕生日

1947 ヒラリー・クリントン 米国の政治家。夫のビル・クリントンの大統領在任中はファーストレディを務め、その後上院議員、国務長官を経て、2016年に米国初の女性大統領を目指して民主党の大統領候補となった(213ページ)。

10月

27

2019 歴史的な受賞

俳優のウェス・ステュディが、映画界におけるそれまでの功績を称えるアカデミー名誉賞を受賞。米国の先住民俳優として初めてオスカーを獲得した。

他にもこんな出来事が

1962 キューバ危機の際、キューバ近海に潜航中のソ連潜水艦で、艦長が米軍艦への核魚雷発射を主張。副艦長ヴァシリー・アルヒーポフはこれを拒否し、艦長を説得して浮上し、モスクワの指示を仰いだ。彼のこの行動で、ソ連と米国の核戦争がぎりぎりで回避されたと言われる。

2010 ミャンマー北部で発見された新種の猿「ミャンマーシシバナザル」について詳しく記述した論文が発表された。

水上スキー 1925

米国の映画製作者フレッド・ウォーラーが、水上スキーの特許を取得。彼はこのスリリングなニュースポーツを宣伝した。

この日が誕生日

1858 セオドア・ルーズヴェルト 第26代米国大統領。大統領を２期務め、日露戦争の停戦を仲介した功績でノーベル平和賞を受賞。

1917 オリヴァー・タンボ 南アフリカ共和国の反アパルトヘイト活動家。ネルソン・マンデラとともに南アの黒人として初めて法律事務所を開設。アフリカ民族会議議長を24年間務めた。

2014 ポップの名盤

米国音楽界のスター、テイラー・スウィフトが、自身の人生と愛を記録した画期的なポップ・アルバム『1989』をリリース。グラミー賞のアルバム・オブ・ザ・イヤーを獲得し、全世界で1000万枚以上を売り上げている。

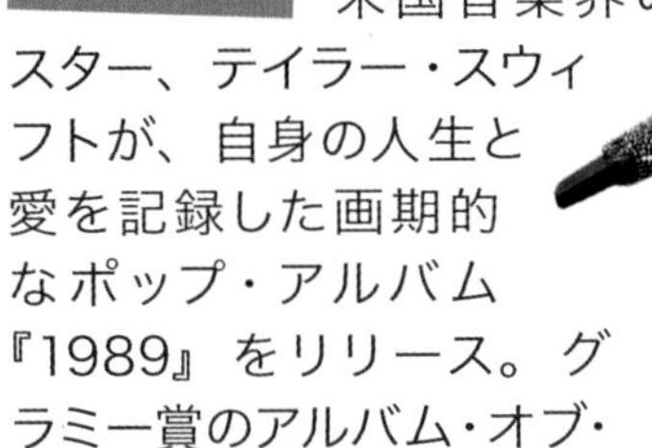

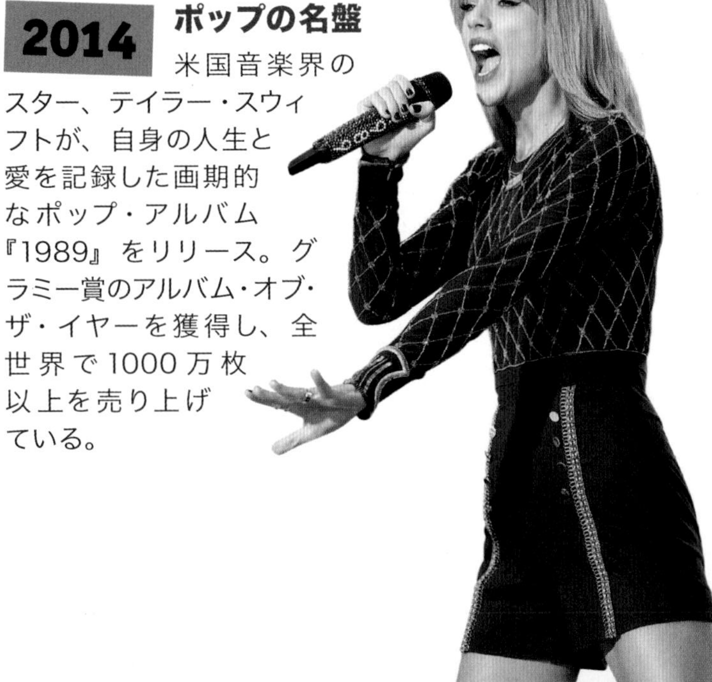

ガリヴァー旅行記

1726

アイルランドの作家ジョナサン・スウィフトの風刺冒険小説『ガリヴァー旅行記』が出版された。レミュエル・ガリヴァーの架空の旅を描いたもので、小人が住むリリパット国や巨人の国ブロブディンナグなどでの出来事が綴られている。

この日が誕生日

1955 ビル・ゲイツ 米国のIT企業家。世界的なソフトウェア企業マイクロソフトを設立し（100ページ参照）、世界でも屈指の富豪となる。前妻のメリンダ・ゲイツとともに慈善財団を運営している。

新たな首都

1420

中国・明朝の永楽帝が、北京を新しい首都にするとの勅令を発した（永楽18年9月22日）。北京の中心には、皇族の宮殿「紫禁城」が作られた。実際の遷都は、翌年の2月2日（永楽19年正月）に行われた。

1793

綿繰り機

米国の発明家イーライ・ホイットニーが、綿花の繊維と種を素早く簡単に分離する「綿繰り機」の特許を申請した。この装置は、米国（特に南部）での綿花の生産量を飛躍的に増大させた。

他にもこんな出来事が

1886 ニューヨーク港で、フランスから米国に贈られた自由の女神像の除幕式が行われ、グローヴァー・クリーブランド米国大統領らが列席した。

1982 中国で行われた史上最大規模の国勢調査の結果の第一報が発表され、中国の人口が10億人を超え、当時の世界人口のほぼ4分の1を占めることが判明した。

10月 29

1923

新しいダンス

米国ニューヨークのブロードウェイで初演されたショー『ランニン・ワイルド』で、新奇なステップを含む新しいダンス「チャールストン」が披露された。このダンスは全米で大人気となる。

紀元前 539 広大な帝国

アケメネス朝ペルシャを築いたキュロス2世が新バビロニアを征服し、バビロン（現在のイラクのバグダッド近郊）に入城した。彼の帝国の領土は、最終的に550万平方キロメートル以上にまで広がることになる。

他にもこんな出来事が

1847 英国の数学者ジョージ・ブールが、0と1を使って計算する新しいシステムを発表した。これは現在もコンピューター・プログラムで使われている。

2013 ボスポラス海峡の下に、世界初の2大陸を結ぶ鉄道用海底トンネルが開通。ヨーロッパとアジアを地下鉄で行き来できるようになった。

この日が誕生日

1971 馬化騰（ばかとう） 中国の起業家。英語名ポニー・マー。インスタントメッセンジャー「WeChat（微信）」（ウィーチャット）などを提供するテクノロジー企業「テンセント」の創業者兼CEO。

1904 体操のチャンピオン

ドイツ系米国人で障害を持つ体操選手のジョージ・アイザーが、1904年に米国ミズーリ州で開かれたオリンピックで、1日に6個のメダル（うち3個は金）を獲得した。彼は青少年期に列車に轢かれて左脚を失っており、木製の義足で競技に参加していた。

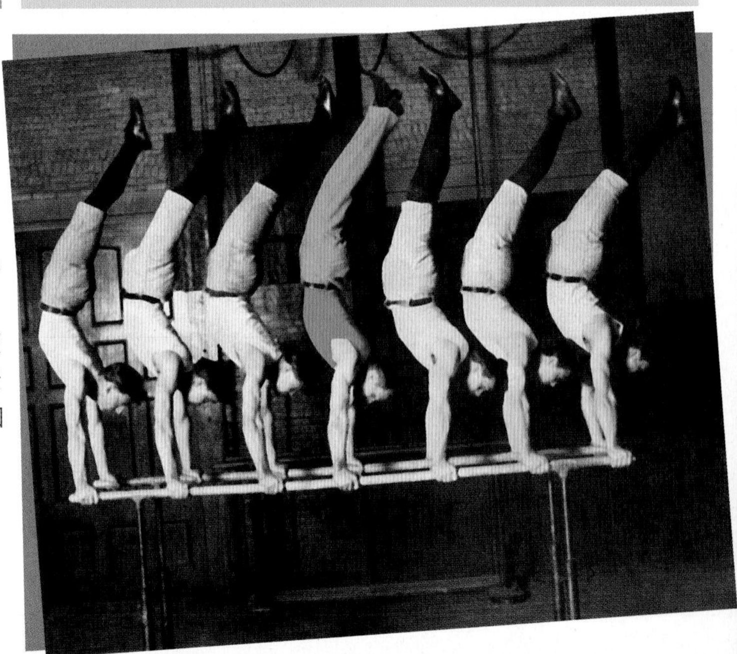

1938 火星人襲来？

英国の作家H・G・ウェルズのSF小説『宇宙戦争』が米国でラジオ番組として放送された。これを聴いて宇宙人襲来を信じた人々がパニックになったという伝説は、現在は否定されている。

他にもこんな出来事が

1961 ソ連が、北極海のノヴァヤゼムリャの上空で、史上最大の核爆弾（水爆）「ツァーリ・ボンバ」の爆発実験を行った。実験での出力は本来の半分の50メガトンに抑えられたが、それでも広島型原爆の3300倍の威力だった。

1991 スペインのマドリードで中東和平会議が始まった。イスラエル、パレスチナ、アラブ諸国の代表が米国、ソ連の代表と、3日間にわたり和平の実現に向けた協議を行った。

この日が誕生日

1960 ディエゴ・マラドーナ アルゼンチンのサッカー選手。FIFAの20世紀最優秀選手にペレと並んで選出された。並外れたテクニックと創造性で歴史にその名を残した偉大な選手。

2013 念願の光

ノルウェーのリューカンという町で、住民たちが初めて冬に太陽の光を目にして祝った。谷底にあるリューカンは1年の半分は日が差さないため、山頂に巨大な鏡を設置して、町の中心に太陽光を反射させたのだった。

10月

31

1517

宗教改革

ドイツの司祭マルティン・ルターが、カトリック教会の贖宥状販売に疑問を呈する書状「95ヵ条の論題」を書いた。この行為がやがて宗教改革へと発展していく。なお、彼が「95ヵ条の論題」を教会の扉に釘で打ち付けたとする説（左の絵）には疑問が呈されている。

2000

ヒューマノイドロボット

日本の本田技研が開発した身長120cmの人型ロボット「ASIMO」が、研究所内で二足歩行に成功。翌月、世界に発表された。階段の昇降、顔認識、質問への回答などができた。

この日が誕生日

1875 ヴァッラブバーイー・パテール インドの政治家。インド独立運動で大きな役割を果たし、独立後のインドで最初の副首相を務めた。

1961 ピーター・ジャクソン ニュージーランド出身の映画監督。『ロード・オブ・ザ・リング』などの大ヒット映画シリーズを監督。

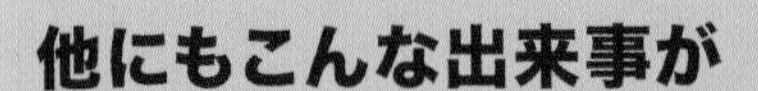

他にもこんな出来事が

1950 「ユニセフのためのトリック・オア・トリート」が初めて行われ、ハロウィーンの仮装をした米国の5人の子供が近所の家を回って寄付を集めた。

2002 マダガスカルのサッカーチーム、スタド・オランピック・ド・レミルヌが、以前の試合で審判が下した不公平な判定に抗議するため、149のオウンゴールを決めて故意に試合に負けた。

2011 地球人口が70億人を突破。

2018

気候変動活動家

英国ロンドンで、「エクスティンクション・レベリオン」運動の発足に1000人が集まった。地球温暖化、生物多様性の喪失、生態系破壊に対抗するために科学者や活動家が結成した国際的なグループで、平和的な抗議を行っている。

息をのむ天井画

1512

イタリアのローマにあるシスティーナ礼拝堂の天井画が正式に公開された。イタリアの画家ミケランジェロが4年の歳月をかけ、460平方メートルの天井一面に旧約聖書のさまざまな場面をフレスコ技法で描いた。

この日が誕生日

1990 シモーン・イェッツ スウェーデンの発明家。"役に立たない発明品"を作ってYouTube(ユーチューブ)で発表している。彼女の名は「シモーネ・ヤッチュ」が最も原音に近い。

2014

509人の骸骨女

メキシコで毎年開催される「死者の日」の祭りで、祭りのシンボルである骸骨の女性「ラ・カトリナ」に扮した女性509人がメキシコシティに集まって、世界一の「ラ・カトリナ」集団というギネス記録を作った。

他にもこんな出来事が

1478 カスティーリャ=アラゴン同君連合の君主フェルナンド2世とイサベル1世が、反対する教皇を説き伏せて、スペイン異端審問所を設立した。当初は、カトリックに改宗したユダヤ人や元イスラム信徒が標的とされた。

1755 ポルトガル沖を震源とする大地震で津波と火災が発生、ポルトガルの首都リスボンが壊滅し、莫大な数の犠牲者が出た。

1994 第1回「世界ヴィーガンの日」が祝われた。完全菜食主義への関心を高めるために制定された。

1938

フリーダ・カーロ展

メキシコの画家フリーダ・カーロの初の個展が米国ニューヨークのジュリアン・レヴィ・ギャラリーで開幕。美術評論家たちに絶賛された。

11月

2

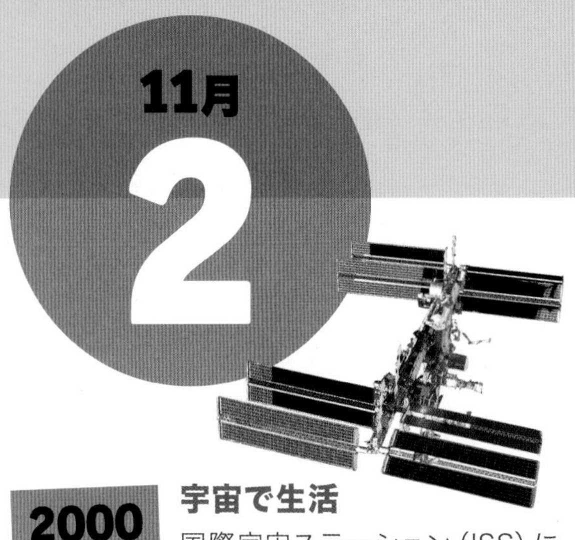

2000 宇宙で生活

国際宇宙ステーション（ISS）に、4ヵ月間の長期滞在をする最初の宇宙飛行士3人（ロシア人2名、米国人1名）がソユーズ宇宙船で到着。彼らは、照明をつけ、管制室との通信を開始し、くつろいだ様子でISSでの作業を開始した。

この日が誕生日

1966 デヴィッド・シュワイマー 米国の俳優。TVドラマ『フレンズ』で有名になり、その後、映画『マダガスカル』シリーズではキリンのメルマンの声を担当。

他にもこんな出来事が

1936 英国放送協会（BBC）が、世界で初めて解像度の良好なテレビの定期放送をロンドンで開始。

1988 「モリスワーム」と名付けられた初期のマルウェアがインターネット上に放たれ、政府機関や大学を含む多数のコンピュータシステムを停止させた。ワームを作成した米国の学生ロバート・モリスは後に刑事告訴され、有罪に。

2017 日本人を含む科学者チームが、エジプトのギザの大ピラミッド内部にこれまで知られていなかった隠し部屋を発見したと発表。

1789 延滞料

米国大統領ジョージ・ワシントンがニューヨーク・ソサエティー図書館から借りた2冊の本の貸出期限がこの日だったが、返却されないまま時が流れた。2010年時点の延滞料の合計はなんと30万ドル！

2012 しゃべるゾウ

韓国・龍仁（ヨンイン）市のエバーランド動物園のゾウ「コシク」が人間の言葉を真似ることができるというニュースが、世界各国で報道された。鼻を口にくわえて息を吐きだして振動させることで、韓国語の「はい」「いいえ」「良い」「横たわる」「足」「座る」を再現できるという。

11月 3

1975

トップに立つ

米国のテニス選手クリス・エヴァートが、初めて女子テニス協会（WTA）のランキング1位に。彼女はそれから25週間、1位の座を守った。

カリブ海の英雄たち

1915

第1次世界大戦のさなか、英国西インド諸島連隊（BWIR）が支援連隊として創設された。カリブ海の英国植民地から集まった志願兵が所属し、ヨーロッパ、アフリカ、中東での戦闘に参加した。

他にもこんな出来事が

1838 英字新聞としては世界最大の発行部数を誇るインドの日刊紙『ザ・タイムズ・オブ・インディア』が創刊された。

1954 日本で怪獣映画『ゴジラ』が封切られた。興行的に大成功を収め、その後シリーズ化されて、ハリウッドにも進出する。

1973 NASAの探査機「マリナー10号」が打ち上げられた。水星に到達した最初の探査機となる。

この日が誕生日

1900 アドルフ・ダスラー ドイツの靴職人から出発し、スポーツ用品会社アディダスを設立。世界的企業へと成長させた。

1949 アナ・ウィンター 英国生まれのファッション誌編集者。米国で『ヴォーグ』誌の編集長を務め、ファッションアイコンとしても影響を与えている。

1911

シボレー創業

米国の自動車メーカー、シボレーが設立された。1912年に最初の製品「シボレー・シリーズC・クラシックシックス」を発売し、T型フォードに挑戦する。

1879
レジスター

米国の発明家ジェームズ・ジェイコブ・リッティが、最初のレジスター（金銭登録機）の特許を取得。見た目は時計のようで、針が金額を示した。

この日が誕生日

1993 エリーザベト・ザイツ ドイツの女子体操選手。2018年の体操世界選手権で銅メダルを獲得。彼女のトリッキーなひねり技はザイツと命名された。

最古のオペラハウス
1737

イタリアのナポリで、ナポリ王カルロ7世が建築資金を提供したサン・カルロ劇場が開場した。現在も使われているオペラハウスとしては最も古い。

1961
チンパンジーの知恵

英国の霊長類学者ジェーン・グドールが、チンパンジーが人間と同様に道具を使い、さらには作りさえすることを発見。彼女は、あるチンパンジーが草の茎から葉を取り去り、それを使って塚からシロアリを釣り出す様子を観察して、このことに気付いた。

他にもこんな出来事が

1847 スコットランドの医師ジェームズ・ヤング・シンプソンが、手術の際の麻酔薬としてクロロホルムを利用できることを発見。

1952 ソ連のカムチャツカ半島沖でマグニチュード9.0の大地震が発生し、津波が5000km以上離れた米国のハワイ諸島まで到達した。

2001 映画『ハリー・ポッター』シリーズの第1作『ハリー・ポッターと賢者の石』が、英国ロンドンで封切り。

1605 ボンファイア・ナイト（焚火の夜）

ロンドンの貴族院の議場地下で火薬を爆発させて英国王ジェームズ１世を殺害しようとした「火薬陰謀事件」が、実行当日に発覚。政府は陰謀の失敗を記念し、毎年この日をかがり火や花火で祝うことにした。別名「ガイ・フォークス・ナイト」。

この日が誕生日

1984 エリウド・キプチョゲ ケニアの陸上長距離選手。2018 年のベルリンマラソンで２時間１分 39 秒の世界最高記録を樹立した（291 ページも参照）。

1988 ヴィラット・コーリ インドのクリケット選手。代表チームのキャプテンを務める名選手。

最長の在任期間 1940

米大統領選で、３期目を目指したフランクリン・D・ルーズヴェルトが当選。３期目を務めた大統領は初めて。最終的に４期目の途中で死去するまで 12 年余り在任した。その後憲法改正が行われ、大統領の任期は最長で２期８年までとなった。

他にもこんな出来事が

1811 スペインからの独立を目指すエルサルバドルで反乱が始まった。伝説によれば、サンサルバドルのカトリック司祭ホセ・マティアス・デルガドがラ・メルセー教会の鐘を鳴らして、反乱の開始を告げたという。

2013 インドが火星探査機を打ち上げ。探査機（愛称「マンガルヤーン」）は約１年後に火星周回軌道に入る（273 ページ）。

2019 科学誌『BioScience（バイオサイエンス）』に、地球温暖化が地上に非常事態を起こしていると警告する論文が掲載された。これには１万 1000 人以上の科学者が署名している。

脚本家のストライキ 2007

全米脚本家組合と映画テレビ製作者協会の間で、脚本の２次使用料の改善について合意が成立しなかったため、約１万 2000 人の脚本家がストライキを決行。映画スタジオの外などで抗議を行った。

1991

ようやく鎮火

およそ10ヵ月にわたり約700基の油井が燃え続けたクウェートで、最後の油井が鎮火。湾岸戦争末期にイラク軍によって火をつけられて燃えていた。

1869

アメフトの初試合

アメリカンフットボールという新スポーツの最初の試合が、ニュージャージー州のプリンストン大学とラトガース大学の間で行われた。当初はサッカーとラグビーを組み合わせたものだったが、独自の発展を遂げ、米国で最も人気のあるスポーツになる。

この日が誕生日

1814 アドルフ・サックス ベルギーの楽器製作者。サクソフォンを発明し（86ページ）、ジャズ音楽を大きく変化させた。

1988 エマ・ストーン 米国の俳優。ハリウッド映画『アメイジング・スパイダーマン』のグウェン・ステイシーなど様々な役を演じている。

1913

異郷での逮捕

インド人弁護士モハンダス・カラムチャンド・ガンディー（後のマハトマ・ガンディー）が、南アフリカでインド人鉱夫とその家族数千人の行進を先導して逮捕された。彼らはインド人への不公平な課税に平和的に抗議していた。結果的に、課税は廃止された。

他にもこんな出来事が

1975 モロッコで、政府の主導により、35万人が参加するデモ「緑の行進」が始まった。デモ隊はモロッコから国境を越えてスペイン植民地の西サハラに入り、その地の領有権を主張した。

1998 『サイエンス』誌で、米国の生物学者ジェームズ・トムソンがヒトの胚から複数の幹細胞を取り出したことが発表された。幹細胞は体内のどんな種類の細胞にも成長することができ、多くの疾患の治療に役立つ可能性がある。

11月
7

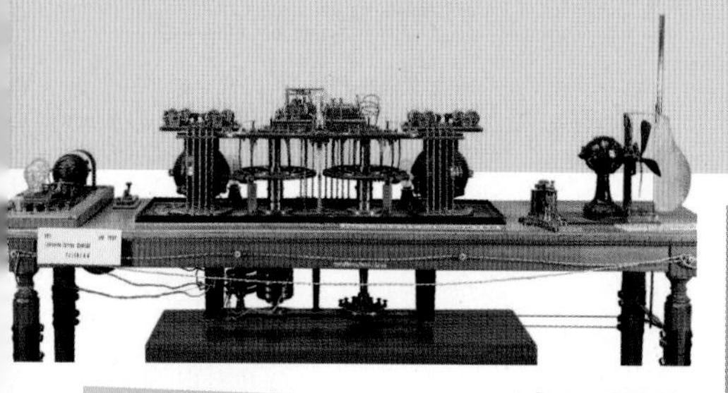

1905 遠隔操作

スペインのビルバオで、発明家レオナルド・トーレス・イ・ケベードが、「テレキネ」という装置を大規模に実演。離れた場所のものを無線で操作するリモートコントロール装置の最初期の例だった。

1492 エンシスハイム隕石

アルザス地方（現フランス領）のエンシスハイム村付近に127kgの隕石が落下。地球に衝突した日付が記録されている欧州最古の隕石。〔世界最古は日本の直方隕石で、861年5月19日（貞観3年4月7日）落下とされる〕。

他にもこんな出来事が

1885 カナダ太平洋鉄道の最後の犬釘が打ち込まれ、新しい大陸横断鉄道路線が完成した。

1907 メキシコの鉄道員ヘスス・ガルシアが、ダイナマイトを積んだ列車の火災に気づき、爆発する前に列車を全速で町から移動させて、自らの命と引き換えに多くの人を救った。

2019 探査機「ボイジャー」のデータから、太陽圏のプラズマとその外の恒星間空間のプラズマが接する場所について新たな知見が得られ、その内容が発表された。

1861 メルボルン・カップ

オーストラリアのメルボルンにあるフレミントン競馬場で、第1回メルボルン・カップが開催され、4000人が観戦した。現在は、毎年11月の第1火曜に行われている。

この日が誕生日

1867 マリア・スクウォドフスカ=キュリー フランスで研究活動をしたポーランド人物理学者。新元素の発見と放射線の研究という先駆的な業績でノーベル賞を2度受賞。

1895 X線写真第1号

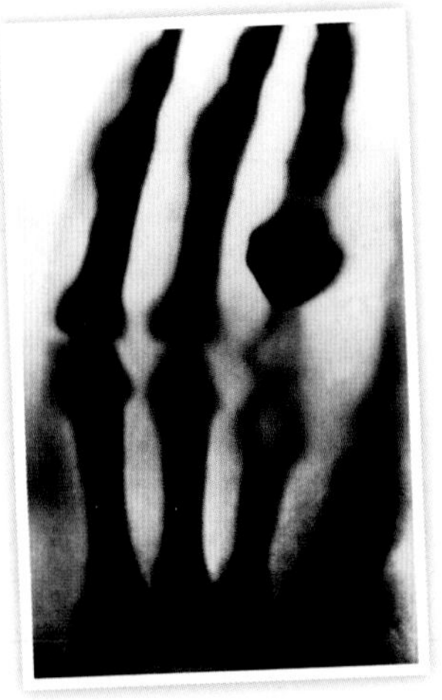

ドイツの物理学者ヴィルヘルム・レントゲンが、電磁波を利用するX線装置を初めて使用し、妻ベルタの手を撮影した。この発明によって、医師が人体の内部を見ることが可能になった。

この日が誕生日

1656 エドモンド・ハレー 英国の天文学者。彗星の研究を行い、ある彗星が太陽の周りの楕円軌道を約76年周期で回っていることを突き止めた。この彗星は彼にちなんで「ハレー彗星」呼ばれている。

2020 キリンの保護

ケニアに生息する珍しい白いキリンの角に、所在地を確認するGPS装置が取り付けられた。このキリンは家族を密猟者に殺されている。

他にもこんな出来事が

1519 スペインの軍人エルナン・コルテスがアステカの都テノチティトラン（現在のメキシコシティ）に到着し、皇帝モクテスマ2世の出迎えを受ける。

1644 中国・清朝で順治帝が即位。清の中国支配の基礎を築き、続く康熙帝・雍正帝・乾隆帝の黄金時代を導いた。

1939 ドイツで、家具職人ゲオルク・エルザーが、独裁者アドルフ・ヒトラーを暗殺しようと演説場所に時限爆弾を仕掛けたが、ヒトラーが予定より早く演説を終わらせたため失敗に終わった。

2016 トランプの勝利

米国大統領選挙で共和党のドナルド・J・トランプが民主党のヒラリー・クリントンを破り、次期大統領に選出された。彼は4年間、大統領を務めた。

11月 9

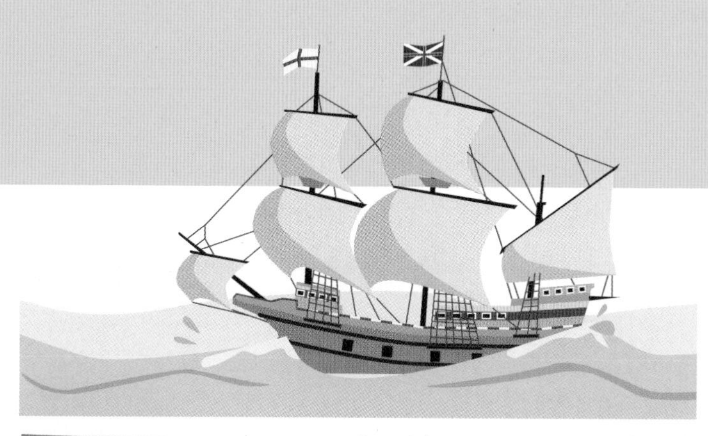

1620 ピルグリム・ファーザーズ

より良い生活と信仰の自由を求めて英国からメイフラワー号で北米大陸に渡ってきた清教徒 102 人が、今のマサチューセッツ州ケープコッドに上陸。彼らは後に「ピルグリム・ファーザーズ」と呼ばれるようになる。

（255 ページ参照）

この日が誕生日

1984 デルタ・グッドレム オーストラリアの歌手・女優。ファーストアルバム『イノセント・アイズ』はオーストラリア史上屈指の売り上げを記録。

ベルリンの壁崩壊 1989

東欧民主化が進む中、国民が続々と西側へ出国しはじめた東ドイツで、「旅行許可の規制緩和」に関する新しい政令が手違いにより即時施行と発表され、東ベルリンの群衆がベルリンの壁のゲートに押し寄せた。結果的にゲートは開放され、東西の自由な往来が可能になり、「壁」は崩壊する。

他にもこんな出来事が

1938 ドイツ全土で、ナチスがユダヤ人の学校、会社、シナゴーグなどを襲撃し、3 万人のユダヤ人を逮捕した。散乱したガラスの破片が水晶のように見えたため「水晶の夜（クリスタルナハト）」と呼ばれる。

2016 ドイツ・ミュンヘンのエレクトロニクスフェアで、ルービックキューブを解くロボット「Sub1（サブワン） Reloaded（リローデッド）」が、世界最速の 0.637 秒で 6 面を揃えた。

2020 真空のチューブ内を車両が高速移動するシステム「ヴァージン・ハイパーループ」が、米国ネバダ州で初めて人を乗せて試験走行。

ニシクロサイ絶滅

国際自然保護連盟（IUCN）が、アフリカのニシクロサイ（*Diceros bicornis longipes*）（ディケロス ビコルニス ロンギペス）が絶滅したと発表。密猟が原因。アフリカには他にも絶滅が危惧されるサイがいる。

青いダイヤ

米国のダイヤモンド商ハリー・ウィンストンが、「ホープ・ダイヤモンド」をワシントン DC のスミソニアン博物館に寄贈した。17 世紀にインドの鉱山で発見されたこのブルーダイヤは、世界で最も有名な宝石のひとつである。

1483 マルティン・ルター ドイツの聖職者。カトリック教会の腐敗に抗議したことで、プロテスタント宗教改革のきっかけを作った（310 ページも参照）。

1960 ニール・ゲイマン 英国の作家。コミックシリーズ『サンドマン』や小説『スターダスト』などの人気作を多数発表している。

他にもこんな出来事が

1903 米国の発明家メアリー・アンダーソンが、自動車のワイパーの特許を取得。

1969 米国のテレビで、子供向け教育番組『セサミストリート』の放映が始まった。番組は今も続き、150 以上の国・地域で親しまれている。

2005 大型望遠鏡

南アフリカ共和国のサザーランド近郊で、南アフリカ大型望遠鏡（SALT）（ソルト）が稼働を開始した。口径 10m の可視光赤外線望遠鏡。南半球最大の光学赤外線望遠鏡で、標高 1500m 以上の人里離れた場所にあるため光害がなく、世界中の天文学者を惹きつけている。

1942

エル・アラメインの戦い

第２次世界大戦中、エジプトのエル・アラメインの戦いが連合国軍の勝利で終結。それまで連勝を重ねてきたドイツのアフリカ軍団にとっては初めての大敗であり、アフリカ戦線の一大転換点となった。

1918

戦争終結

第１次世界大戦で、ドイツが連合国軍と休戦協定を結び、大戦が終結した。英連邦諸国では毎年この日を「休戦記念日」としており、人々はポピーを身につけて戦没者を追悼する。米国では「退役軍人の日」という祝日になっている。

他にもこんな出来事が

2017　フランスとアラブ首長国連邦（UAE）の初の提携により、UAEのアブダビにルーヴル美術館の姉妹館「ルーヴル・アブダビ」がオープン。たちまちアラブ世界で最も来訪者の多い美術館となった。

この日が誕生日

1914　デイジー・ベイツ　米国の黒人市民権運動家・新聞社社主。自身の新聞『アーカンソー・ステート・プレス』で人種差別反対運動を展開した。

1974　レオナルド・ディカプリオ　米国の俳優・環境活動家。『タイタニック』『アビエイター』『インセプション』など多くの人気映画に出演している。

1926

ルート66

米国で、シカゴとロサンゼルスを結ぶ全長 3940 km の幹線道路「国道 66 号線（ルート 66）」が完成した。1 年後に道路標識が設置され、大陸を横断して西部へ至るルートとして多くの映画、小説、音楽に取り上げられた。

11月

12

1859 空中ブランコ

フランスのホール「シルク・ナポレオン」で行われたサーカスで、ジュール・レオタールが初めて空中ブランコを披露。体にフィットする彼の衣装は、彼にちなんでレオタードと呼ばれるようになった。

この日が誕生日

1980 ライアン・ゴスリング カナダの俳優・ミュージシャン。映画『ラ・ラ・ランド』でゴールデングローブ賞主演男優賞を受賞。

他にもこんな出来事が

1956 南極大陸沖で、米海軍の船が、記録にある限り最大の氷山(ベルギーよりも大きい)を発見。

1970 東パキスタン(現在のバングラデシュ)とインドの西ベンガル地方を史上最大級のサイクロン「ボーラ」が襲った。死者は最大50万人ともされる。

1980 NASAの探査機「ボイジャー1号」が土星に最接近し、土星の輪の詳細な画像を撮影。

箱凧(はこだこ)での飛行 1894

オーストラリアのローレンス・ハーグレイヴが、空気より重い人工物も飛べることを証明した。彼は、自身の発明した4つの大きな箱凧を付けたシートに座り、ピアノ線で繋留して、地上5mに浮き上がった。

1966 宇宙で自撮り

米国の宇宙飛行士バズ・オルドリンが、ジェミニ12号のミッションで宇宙船の外に出て、初の宇宙での“自撮り”。この宇宙遊泳は、月面着陸への準備の一環だった。

11月
13

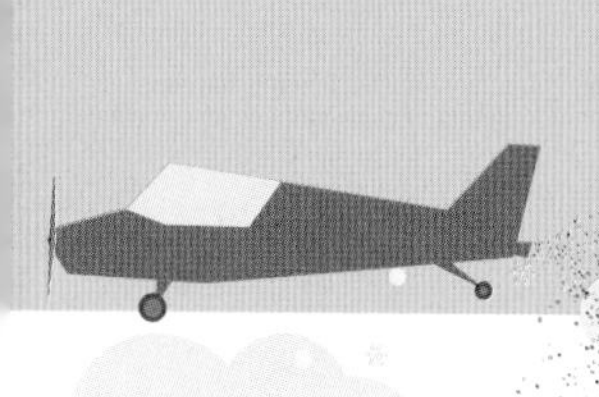

雪を降らせる

1946

米国のマサチューセッツ州で、飛行機から自然の雲に凝結核としてドライアイスの粒を投下して人工雪を降らせる最初の実験が行われた。だが、雪はスキー場に落ちる前に蒸発した。

この日が誕生日

1715 ドロテーア・クリスティアーネ・エルクスレーベン ドイツの医師。女性として世界で初めて医師免許を取得。

1955 ウーピー・ゴールドバーグ 米国の黒人女優。エミー賞、グラミー賞、オスカー、トニー賞を受賞。

ビッグ・ベンの試し撞き

1856

英国ロンドンのウェストミンスター宮殿横の新しい塔のために作られた巨大な鐘（通称ビッグ・ベン）が、試験的に最初の音を鳴らした。その大きな音を聞いて多くの人が集まってきた。

下水の中の彫像

2020

ギリシャのアテネの下水道で、紀元前300年頃に作られた古代ギリシャの神ヘルメスの胸像が発見された。像は、下水に浸かっていたにもかかわらず、良好な状態だった。

他にもこんな出来事が

1956 米国アラバマ州のバスでの人種差別が連邦最高裁により違法とされ、モンゴメリーのバス・ボイコット（345ページ）が終結。

1985 コロンビアでネバド・デル・ルイス火山が噴火。史上最悪の火山泥流で麓のアルメロの町が破壊され、2万5000人が死亡。

2010 ビルマの政治家アウン・サン・スー・チーが、7年に及んだ自宅軟禁を解かれた。

11月 14

1883

宝島

スコットランドの作家ロバート・ルイス・スティーヴンソンの冒険小説『宝島』が出版された。この本は、“宝探し”や“片足の海賊”を世に広めた。

他にもこんな出来事が

紀元前 1152 古代エジプトの労働者たちが、歴史上初めてストライキを行った。

1967 コロンビアで、独立運動の女性指導者ポリカルパ・サラバリエータを記念した「コロンビア女性の日」の第1回目が祝われた。

2018 過去200年間公開されていなかったフランス王妃マリー・アントワネットの装身具が、スイスのオークションで落札された。

この日が誕生日

1907 アストリッド・リンドグレーン スウェーデンの作家。代表作は『長くつ下のピッピ』など。

1998 ヴァネッサ・ハジェンズ 米国の女優。映画『ハイスクール・ミュージカル』シリーズで知られる。

1960

学校は万人のために

米国で、6歳の黒人少女ルビー・ブリッジスが白人ばかりの小学校に入学して、歴史の新しい扉を開いた。彼女は、ルイジアナ州で白人小学校に入学した最初の黒人児童になったのだ。

1889

事実は小説より速し

小説『80日間世界一周』に触発された米国のジャーナリスト、ネリー・ブライが、80日未満での世界一周を目指し、米国ニュージャージー州のホーボーケンを出発。彼女は72日間で目標を達成する（30ページ）。

1533

征服

スペインの征服者（コンキスタドール）が、今のペルーにあったインカ帝国の首都クスコに入城。司令官のフランシスコ・ピサロ（左）は1年前にカハマルカでインカ皇帝アタワルパを捕え、その後処刑して、インカ帝国領を征服していた。

この日が誕生日

1981 ロレーナ・オチョア メキシコのゴルファー。史上最高のメキシコ人ゴルファーといわれ、2007年から2010年まで158週間世界ランキング1位を保った。

1971

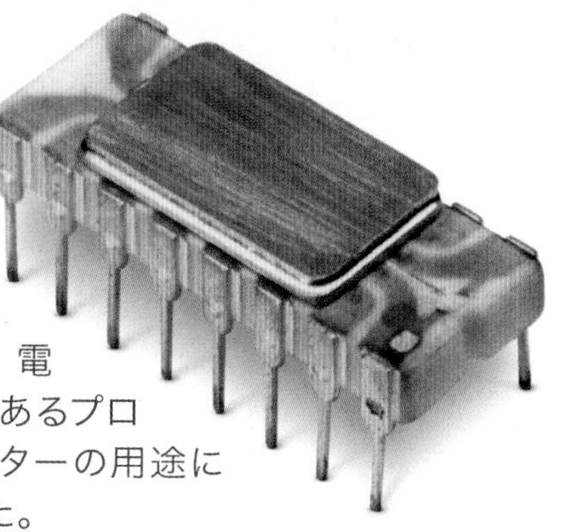

先駆的プロセッサ

世界初のマイクロプロセッサ「Intel（インテル） 4004」が米国で発売された。電子機器の中核的部品であるプロセッサは、コンピューターの用途に革命的変化をもたらした。

1887

乾電池

ドイツの発明家カール・ガスナーが、初の乾電池の米国での特許を取得（ドイツの特許は前年に取得）。現在のマンガン電池に似たしくみで、それまでの電池と違って化学薬品がこぼれず、商業的に成功した。

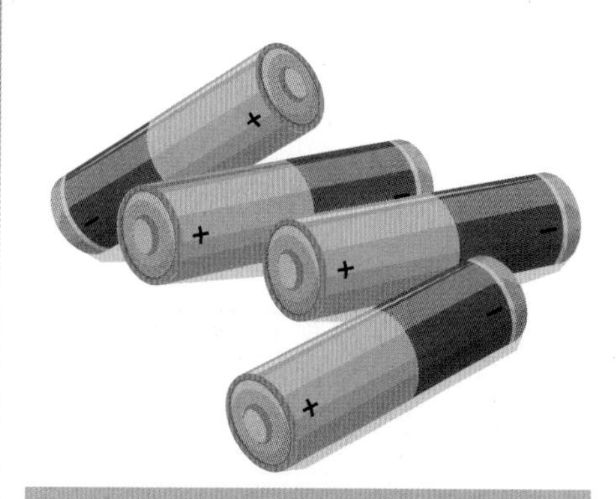

他にもこんな出来事が

2001 米国のマイクロソフト社がゲーム機「Xbox（エックスボックス）」を発売。翌年にはオンラインサービスを開始して、ゲームの世界に変革をもたらした。

2010 モロッコ初の高速鉄道「アル・ボラク」が開通。最高時速は320km。タンジェとカサブランカを結んでいる。

2019 パキスタンが世界で初めて腸チフスワクチンを定期接種計画の一部として導入。

11月 16

1807 中国の女海賊

清朝時代の中国で、海賊・鄭一が死亡。これ以降、妻で「鄭一嫂」（鄭一の妻）と呼ばれた石陽が海賊団の指揮を執った。8万人近い部下を従えて南シナ海を荒らし、世界で最も恐れられた女海賊となる。

この日が誕生日

1892 タツィオ・ヌヴォラーリ イタリアのレーシングドライバー。グランプリ 24 勝を含む 150 勝を達成。

1963 ミナクシ・セシャドリ インドの女優。ヒンディー語、タミル語、テルグ語の映画に多数出演。

プロテスタントの勝利 1632

三十年戦争中、プロテスタントのスウェーデン帝国とカトリックの神聖ローマ帝国の間でリュッツェンの戦いが行われた。プロテスタントが勝利したが、スウェーデン王グスタフ・アドルフは戦死した。

他にもこんな出来事が

1879 英国リヴァプールの商店に初めて「サンタの洞窟」が作られ、子供たちが順番にサンタに会った。

1928 オーストラリアの探検家ヒューバート・ウィルキンスと米国の飛行士カール・ベン・イールソンが南極大陸上空を初めて飛行。

1965 ソヴィエト連邦の宇宙探査機「ベネラ３号」が、金星に向けて打ち上げられた。

1974 宇宙への通信

天文学者たちが、プエルトリコのアレシボ電波望遠鏡を使って宇宙へメッセージを送った。アレシボ・メッセージが目的地である銀河系の端の球状星団 M13 に届くには、およそ２万 5000 年かかる。

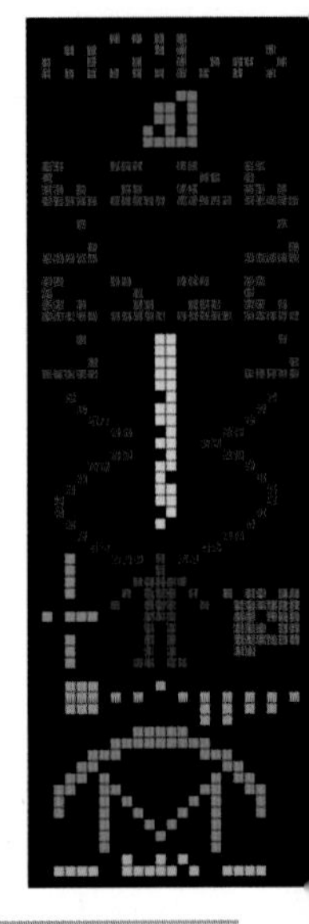

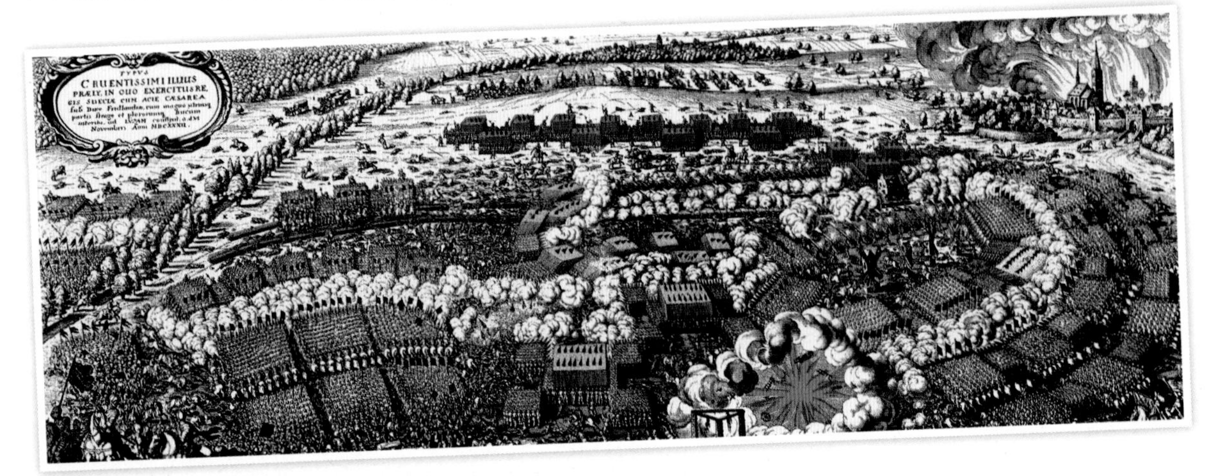

2020 クジラの発見

メキシコ沖の海中深くで、知られてはいてもなかなか出会えないある種のクジラを探していた調査チームが、「予期しなかった別の鳴き声を探知したことをきっかけに、アカボウクジラの新種を発見した」と報告。

この日が誕生日

1944 ダニー・デヴィート 米国の俳優・映画監督。映画『マチルダ』『バットマン リターンズ』などに出演。

1960 ルポール 米国の黒人ドラァグクイーン。世界的にヒットしたテレビ番組『ルポールのドラァグレース』で司会を務める。

1869 スエズ運河開通

地中海と紅海を結ぶ全長193kmのスエズ運河が正式に開通し、祝宴や花火で祝われた。この運河により、アフリカ南端を回らずにヨーロッパとアジアを船で行き来できるようになった。

1970

マウスの誕生

米国の発明家ダグラス・エンゲルバートが、コンピューター用マウスの特許を取得した。マウスを使うと、コンピューター画面の思い通りの位置にポインターを動かせた。

他にもこんな出来事が

1989 チェコスロヴァキアの首都プラハで、共産党政権に抗議する学生デモを当局が弾圧したことをきっかけに、民主化を求めるビロード革命が始まった。

2003 元ボディビルダーで俳優のアーノルド・シュワルツェネッガーが、米国カリフォルニア州の知事に就任。

2011 オーストラリアの科学者が、インド洋の海底に古代の超大陸「ゴンドワナ」の一部分が沈んでいるのを発見。

バタフライ効果 1962

米国の数学者エドワード・ローレンツが、後に「バタフライ効果」と呼ばれることになる理論の基礎をなす論文の原稿を学術誌に提出。蝶の羽ばたきによる空気の動きのような小さな力学的変化が、竜巻のような大きな現象につながるという考え方である。

この日が誕生日

1968 オーウェン・ウィルソン 米国の俳優。『ナイト ミュージアム』シリーズに主演し、アニメ映画『カーズ』の声優も務めた。

ソンムの戦い 1916

第1次世界大戦における最大規模の会戦のひとつであるソンムの戦いが終了。140日にわたる戦闘で、両陣営合わせた死傷者は100万人以上という、史上稀にみる苛烈な戦いだった。

1761 海洋時計

英国の時計職人ジョン・ハリソンが制作した海洋時計「H4」のテストのため、息子のウィリアムがH4を持ってジャマイカへの航海に出た。H4は船が揺れても正確に時を刻み、海上での経度測定を可能にした。

他にもこんな出来事が

1803 ハイチ独立運動で、反乱軍が宗主国フランスの軍隊を破り、撤退に追い込む。ハイチは翌年の元日に独立を宣言した。

1910 英国で、サフラジェット（婦人参政権活動家）たちが抗議デモを行うが、警官隊や男性暴徒に暴力で弾圧された。

2011 ゲーム『マインクラフト』発売。史上最も売れたビデオゲームとなる。

11月 19

ゲティスバーグ演説　1863

米国の南北戦争が激化する中、リンカーン大統領がペンシルヴェニア州ゲティスバーグで短い演説を行い、「人民の人民による人民のための政治」という後世に残る名言を述べた。

2017　オートバイに何人乗れる？

インドのバンガロールのオートバイチーム「ASC トルネードーズ」のメンバー 58 人が、走行する1台のバイクに一度に乗った人数の世界記録を更新した。その際に、ケガ人は出なかったという。

この日が誕生日

1828 ラクシュミーバーイー インドのジャーンシー藩王国の王妃。英国に対して戦ったが、敗北した。

他にもこんな出来事が

1274 モンゴルの日本侵攻（元寇）の1度目（文永の役）で、元軍が九州に上陸するが、退けられて撤退（文永11年10月20日）。

1969 ブラジルのサッカー選手ペレが 1000 ゴール目を決めた。最終的に 1279 得点の世界記録を樹立。

2018 シロアリが 4000 年かけて築いた、英国の国土より広い巨大なアリ塚群がブラジルで発見されたことが発表された。

トイレの日　2001

第1回「世界トイレの日」。世界中で何十億人もが衛生的なトイレのない生活を送っているという事実、つまり深刻な病気の原因となる危機的状態の存在を世界に広く意識してもらうために制定された。

1866 ヨーヨー

米国のジェームス・L・ヘイヴンとチャールズ・ヘトリックが、現在「ヨーヨー」として知られている回転玩具の特許を取得。ただ、この玩具の基本的な形態は古くから存在していた。

この日が誕生日

1889 エドウィン・ハッブル 米国の天文学者。太陽系が属する「天の川銀河」の外にある銀河をいくつも発見し、銀河の分類を考案した。ハッブル宇宙望遠鏡は彼にちなんで命名された。

2013 自由勲章受章

米国の著名な社会活動家でジャーナリストのグロリア・スタイネムが、女性解放運動と女性の権利獲得キャンペーンにおける功績を評価され、バラク・オバマ大統領から大統領自由勲章を授与された。

1886 シャーロック

ロンドンの出版社「ワード・ロック」が、探偵シャーロック・ホームズが登場する最初の本『緋色の研究』の原稿を受け取った。英国の作家アーサー・コナン・ドイルは、この名探偵が主人公の物語を60作執筆した。

他にもこんな出来事が

1969 アメリカ先住民の活動家が、米国の刑務所島だったサンフランシスコ湾のアルカトラズ島に集まり、米国政府による先住民の不当な扱いに抗議し、この島を含むかつての自分たちの土地の返還を要求した。

2019 化石に基づく科学的研究により、初期のヘビ類には後ろ脚があり、ヘビ類の発生から7000万年それを保持していたことが判明した。

1963

インドのロケット

インド初のロケット（NASA から提供されたナイキ・アパッチ観測ロケット）が、トゥンバ赤道ロケット打ち上げ基地（TERLS）から打ち上げられ、飛行中に各種実験を行った。インドの宇宙開発の幕開けを告げる出来事だった。

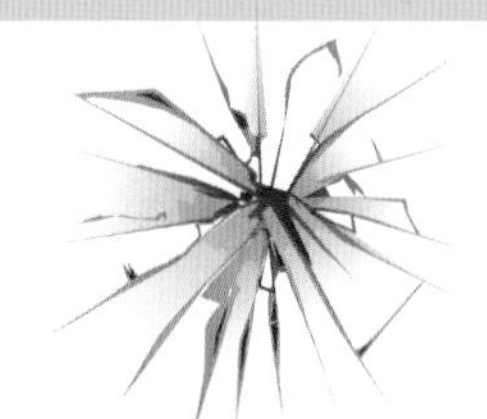

2019

割れないはずだったのに

米国で、テスラ社の最高経営責任者イーロン・マスクが電動ピックアップトラック「サイバートラック」を発表。しかし、ステージで車の飛散防止窓に金属球をぶつけたところ予想に反して窓が割れ（貫通はせず）、マスクは驚いて苦笑いした。

他にもこんな出来事が

1783　フランスのパリで、地面に繋留されていない熱気球が初めて人を乗せて離陸し、8km 飛行して無事に着陸した。

2017　ジンバブエの議会で、37 年間国を率いて次第に圧政を敷くようになったロバート・ムガベ大統領の辞表が読み上げられ、拍手喝采が起こった。

1843

加硫ゴム

英国の技術者トーマス・ハンコックが、硫黄と天然ゴムを混ぜて強靭な加硫ゴムを作る方法の英国特許を取得した。米国ではその前にチャールズ・グッドイヤーが特許を取得していた。加硫ゴムで作られたタイヤは暑さや寒さに強く、長持ちしたので、自動車産業に大きく貢献した。

この日が誕生日

1965　ビョーク　アイスランドのシンガーソングライター。様々なジャンルの要素を融合させた独自の音楽スタイルで知られる。

1987　イーシャ・カラワデ　インドのチェスプレイヤー。インターナショナルマスターとウーマングランドマスターのタイトルを獲得。

11月

22

黒ひげを捕えよ 1718

英国海軍中尉ロバート・メイナードらが、悪名高い英国出身の海賊「黒ひげ」（エドワード・ティーチ、下の絵）の捕獲作戦を実行。兵士と海賊団との戦闘になり、黒ひげはマスケット銃の銃弾を5発受け、剣で20回斬られて死亡した。

この日が誕生日

1984 スカーレット・ヨハンソン
米国の女優。『アベンジャーズ』などのマーベル作品のブラック・ウィドウ役で知られる。史上最も稼いだ女優のひとり。

人気の女性宰相 2005

アンゲラ・メルケルがドイツ初の女性首相に就任。2009、2013、2018年の選挙でも勝ち、4期16年にわたり政権を担った。

他にもこんな出来事が

1975 スペインで、軍事独裁者フランシスコ・フランコの死去（11月20日）に伴い、後継指名された王室のフアン・カルロス1世が国王として即位。王政復古後、彼はスペインを民主主義の立憲君主制国家へと変貌させた。

1995 ピクサー・アニメーション・スタジオが制作しディズニーが配給した初の長編CGアニメ映画『トイ・ストーリー』が封切られた。

1963 JFK暗殺

米大統領ジョン・F・ケネディが、米国テキサス州ダラスでのパレード中に狙撃されて死亡。犯人として逮捕されたリー・ハーヴェイ・オズワルドは2日後に暗殺された。

他にもこんな出来事が

紀元前 543 古代ギリシャで、イカリアのテスピスが、記録にある限り初めて舞台で演劇の登場人物を演じたとされる。

1868 フランスの発明家ルイ・デュコ・デュ・オーロンが、シアン・マゼンタ・イエローの3色のフィルターを使うカラー写真技法の特許を出願した。

1963 英国の長寿 SF テレビドラマ『ドクター・フー』の第1話が放映された。

この日が誕生日

1805 メアリー・シーコール ジャマイカ出身で英国で活躍した看護師。クリミア戦争の際、前線の近くで敵味方の区別なく負傷兵の治療を行った。

1915 アン・バーンズ 英国の航空技術者、グライダーパイロット。女性で初めてグライダーで英仏海峡を横断した。

ヴィルヘルミナ女王

1890

オランダ国王ヴィレム3世が男子の後継者なしに死去し、娘のヴィルヘルミナが10歳にして女王として即位。第1次世界大戦中は祖国の中立を守り、第2次世界大戦ではロンドンに亡命政府を作って国民にナチスへの抵抗を呼びかけた。

1976

素潜りで深海へ

フランス人ダイバーのジャック・マイヨールが、イタリアのエルバ島沖でボートからのフリーダイビングを行い、呼吸用の器具なしで水深100mまで潜るという史上初の快挙を成し遂げた。

11月 24

1974 ルーシーの発見

米仏の科学者チームが、エチオピアで、人類の祖先とされるアウストラロピテクス・アファレンシスの骨格を発見。ビートルズの「ルーシー・イン・ザ・スカイ・ウィズ・ダイアモンズ」にちなんで「ルーシー」と命名した。

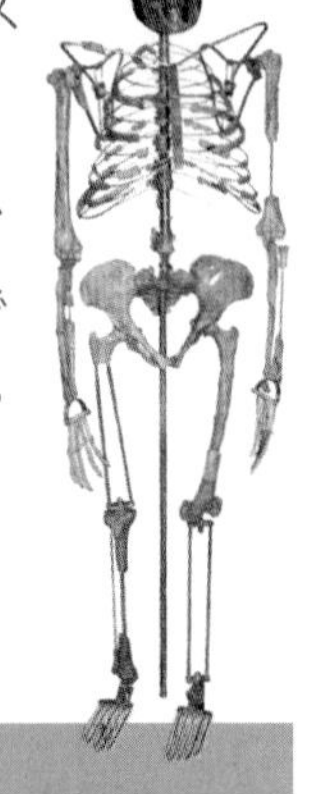

1971 パラシュートで逃亡

米国で、ダン・クーパーと名乗る男が飛行機をハイジャックし、身代金20万ドルを手にワシントン州上空からパラシュートで降下して逃亡。その後の足取りはつかめていない。

他にもこんな出来事が

1859 英国の生物学者チャールズ・ダーウィンが、『種の起源』を出版。進化論という画期的な説を発表し、その後の学問や思想に大きな影響を与えた。

1877 英国の作家アナ・シュウェルのベストセラー小説『黒馬物語』が出版された。

2016 コロンビアで、政府と反政府ゲリラ組織「コロンビア革命軍（FARC）」が和平合意に調印し、50年にわたる内戦が終結。FARCは合法政党へと移行した。

この日が誕生日

1849 フランシス・ホジソン・バーネット 英国生まれの米国の作家。代表作に『小公子』『小公女』『秘密の花園』がある。

2020 K-POP センセーション

韓国の人気グループBTSが、K-POPのアーティストとして初めてグラミー賞にノミネートされた。彼らのヒット曲「Dynamite」は1日で1億回再生されてYouTubeの記録を塗り替え、欧米のポップミュージック業界の多様性拡大を牽引する存在となった。

2019

宝石泥棒

ドイツのドレスデン美術館の一部であるザクセン王家の宝物館「緑の丸天井」から、王家の貴重な宝飾品類が盗まれた。10億ユーロの価値があるとされる品々は、いまだに回収されていない。

他にもこんな出来事が

1975 オランダ領ギアナが独立し、スリナム共和国となった。南米で一番最後に植民地支配を脱した、南米最小の国である。

1992 チェコスロヴァキア連邦議会で、同年12月31日をもって連邦制を解体し、1993年1月1日からチェコ共和国とスロヴァキア共和国に分かれるとする法律が採択された。この分裂は「ビロード離婚」と言われる。

2011

スキーで単独横断

英国の探検家フェリシティ・アストンが、南極大陸をスキーで単独横断した最初の人間になるべく、挑戦を開始。自分の筋肉の力だけで1744kmを走破して59日後にゴールする。

2020

新種発見

日本近海の海底で新種のコウラムシ類（胴甲(どうこう)動物）が発見されたニュースが欧米で報じられた〔ドイツの学術誌での発表は11月14日〕。この微小な生物は砂の隙間に生息し、頭部に200本以上のトゲがある。

この日が誕生日

1914 ジョー・ディマジオ 米国の野球選手。ニューヨーク・ヤンキースで13年間のメジャーリーグ生活を送り、史上屈指の名選手といわれる。56試合連続安打の記録は今も破られていない。

1789 感謝祭の祝日

米国大統領ジョージ・ワシントンが演説の中で、この日を全国で「公的な感謝と祈りの日」として祝うと宣言した。農家が毎年の収穫に感謝することから始まった感謝祭は、現在のアメリカでは毎年11月の第4木曜日に祝われ、人々は家族や友人と祝宴のごちそう（伝統的には七面鳥料理）を楽しむ。

この日が誕生日

1922 チャールズ・M・シュルツ 米国の漫画家。チャーリー・ブラウンと犬のスヌーピーを主人公とするコミック『ピーナッツ』の作者。

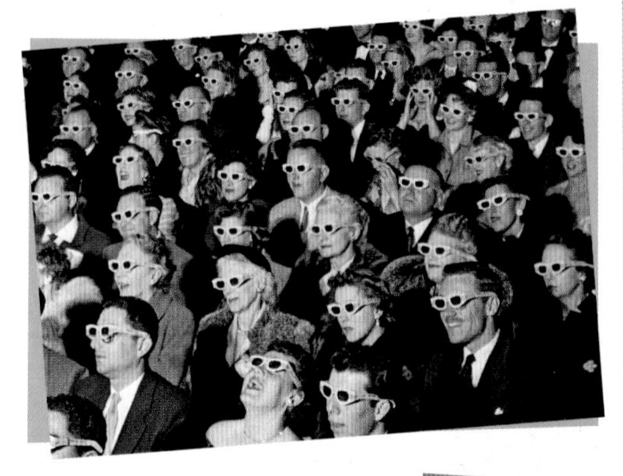

1952 3D映画

初の長編3D映画『ブワナの悪魔』が米国で封切られた。観客は3D眼鏡をかけ、スクリーンの中の人喰いライオンの立体的な姿を見つめた。

1865 不思議の国のアリス

英国の作家ルイス・キャロルの児童文学『不思議の国のアリス』がロンドンで出版された。奇妙なキャラクターが次々に現れるファンタジー世界に迷い込んだ少女が不思議な体験をする物語で、世界的なベストセラーとなった。

他にもこんな出来事が

1939 ソ連が軍隊に自国のマイニラ村を砲撃させ、フィンランドによる攻撃と主張。4日後、これを口実にフィンランドに戦争を仕掛ける。

1949 インドで憲法が採択された。国の法律と政治原則を記した、世界で最も長い成文憲法。翌年1月26日に施行された。

2008 インドのムンバイで同時多発テロ事件が発生し、174人が死亡、239人が負傷。

他にもこんな出来事が

1924 米国ニューヨークで、メイシーズ百貨店主催の感謝祭パレードが初めて開催された。

2013 米国で、ディズニー映画『アナと雪の女王』が一般公開。世界中でヒットし、アニメ映画史上最高の興行収入を記録する。

2019 アフリカからの最初の奴隷が米国のジェームズタウンに上陸してから400年を記念して、ガーナの大統領がアフリカ系米国人の希望者126人にガーナ国籍を与えた。

1890 ゴールネット

英国の技師ジョン・アレクサンダー・ブロディがサッカー用ゴールネットの特許を取得。ゴールの判定をしやすくした。1891年にはリーグの全試合でネットの使用が義務づけられた。

戦時の英雄 1939

飛行機事故で片脚を膝上、もう片脚を膝下から失った英空軍のパイロット、ダグラス・バーダーが、第2次世界大戦勃発により、義足を装着して戦闘機の操縦に復帰。優れた戦果を上げる。

2015 サーカス祭り

エチオピアで、第1回アフリカン・サーカス・アート・フェスティバルが開幕。大陸各地から集まった100人以上の芸人が妙技を披露した。このフェスティバルは、アフリカにおける曲芸の普及に貢献した。

この日が誕生日

1701 アンデシュ・セルシウス スウェーデンの天文学者。ウプサラ天文台を作ったほか、摂氏(せっし)温度計の使用を提唱した（摂はセルシウスの漢字表記の略）。

1940 ブルース・リー 香港出身の武術家・俳優。映画『燃えよドラゴン』などで世界的なカンフー・ブームを巻き起こした。

11月

28

1862

ノッツ・カウンティFC

世界初のプロサッカークラブ「ノッツ・カウンティ FC」が、英国ノッティンガムで設立された。白黒縦縞のユニフォームは、イタリアのユベントスのユニフォームの元になった。

他にもこんな出来事が

1814 英国ロンドンで、初めて蒸気機関を動力とする印刷機（ドイツ製）で新聞（『タイムズ』）が印刷された。

1895 米国初の自動車レース。エンジニアのフランク・デュリエが約 10 時間で優勝。

2012 J・R・R・トールキンのファンタジー小説を映画化した『ホビット』の第 1 部が封切られた。

1893

投票所の女たち

ニュージーランドで、国政選挙の投票をするために 9 万 290 人の女性が投票所に列をなした。ニュージーランドでは、長年の婦人参政権運動が実を結び、世界で初めてすべての女性に選挙権が与えられた。

パルサーの発見

1967

北アイルランド出身の天体物理学者ジョスリン・ベル・バーネルが、初めてパルサーを発見。この天体は、非常に小さく高密度で高速回転し、点滅する灯台のように規則正しく電波を発している。

この日が誕生日

1943 ランディ・ニューマン 米国の映画音楽作曲家。『トイ・ストーリー』などピクサーのアニメ映画の音楽を多く手がける。

ビデオゲームの誕生 1972

米国のゲーム会社アタリが卓球にヒントを得て開発したアーケードゲーム「ポン」が発売された。ボール（点）をパドル（線）で打ち合う対戦式ゲームで、相手がミスをすると自分の得点になる。

南極点への飛行 1929

米海軍士官で探検家のリチャード・E・バードと３人の乗務員が、初めて飛行機で南極点上空を飛んだ。彼らは南極のロス棚氷の基地から出発し、17時間余りで往復した。

他にもこんな出来事が

1947 国連で、アラブ諸国の反対をおして、パレスチナをアラブ国家とユダヤ国家（イスラエル）に分割する決議が採択された。

1949 ニュージーランドで、イリアカ・ラータナがマオリ族の女性として初めて国会議員に当選。

1998 第１回「1000人のチェロ・コンサート」が日本の神戸で開催され、プロ・アマ合わせて1013人のチェロ奏者が合奏した。

この日が誕生日

1832 ルイーザ・メイ・オルコット
米国の女性作家。『若草物語』の作者として知られる。

1976 チャドウィック・ボーズマン
米国の黒人俳優。『ブラックパンサー』で、マーベル映画初の黒人主人公を演じた。

1935 シュレーディンガーの猫

オーストリアの物理学者エルヴィン・シュレーディンガーが、放射性物質と毒ガス発生装置を入れた箱の中に猫がいるという思考実験を発表。箱を開けない限り猫の生死は決定していないとした。

2017 虹を追う

台湾の中国文化大学の学生たちが、記録にある限り最も長く続いた虹を見守った。熱心な観測者たちは1万枚以上の画像を撮影し、虹が正確に8時間58分続いたことを証明した。

1872 初の国際サッカー試合

スコットランドのグラスゴーにあるクリケット場で、世界初のサッカーの公式国際試合が行われた。4000人の観客を集めたイングランド対スコットランドの試合は、引き分けに終わった。

他にもこんな出来事が

1803 スペインの保健使節団「バルミス遠征隊」が、植民地住民に天然痘の予防接種を行うため、中南米に向けて出航。

1954 米国アラバマ州の民家に隕石が落下し、住人のアン・ホッジスに当たった。幸いにも彼女は打撲傷だけで済んだ。

2006 南アフリカで「2006年シヴィル・ユニオン法」が施行され、アフリカで初めて同性婚が合法化された。

この日が誕生日

1874 ウィンストン・チャーチル 英国の政治家。第2次世界大戦期に首相を務めた。

1924 シャーリー・チザム 米国の政治家。1968年に黒人女性として初めて連邦議会議員に当選した。

ボイコット

1955

米国の黒人公民権活動家ローザ・パークスが、バスで白人乗客に席を譲ることを拒否し、逮捕された。これがモンゴメリー・バス・ボイコット（345 ページ）につながり、ついには公共バスの人種分離に違憲判決が出る（323 ページ）。

この日が誕生日

1761 マダム・タッソー フランスの美術家。有名人そっくりのロウ人形を制作し、1835 年には英国ロンドンに自身の美術館を開設。

他にもこんな出来事が

1640 60 年にわたりスペインとの同君連合に甘んじてきたポルトガルが、ブラガンサ家の王を頂いて独立を回復。

1959 米・英・仏・ソ連・日本・アルゼンチンなど 12 ヵ国が南極条約に調印（180 ページ参照）。

1990 英国とフランスから掘り進められた英仏海峡トンネルが、着工からおよそ 4 年半を経て、海峡の中央でつながった。

1988

HIVの啓蒙と支援

エイズ発症の原因となる HIV（ヒト免疫不全ウイルス）を正しく理解して感染者を支援するための「世界エイズデー」の 1 回目が行われた。毎年、多くの人が赤いリボンを身につけて支援を表明している。

1920

製造ライン

米国のフォード社が、自動車メーカーとしては世界で初めて、ベルトコンベヤーを利用した「動く組立ライン」を導入。この新しい方式によって T 型フォード 1 台あたりの製造時間が短縮され、生産コストが下がり、一般家庭でも車を購入しやすくなった。

12月 2

2017

宇宙でピザを

地球の人気料理・ピザがついに宇宙デビュー。国際宇宙ステーション（ISS）の宇宙飛行士たちがピザパーティーを開催し、食べる前には無重力の中でのピザ投げも楽しんだ。

1988

女性の首相

パキスタンの政治家ベナジル・ブットが首相に就任。同国初、近代のイスラム国家でも初めての女性指導者となり、2期5年務めた。

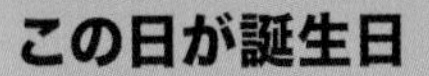

この日が誕生日

1898 インドラ・ラル・ロイ インドの飛行士。第1次世界大戦で空中戦を戦った唯一のインド人。

1946 ジャンニ・ヴェルサーチェ イタリアのファッションデザイナー。自身のブランドで成功を収める。

他にもこんな出来事が

1766 スウェーデン議会が報道・出版の自由を保障する法律を制定。このような自由を認めた国はスウェーデンが世界初だった。

1942 米国シカゴで、イタリア人物理学者エンリコ・フェルミが世界で最初の原子炉「シカゴ・パイル1号」を使い、原子核分裂の連鎖反応の制御に史上初めて成功。

1805

アウステルリッツの戦い

アウステルリッツ（現在のチェコ領内）で、皇帝ナポレオンが率いるフランス軍(6万8000)が、オーストリア・ロシア連合軍（9万）を破った。これによりヨーロッパの勢力図が大きく変化する。

12月 3

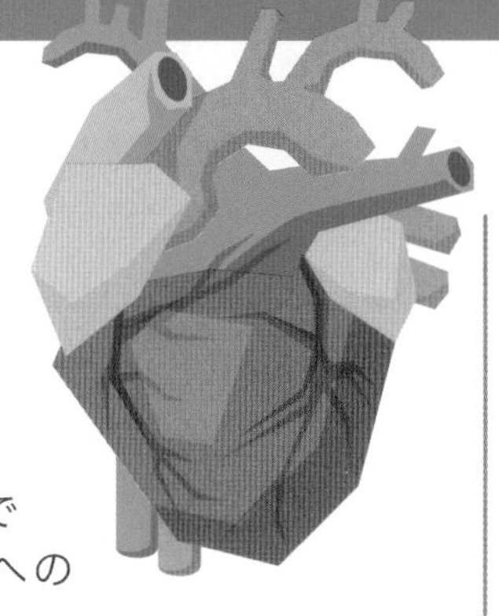

1967

心臓移植

南アフリカの外科医クリスティアン・バーナードのチームが、ケープタウンの病院で初めて人間から人間への心臓移植を行った。

2001

セグウェイ

米国の発明家ディーン・ケーメンが、電動立ち乗り二輪車「セグウェイ」を発表。乗り手が体重移動で操縦する。最初のモデルは時速13kmで走行可能だった。

この日が誕生日

1895 アンナ・フロイト オーストリア生まれの精神分析医。セラピーを通じて子供の心を理解する児童心理学を確立した。

1985 アマンダ・サイフレッド 米国の女優。映画『ミーン・ガールズ』『マンマ・ミーア!』などに出演。

1926

アガサ失踪事件

英国の推理作家アガサ・クリスティが自宅を出たきり姿を消した。警察の捜索でも行方がつかめなかったが、11日後に偽名でホテルに宿泊していることが判明した。彼女は何があったのかを語らず、失踪の理由は謎のままである。

他にもこんな出来事が

1689 スイスのバーゼルで、結合体双生児の分離手術が初めて成功した。この時の手術は9日間かかった。

1992 国連総会で、この日を第1回国際障害者デーにすることが宣言された。

1992 英国のIT技術者ニール・パプワースが、パソコンから携帯電話宛てに初のテキストメッセージ（SMS）を送信。

2012 初期の恐竜

タンザニアで出土し、1950年代からロンドンの自然史博物館に保管されていたニャササウルスという恐竜の化石が、2億4500万年前のものと判明した。それまで最古とされていた恐竜化石よりも1000万年以上古い。

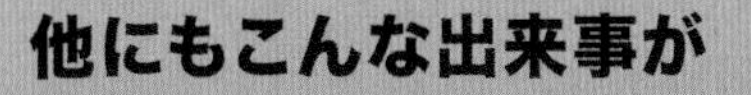

他にもこんな出来事が

1676 スウェーデンに侵攻したデンマーク軍と迎え撃つスウェーデン軍による「ルンドの戦い」。

1917 英国の精神科医W・H・リヴァースが、第1次世界大戦から復員後に戦闘の精神的後遺症に苦しむ兵士に関する報告を発表。

2019 北米の鳥類が次第に小型化してきているのは気候変動が原因であるという研究結果が、米国シカゴの研究チームにより発表された。

1894 万年筆

米国の発明家ジョージ・パーカーが、インク漏れ問題を解決した独自設計の万年筆の特許を取得。この「ラッキー・カーブ・ペン」は、パーカー社の最初のヒット商品になる。

この日が誕生日

1973 タイラ・バンクス 米国のスーパーモデル。男性向けファッション誌『GQ』の表紙を飾った初の黒人女性で、ファッションや化粧品のキャンペーンに頻繁に登場するほか、テレビのトークショーの司会も務める。

1872 幽霊船

大西洋で、米国船「メアリー・セレステ号」が無人で漂流しているのが発見された。船内に人影はなく、乗組員に何が起きたのかが全くわからなかった。海底地震から巨大イカの襲撃まで、さまざまな説が唱えられている。

1935

黒人女性の背中を押す

米国の黒人人権活動家メアリー・マクラウド・ベスーンが、黒人女性の社会活動への参加や生活向上を目指して「全米黒人女性評議会」を設立(282ページも参照)。

1757

ロイテンの戦い

七年戦争中の「ロイテンの戦い」。国王フリードリヒ2世率いるプロイセン軍が、倍近い兵力のオーストリア軍を破った。

この日が誕生日

1901 ウォルト・ディズニー 米国のアニメーター・実業家。ウォルト・ディズニー・カンパニーを共同設立し、ミッキーマウスなど多くの人気キャラクターを創造した。

1916 ヒラリー・コプロウスキ ポーランド出身の科学者。米国に渡り、世界初のポリオ経口投与ワクチンを開発。

1952

殺人的スモッグ

英国のロンドンで、石炭やディーゼル燃料の燃焼で出た有害物質と霧が混じった大スモッグが発生して滞留。スモッグは4日間続き、呼吸器疾患などで数千人が死亡した。英政府は、スモッグの発生を防ぐための大気浄化法を1956年に制定する。

他にもこんな出来事が

1945 船や飛行機がしばしば消えることで知られる大西洋のバミューダトライアングル上空で、米軍機5機の編隊「フライト19」が消息を絶った。

1955 米国アラバマ州モンゴメリーで、人種差別に抗議して黒人が公共交通の利用を拒否する「モンゴメリー・バス・ボイコット」が始まった(341、323ページ参照)。

12月

6

1913 ネフェルティティの発見

エジプトのアマルナで、古代の王室付き彫刻家トトメスの工房跡を発掘していたドイツの考古学者ルートヴィヒ・ボルヒャルトが、制作から3000年以上経ったエジプト王妃ネフェルティティの胸像を発見した。

343 聖ニコラオス

子供と船乗りの守護聖人である聖ニコラオスが、この日に亡くなったとされる。ニコラオスはサンタクロースのモデルともいわれる。

この日が誕生日

1977 アンドリュー・フリントフ 英国のクリケット選手。イングランド代表として活躍し、クリケットへの貢献で女王エリザベス2世から勲章（MBE）を授与された。引退後はテレビ司会者になった。

他にもこんな出来事が

1884 米国のワシントンDCで、巨大な白いオベリスク「ワシントン記念塔」が完工。初代大統領ジョージ・ワシントンを称えるために建てられた。

1921 アイルランド独立戦争を終結させるため、英国政府とアイルランドの指導者がアングロ・アイリッシュ条約に調印。1年後のアイルランド自由国の成立につながった。

2017 これまでに観測されたなかで最も遠い位置の超巨大ブラックホール（太陽の8億倍の質量を持つ）の発見が、『ネイチャー』誌で発表された。

1892 バレエ『くるみ割り人形』

ロシアのサンクトペテルブルクのマリインスキー劇場で、ピョートル・チャイコフスキーが作曲したバレエ『くるみ割り人形』の初演が行われた。原作はドイツの作家E・T・A・ホフマンの童話。（日付は露暦＝ユリウス暦）

12月

7

1972

青い地球

アポロ17号の乗組員が月に向かって飛行中、2万9000km離れた場所から地球を撮影した。この写真は「ザ・ブルー・マーブル（青いビー玉）」と呼ばれ、世界中で有名である。

2019

女子初の4回転フリップ

イタリアで開催されたフィギュアスケートのグランプリファイナルで、ロシアの15歳のアレクサンドラ・トゥルソワが、女子としては史上初となる公式戦での4回転フリップを成功させた。

他にもこんな出来事が

1835 ドイツ初の蒸気機関による鉄道「バイエルン・ルートヴィヒ鉄道」が運行開始。

1909 ベルギー出身の米国の化学者レオ・ベークランドが、初の合成樹脂「ベークライト」の特許を取得。この樹脂は「千の用途を持つ素材」と宣伝された。

1998 17歳のドイツ系オーストラリア人ジェシー・マーティンが、ヨットによる単独無寄港世界一周を目指してメルボルンを出航。11ヵ月後に見事帰還して最年少記録を樹立する。

この日が誕生日

1942 レジナルド・F・ルイス 米国の黒人実業家。食品会社を設立し、黒人として初めて、経営する会社を10億ドル規模のビジネスへと成長させた。

1941

真珠湾攻撃

日本が対米宣戦布告よりも前にハワイ・真珠湾の米海軍基地を奇襲攻撃し、少なくとも2000人が死亡した。翌8日、米国は日本に対して宣戦布告し、第2次世界大戦に参戦した。（日付は現地時間。日本時間では8日未明。）

12月

8

南極コンサート

2013

米国のヘビーメタルバンド「メタリカ」が南極でライブを行い、7大陸すべてで公演した最初のバンドとなった。ライブは南極にあるアルゼンチンの基地に設置したドームで行われ、生態系を守るため、アンプは使用せず観客のヘッドフォンに直接音を流した。

2020

エヴェレストの高さ

世界最高峰のエヴェレスト（チョモランマ、サガルマータ）の標高が、8848.86mに正式に改定された。この数値は、山頂で国境を接するネパールと中国の合同調査によって測定された。

1881

電気アイロン

米国の発明家ヘンリー・W・シーリーが、初の電気アイロンの特許を出願した。電気で一定量の熱を発生させ続けるもので、ストーブで加熱するそれまでのアイロンと比べて大きな進歩だった。

他にもこんな出来事が

1987 米国ワシントンDCで行われたレーガン米大統領とソ連のゴルバチョフ書記長の首脳会談で、中距離核戦力全廃条約が調印された。核軍縮への一歩として期待されたが、2019年に失効する。

2010 米国のスペースX社が、民間企業として初めて輸送用宇宙船「ドラゴン」を地球周回軌道に乗せ、その後地球に帰還させることに成功した。

2020 英国のコヴェントリーに住む90歳のマーガレット・キーナンが、臨床試験ではない形で新型コロナワクチンの接種を受けた最初の人間になった。

この日が誕生日

1935 ダルメンドラ インドの俳優・映画プロデューサー。インド映画界の人気俳優で、300本以上の映画に出演している。

1940

歩兵戦車

第２次世界大戦中の北アフリカ戦線において、連合国軍の反攻作戦が英軍の歩兵戦車「マチルダⅡ」の砲撃によって始まった。この戦車は、動きは鈍いものの、重装甲で歩兵を保護する役割を担った。

この日が誕生日

1934 ジュディ・デンチ 英国の女優。舞台俳優としてデビューし、その後、幅広いジャンルの映画に出演。『恋に落ちたシェイクスピア』でアカデミー賞助演女優賞を獲得。映画『007』シリーズの３代目「M」役でも知られる。

1824

アヤクーチョの戦い

ペルー独立戦争中、司令官アントニオ・ホセ・デ・スクレ率いる独立軍がアヤクーチョの戦いでスペイン軍に勝利し、スペインによる植民地支配を事実上終わらせた。

1955

欧州旗

ヨーロッパのシンボルとなる旗が、欧州評議会によって採用された。青地を背景に12個の金色の星が輪をなすように描かれ、ヨーロッパ全体の連帯を象徴している。

他にもこんな出来事が

1979 世界保健機関（WHO）の専門家委員会が、長年の努力の末に天然痘を根絶したことを確認。翌年５月に根絶宣言を出す。

1992 内戦下のソマリアで、国連が民間人を飢餓と暴力から救う人道支援活動を防衛するための国際作戦「オペレーション・リストア・ホープ（希望回復作戦）」を開始した。

12月 10

他にもこんな出来事が

1823 英国の古生物学者メアリー・アニングが、ドーセット州ライム・リージスの崖で、先史時代の海棲爬虫類プレシオサウルスの全身骨格を発見。

1996 南アフリカのネルソン・マンデラ大統領が新憲法に署名し、南アフリカが民主主義国家になったことがはっきり示された。

1911 2度目の受賞

ポーランド人科学者マリー・キュリーが、ラジウムとポロニウムの発見によりノーベル化学賞を受賞。1903 年に放射線の研究でノーベル物理学賞を受賞しており、2 度目の受賞となった。彼女は、異なる分野でノーベル賞を 2 度受賞した最初の人物である。

1901 ノーベル賞

化学、文学、生理学・医学、平和、物理学の分野において人類に大きく貢献した業績を称えるため、第 1 回ノーベル賞が授与された。この賞は化学者アルフレッド・ノーベルの遺言に基づいて彼の遺産を基金として創設され、ノーベルの 5 回忌にあたるこの日に授与式が行われた。

1868 交通信号機

英国ロンドンのウェストミンスター宮殿前に、世界初の交通信号機が設置された。鉄道の信号システムを応用したもので、手旗信号のような腕と、赤と緑のガス灯によって、馬車や歩行者に「止まれ」「注意して進め」を指示した。

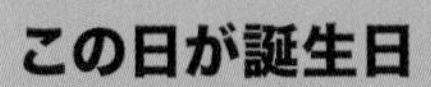

この日が誕生日

1815 エイダ・ラブレス 英国の数学者。初期の計算機のアルゴリズムに取り組んだ。世界初のコンピュータープログラマーとされる。（292 ページ）

12月

11

1964 ゲバラの演説

キューバ革命を主導したアルゼンチン生まれの革命家チェ・ゲバラが、米国ニューヨークで開かれた国連総会で演説を行った。米国に対し、キューバ問題への干渉をやめ、占領した土地を返還するよう要求した。

この日が誕生日

1843 ロベルト・コッホ ドイツの医師・細菌学者。結核菌やコレラ菌などの病原菌を発見し、ノーベル賞を受賞。

1911 銭学森(せんがくしん) 中国の科学者。空気力学を発展させ、中国のミサイル開発と宇宙開発計画に貢献した。

他にもこんな出来事が

1941 第2次世界大戦中、ドイツとイタリアが、日独伊三国同盟に基づいて米国に宣戦布告。

1946 第2次世界大戦後、戦争のために困窮した子供たちに緊急援助を行うため、国際連合国際児童緊急基金（ユニセフ）が設立された。

1997 日本の京都で「国連気候変動枠組条約第3回締約国会議（COP3）」が開かれ、温室効果ガス排出量の削減を求める京都議定書が締結された。

1910 ネオン管

世界初のネオン管が、フランス人技師ジョルジュ・クロードによってフランス・パリの展示会で発表された。ガラス管にネオンガスを封入して電圧をかけ、発光させる。

2019 先史時代のアート

科学誌『ネイチャー』で、インドネシアのスラウェシ島で発見された洞窟壁画が約4万4000年前のものだと報告された。動物や人間を描いた、知られている限り最古の岩絵である。

新しい国立公園

2001

ベトナム中部のフォンニャ=ケバン自然保護区が、さまざまな希少動物や植物をより適切に保護するために、国立公園に指定された。この広大な公園には、世界最大の洞窟を含む300もの洞窟がある。

この日が誕生日

1915 フランク・シナトラ 米国の歌手・俳優。1億5000万枚以上のアルバムを売り上げ、数々の映画に主演して成功を収めた。

他にもこんな出来事が

1901 イタリアの発明家グリエルモ・マルコーニが、大西洋を横断する初の無線通信を成功させたと主張した。

1913 2年前にフランスのルーヴル美術館から盗まれたレオナルド・ダ・ヴィンチの絵画『モナ・リザ』が、イタリアのホテルで発見された。

2015 世界の平均気温上昇を産業革命前と比べて2℃未満に抑えるという目標を掲げた「パリ協定」が、196の国と地域により採択された。

2015

女性の参政権

世界で最も遅く女性の参政権を認めた国・サウジアラビアで、女性たちが、地方議会選挙で初めての投票を行った。女性の立候補も認められ、女性議員が誕生した。

2017 氷上のアクロバット

世界的に有名なエンターテイメント集団「シルク・ドゥ・ソレイユ」が、初の氷上ショー「クリスタル」を上演。大胆で華麗な演技で観客を魅了した。

この日が誕生日

1925 ディック・ヴァン・ダイク 米国の俳優・ダンサー。映画『メリー・ポピンズ』や『チキ・チキ・バン・バン』などに出演。

1967 ジェイミー・フォックス 米国の黒人俳優・ミュージシャン。映画『Ray/ レイ』でアカデミー賞主演男優賞を受賞。歌手としてグラミー賞も受賞している。

2000 植物のDNA

日米欧の共同研究により、シロイヌナズナという植物の全ゲノムの解読が完了したことが発表された。これにより、植物が病気と闘う方法や、少ない水で生き抜く方法などにどの遺伝子が関与するかの研究が可能になった。

他にもこんな出来事が

1545 プロテスタントの台頭に対応するため始まったトリエント公会議で、カトリックの司教らがイタリアに初めて集まった。カトリックの教義を再確認し、教会の自己改革についても話し合った。

1939 南大西洋のアルゼンチン沖で、第２次世界大戦で最初の海戦「ラプラタ沖海戦」が戦われた。ドイツ艦が英・ニュージーランド艦隊と戦い、連合国側が勝利した。

2013 エジプトに雪が降る

中東の国々を冬の嵐が襲い、零度近い冷え込みと降雪や大雨をもたらした。エジプトの首都カイロでは 112 年ぶりに雪が降った。

12月 14

1812

冬将軍

ナポレオン・ボナパルト率いるフランス軍のロシア遠征で、侵攻開始からおよそ半年を経て最後のフランス軍がロシアから撤退。フランス軍はロシア軍の焦土作戦と厳しい冬の前に敗北を喫した。

この日が誕生日

1918 B・K・S・アイアンガー インドのヨガ指導者。ポーズの修練と正姿勢（アライメント）を重視するヨガを編み出した。

1911

南極点到達

ノルウェーの探検家ロアール・アムンセンの遠征隊が、人類で初めて南極点に到達。国旗を立てて祝った。ロバート・ファルコン・スコットが率いる英国遠征隊より33日早い到達だった（23ページ）。アムンセン隊は全員が生還した。

1977

サタデー・ナイト・フィーバー

米国で、映画『サタデー・ナイト・フィーバー』の世界プレミア上映。この作品で主演のジョン・トラボルタは一躍スターになった。

他にもこんな出来事が

1962 NASAの探査機「マリナー２号」が金星の近くを初めて飛行した。

1985 ウィルマ・マンキラーが、チェロキー族の族長に就任。アメリカ先住民の主要部族を率いる初の女性となり、優れた指導力を発揮する。

1994 中国で、長江の三峡ダム建設が着工。三峡ダムは長江の水をせき止めて、治水と水力発電を行う。併設の三峡発電所は世界最大の水力発電所である。

12月

15

2009

賢いタコ

インドネシア沖の海底で、メジロダコがココナッツの殻を拾い、それを組み合わせて隠れ家を作るところを目撃したという科学者の報告が発表された。これは、自然界で無脊椎動物の道具使用が確認された最初の例とされる。

他にもこんな出来事が

1612　ドイツの天文学者シモン・マリウスが初めて望遠鏡を使ってアンドロメダ銀河（銀河系の外にある銀河）を観測した。彼自身は銀河系内のチリやガスの集まり（星雲）を見ていると思っていた。

2001　ピサの斜塔の傾斜を3.97度まで戻す工事が終了し、塔の一般公開が再開された（12ページも参照）。

2011　7年間続いたイラク戦争（米軍の軍事作戦）の終結を正式に宣言する式典が、バグダードで行われた。

この日が誕生日

37 ネロ　ローマ帝国第5代皇帝。政敵を次々に暗殺し、ローマの大火を口実にキリスト教徒を弾圧した暴君として知られる。

1832 ギュスターヴ・エッフェル　フランスのエンジニア。パリのエッフェル塔を設計した。

1989

リダウト山の噴火

米国アラスカ州上空で、前日から噴火が始まったリダウト山の火山灰により、飛行中の航空機のエンジンが停止する事故が発生。幸い飛行機は緊急着陸に成功したが、これをきっかけに、アラスカ火山観測所はこの地域の火山活動の監視を強化した。

1903

アイス用カップ

イタリア出身の米国人食品業者イタロ・マルキオニが、アイスクリームを入れる取っ手付きの“食べられるカップ”を作る成形機の特許を取得。

755

安禄山の乱

中国の唐代、武将の安禄山（右）が宰相・楊国忠の一族を排除しようと反乱を起こした。この反乱は中国全土に広がり、皇帝・玄宗は長安を脱出。乱は７年以上続いた後に鎮圧されたが、唐王朝は混乱し、弱体化していく。

他にもこんな出来事が

1707　日本の富士山が噴火（宝永大噴火）。関東一円に火山灰が降り、農作物に甚大な被害が生じた（宝永４年11月23日）。

1850　ニュージーランドに英国の入植地を築いて本格的に植民地化するため、入植者を乗せた英国船が北島に到着。

1944　ベルギーのアルデンヌ地方でドイツ軍が第２次世界大戦最後の大規模な攻撃を開始し、バルジの戦いが始まった。

この日が誕生日

1932 クェンティン・ブレイク
英国の画家。ロアルド・ダールの児童文学作品など300冊以上に独特のタッチでイラストを描いた。

1773

ボストン茶会事件

北米の英国植民地ボストンで、茶葉の関税に関する英国議会の方針に怒った植民地住民が、ボストン港に茶を運んできた船に乗り込み、300個以上の茶箱を海に投げ込んで抗議した。世に言う「ボストン茶会事件」である。

1903 ライト兄弟

米国の技師オーヴィル・ライトが操縦する飛行機が 12 秒間で 36m を飛び、初の有人動力飛行に成功。オーヴィルと弟のウィルバーは、この日にあと 3 回の飛行に成功している。

この日が誕生日

1945 ジャクリーン・ウィルソン 英国の作家。人生の大きな出来事や悩みに直面する若者を描いた 100 冊以上の児童書を執筆。

1973 ポーラ・ラドクリフ 英国の陸上長距離ランナー。ニューヨークとロンドンのマラソンでそれぞれ 3 回優勝し、16 年間世界記録を保持した。

他にもこんな出来事が

1892 ファッション誌『ヴォーグ』が週刊誌として創刊。後に世界的なファッション雑誌となる。

1989 米国のテレビで、アニメ『ザ・シンプソンズ』が 30 分番組として放送開始。ホーマー、マージ、バート、リサ、マギーの名物家族が活躍する。

2019 デンマークで、古代にチューインガムのように噛まれていた白樺のタールから採取した DNA の分析により、5700 年前の若い女性狩猟採集民のデータが得られた。

1790 太陽の石

メキシコシティで、中央広場の地中からアステカ時代の巨大な石彫の遺物が再発見された。この「太陽の石」は、スペインによるアステカ征服直後に埋められたとみられる。

1886 自転車旅行

英国人サイクリストのトーマス・スティーヴンスが、ペニーファージング（前輪が大きい自転車）による世界一周を世界で初めて達成。ゴール地点は日本の横浜だった。

フライング・タイガース

1941

第2次世界大戦中、日中戦線で中国軍を支援するために結成された米国の航空義勇部隊「フライング・タイガース」が、中国の昆明に到着。パイロットは元米兵で、特徴的な機体塗装が目を引いた。

この日が誕生日

1946 スティーヴン・スピルバーグ 米国の映画監督。『ジョーズ』『E.T.』『ジュラシック・パーク』他、監督作多数。

1980 クリスティーナ・アギレラ 米国の歌手。4オクターブの声域を持ち、全世界で7500万枚以上を売り上げている。

他にもこんな出来事が

1865 合衆国憲法修正第13条の批准成立が宣言され、米国の奴隷制度が廃止された。

1898 フランスのレースドライバー、ガストン・ド・シャスルー＝ルバが、時速63.159kmという当時の車の速度記録を樹立。

1974 第2次大戦終結後も29年間にわたりインドネシアのモロタイ島に潜伏していた台湾・アミ族の日本兵・中村輝夫（民族名スニヨン）が発見された。

移民のための一歩

2000

移民に対する認識を高めるために、国連総会が「国際移民デー」を制定。世界中で何百万人もが自ら移住を選択しているほか、戦争や迫害によって移住を余儀なくされる人々が多数存在し、差別や搾取の対象になることも多い。

1999

樹上の住人

カリフォルニアのセコイア伐採に抗議するために738日間にわたり「ルナ」と名付けたセコイアの樹上で生活していた米国の環境活動家ジュリア・“バタフライ”・ヒルが、樹上での活動を終了。

12月 19

1974

個人用コンピューター

米国のMITS社が個人向けの組み立て用コンピュータキットを初めて発売。この「Altair 8800」は256バイトのメモリーを搭載しており、1センテンスのテキストを保存できた。

他にもこんな出来事が

1843　英国の作家チャールズ・ディケンズの小説『クリスマス・キャロル』が出版された。

1958　米国大統領ドワイト・D・アイゼンハワーが、地球周回軌道上の通信衛星を経由して、地上へ短波でメッセージを送信。初の軌道上からの通信だった。

1983　サッカー・ワールドカップの初代トロフィー「ジュール・リメ杯」がブラジルで盗まれた。現在も行方は不明。

この日が誕生日

1875　カーター・G・ウッドソン
米国の黒人歴史家。1926年に「ニグロ歴史週間」を提唱し、これが発展して「黒人歴史月間」となった。

熱波と火災

2019

オーストラリアで100件近い森林火災が発生し、国家非常事態が宣言された。記録的な熱波と極端な風の状態によって引き起こされた猛烈な火災は、南オーストラリア州から東部に向けて広がった。

2018

ドローンでの配達

バヌアツの島に住む赤ん坊に、初めてドローンによってワクチンが届けられた。これは、遠隔地の人々に予防接種を行うというユニセフの慈善活動の一環だった。

12月

20

スパイの親玉 1573

イングランドの外交官フランシス・ウォルシンガム卿が、女王エリザベス1世の主席秘書官に就任。スパイや秘密工作員を使ってカトリック勢力の陰謀から女王を守り、彼女の最大の政敵だったスコットランド女王メアリーを処刑する。

1812 グリム童話集

ドイツのヤーコプとヴィルヘルムのグリム兄弟が、民話を集めた書物『子供と家庭のメルヒェン集』（いわゆる『グリム童話集』）の第1巻を出版。

他にもこんな出来事が

1860 米国で、奴隷制の維持を望むサウスカロライナ州が合衆国から離脱。ほどなく他の6州が後に続き、南北戦争へと至る。

1951 米国アイダホ州の原子炉「EBR-1」が世界で初めて原子力発電に成功。200ワット電球4個分の電力を生み出した。

1999 ポルトガルがマカオを中国に返還。約600年にわたるポルトガルの植民地支配が終了した。

この日が誕生日

1978 ジェレミ・ヌジタップ カメルーンのサッカー選手。多くのポジションをこなす能力を持ち、正確なパス・コントロールで知られた。

ボートでの偉業 2015

下肢切断の障害を持つ英国軍人のチームが、4人乗りの手漕ぎボート「インヴィクタス」で大西洋横断に出発。彼らは46日6時間49分かけてゴールし、大西洋を漕いで渡った最初の障害者チームとなった。

12月

21

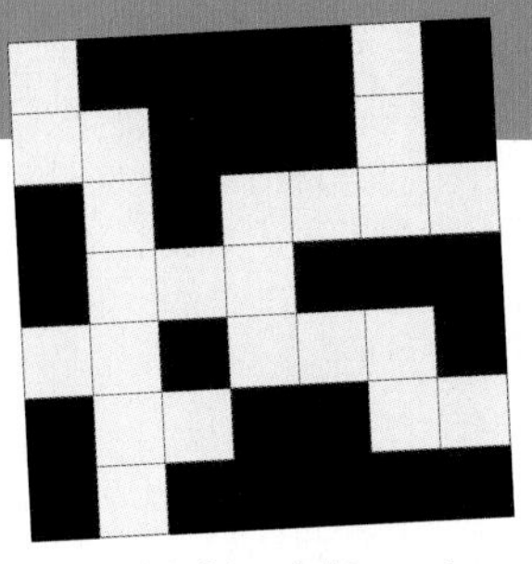

1913

クロスワードパズル

米国の『ニューヨーク・ワールド』紙に、初の近代的クロスワードパズルが掲載された。ただし、これに似たパズルのアイディア自体は古代ローマ時代から存在していた。

この日が誕生日

1914 フランク・フェナー オーストラリアの科学者。天然痘の撲滅とオーストラリアのウサギ疫病の抑制に貢献。

1948 サミュエル・L・ジャクソン 米国の黒人俳優・プロデューサー。出演作が全世界で270億ドル以上の興行収入を記録。

2012

マヤの「世界の終わり」

中米の古代文明・マヤの暦のひとつの周期が終了。この日に世界が終わるという噂が流れていたが、研究者は古代マヤの人々が実際にそう信じていたという証拠はないとしている。

1968

アポロ8号

米国フロリダ州のケネディ宇宙センターから、3人の宇宙飛行士が乗るアポロ8号が打ち上げられた。地球周回軌道を離れて月を周回した最初の有人宇宙船となる。月を10周して地球に帰還した。

他にもこんな出来事が

1848 南部の奴隷だったエレンとウィリアムのクラフト夫妻が、白人男性とその召使に変装して北部への逃亡に成功した。

1988 スコットランドのロッカビー上空を飛行中のパンアメリカン航空103便が、仕掛けられた爆弾の爆発により墜落。270人が死亡。英国史上最悪の航空事故。

2020 夜空で、土星と木星が397年ぶりの超大接近。

1891

切りやすい！

米国の発明家セス・ウィーラーが、米国で初めてミシン目入りトイレットペーパーを発売。ミシン目のおかげで簡単にトイレットペーパーを切り離せるようになった。

他にもこんな出来事が

1788 大越（ベトナム）の西山朝で、阮恵が光中皇帝として戴冠。

1938 南アフリカ沖で、6600 万年前に絶滅したと思われていた魚・シーラカンスが発見された。

1971 「国境なき医師団」が設立された。世界各地の紛争地帯や疾病流行地で医療活動を行う、国際的な人道的医療団体。1999 年にノーベル平和賞を受賞する。

1882

クリスマスの電飾

米国の発明家エドワード・H・ジョンソンが、初めてクリスマスツリーの装飾に電球を使った。それまではロウソクが使われていて、火事ややけどの危険があった。

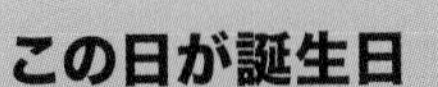

この日が誕生日

1960 ジャン＝ミシェル・バスキア 米国の黒人芸術家。グラフィティと絵画を融合させた独自の作品を制作。

1962 ラルフ・ファインズ 英国の俳優。映画『ハリー・ポッター』シリーズでヴォルデモートを演じた。

1989

ブランデンブルク門が開く

30 年近く封鎖されていたドイツ・ベルリンのブランデンブルク門が、再び開いた。東西ベルリンの境界線のすぐそばにあり、第 2 次世界大戦後のドイツ分断の象徴だったが、壁の崩壊（319 ページ）により通行可能になった。この 1 年後、東西ドイツは統一される。

1897 ノチェ・デ・ラバノス

メキシコのオアハカで、クリスマス・マーケットを盛り上げるために、初めて「ノチェ・デ・ラバノス（赤大根の夜）」が開催された。現在は、赤大根を彫刻して組み合わせ、さまざまな情景を描き出して祝う。

583 マヤの女王

現在のメキシコ・チアパス州に位置する古代マヤ文明の都市国家パレンケで、ヨフル・イクナルが支配者として戴冠した。知られている限り、マヤ史上最初の女性支配者である。

1997 バチカン市国のハヌカー

カトリックの総本山があるバチカン市国で、ユダヤ教の祝日「ハヌカー」のシンボルであるハヌッキーヤー（9本に枝分かれした燭台）に立てたロウソクが初めて灯された。

他にもこんな出来事が

1952 フランスの生物学者アラン・ボンバールが、空気注入式の小型ボートで食料と水の補給を受けずに大西洋単独横断に成功。

1970 ニューヨークのワールド・トレード・センターの北棟が完成。高さ417mで、当時世界一の高さだった。

2007 ネパールが王制を廃止し、連邦共和制に移行した。

この日が誕生日

1867 サラ・ブリードラヴ マダムC・J・ウォーカーの名で知られた米国の黒人実業家。自力で大富豪になった初めての米国女性。

12月

24

1818

きよしこの夜

ヨーゼフ・モール作詞、フランツ・クサヴァー・グルーバー作曲の「きよしこの夜」が初演された。やがて、世界中でクリスマスに歌われるようになる。

他にもこんな出来事が

1801 英国の発明家リチャード・トレヴィシックが、乗客を乗せることができる初の蒸気機関車を発表。

1893 米国の技術者ヘンリー・フォードが、最初の試作エンジンのテストに成功。キッチンのシンクでテストしたとされる。

1871 エジプトのカイロで、ヴェルディ作曲のオペラ『アイーダ』が初演された。

この日が誕生日

1868 エマヌエル・ラスカー ドイツの数学者・チェスプレーヤー。1894 年から 1921 年まで世界チャンピオンの座を守った。

1956 アニル・カプール インドの俳優。『スラムドッグ＄ミリオネア』など、多くの映画やテレビシリーズに出演。

1943

最高司令官

第2次世界大戦期、連合国のヨーロッパ本土侵攻作戦「オーバーロード作戦（ノルマンディー上陸）」の最高指揮官に、米陸軍のドワイト・D・アイゼンハワーが就任。彼は 1953 年に合衆国大統領に選出される。

エジソンの蓄音機

1878

米国の発明家トーマス・エジソンが、自身の最新の発明品である蓄音機の特許を申請した。錫箔（すずはく）を巻いた円筒に音を記録し、それを再生する装置だった。

12月

25

カール大帝がローマ皇帝に

800

西ヨーロッパの大半を支配下に収めたフランク王国のカール大帝が「ローマ皇帝」として戴冠。神聖ローマ帝国の始まり。カール大帝は「ヨーロッパの父」と呼ばれる。

他にもこんな出来事が

336 記録に残る限り、この年初めてイエス・キリスト降誕祭（クリスマス）が12月25日に祝われた。

1776 アメリカ独立戦争中、ジョージ・ワシントン率いる独立軍が悪天候の中でデラウェア川を渡って英国側の傭兵部隊を攻撃、勝利した。

1831 ジャマイカで奴隷の大反乱が始まった。黒人奴隷数万人が自由を求めて決起したが、翌月には鎮圧された。

1223

最初の降誕場面

キリストの誕生を祝うため、アッシジの聖フランチェスコが初めてキリスト降誕場面の再現模型を作った。現在では、多くの教会で毎年飾られている。

この日が誕生日

1642 アイザック・ニュートン 英国の数学者・物理学者。重力と運動に関する理論を構築した（44、192ページ）。

1971 ジャスティン・トルドー カナダ首相。自由党党首として2015年に政権を獲得。

クリスマス休戦

1914

第1次世界大戦のさなか、戦場で対峙する英国兵とドイツ兵が短い休戦協定を結び、塹壕から出て中間地帯で会い、クリスマスを祝った。一緒にサッカーをする者たちもいた。

古代のテイクアウト

2020

イタリアのポンペイの街が火山の噴火で埋まってから約2000年後、発掘調査をしていた考古学者たちが、通行人に手軽な食べ物や飲み物を売っていた古代の路面店のカラフルなカウンターを発見したことを明らかにした。

他にもこんな出来事が

1898 フランスで、科学者のピエールとマリーのキュリー夫妻が、新元素ラジウムの発見を発表した。

1991 ソヴィエト連邦を構成する共和国が次々に独立したことを受け、ソ連最高会議が連邦の正式解散を決議。

2004 インドネシアのスマトラ島沖地震により大津波が発生し、沿岸部に大きな被害をもたらした。

1966

クワンザ

ロサンゼルスで、アフリカ系米国人の祝祭行事「クワンザ」が初めて行われた。スワヒリ語で「最初の果実」を意味し、12月26日から1月1日にかけて祝われる。

この日が誕生日

1791 チャールズ・バベッジ 英国の技師。初期の計算機のパイオニアで、階差機関という最初の機械式計算機を設計したが、資金面・技術面の問題で彼の生前には製作されなかった。

長編映画

1906

19世紀の義賊ネッド・ケリーを描いたオーストラリア映画『ケリー・ギャング物語』がメルボルンでプレミア上映された。60分という世界初の長編劇映画だった。現存するのはフィルムの一部のみ。

1722

雍正帝の治世が始まる

中国・清朝で雍正帝が即位。康熙帝・乾隆帝と並ぶ清朝三大帝のひとり。13年の治世で財政改革や中央集権化を進めて国内の政治を安定させ、清朝の隆盛を維持した。

1904

ピーター・パン登場

ネバーランドから来た空を飛べる少年ピーター・パンを主人公とするスコットランドの作家J・M・バリーの戯曲が、ロンドンで初演された。

他にもこんな出来事が

1512 スペインのカスティーリャ王国で「ブルゴス法」制定。中南米植民地でのスペイン人入植者による先住民の扱いを改善する試み。

1935 ドイツのベルリンで、レギーナ・ヨナスが史上初の女性ラビ（ユダヤ教の宗教指導者）になった。

2013 英国の冒険家マリア・レイヤースタムが、史上初めて南極の海岸から南極点まで三輪自転車で完走した。

1966

巨大な穴

メキシコのアキスモンで、世界最大の竪穴洞窟「ラス・ゴロンドリナス洞窟（ツバメの洞窟）」を西洋人が初めて目にした（先住民には知られていた）。深さは370mで、エッフェル塔がすっぽり入る。

この日が誕生日

1995 ティモテー・シャラメ 米国の俳優。映画『君の名前で僕を呼んで』でアカデミー賞主演男優賞にノミネートされ、一躍有名に。

12月 28

1895 初の映画上映会

フランスの発明家リュミエール兄弟が、史上初の有料の一般向け映画上映会を開催。彼らが特許を持つ携帯型映画装置「シネマトグラフ」で９本の短い映像を投影し、観客は目を丸くして見入った。

この日が誕生日

1922 スタン・リー 米国のコミック原作者。『スパイダーマン』『X-MEN（エックスメン）』などの原作を手掛けた。

1954 デンゼル・ワシントン 米国の黒人俳優。多彩な役柄で優れた演技を見せ、オスカーを２度受賞している。

1065 中世の教会

英国ロンドンのウェストミンスター寺院が聖別された。修道院を改築したもので、以来、ほとんどの英国君主の戴冠式の舞台となる。また、王族や著名人が埋葬されている。

1912 路面電車

米国サンフランシスコで、初めての公共路面電車「市営鉄道１号」を見ようと、およそ５万人が集まった。市営鉄道には、現在では世界最後の手動運転のケーブルカーも残っている。

他にもこんな出来事が

1612 イタリアの天文学者ガリレオ・ガリレイが海王星を初めて観測したが、惑星ではなく恒星だと考えた。

1886 米国の女性発明家ジョセフィン・コクランが、モーター駆動・水圧洗浄式の自動食器洗い機の特許を取得。

1973 米国で「絶滅の危機に瀕する種の保存に関する法律」がニクソン大統領の署名により発効。

12月

29

ダイナミックなダンス

1933

フレッド・アステアとジンジャー・ロジャースのコンビが踊る最初の映画『空中レヴュー時代』が封切られた。華麗なダンスが話題になり、彼らは次々に華やかなハリウッド・ミュージカル映画に出演する。

この日が誕生日

1766 チャールズ・マッキントッシュ スコットランドの化学者・発明家。防水布の発明で知られる。

1981 荒川静香 日本のフィギュアスケート選手。日本人初のオリンピック女子フィギュアスケートの金メダルを獲得。

2008

価値ある勝利

北米のアイスホッケーリーグ NHLで、カナダのモントリオール・カナディアンズが米国のフロリダ・パンサーズを破り、NHL 初のレギュラーシーズン 3000 勝を達成。

他にもこんな出来事が

1860 英海軍の新造艦 HMS ウォーリアが進水。英国初の装甲艦だった。

1922 カナダ出身の 16 歳のアロハ・ワンダウェルが、男性のチームに参加して、女性初の自動車（1918 年型 T 型フォード）での世界一周に出発。

1937 アイルランド自由国が、新憲法制定に伴って国名をアイルランドに変更。

画家としての出発点

1653

オランダの画家ヨハネス・フェルメールが親方画家として登録された。それまでの修行時代についてはよくわかっていない。彼は後に、有名な『真珠の耳飾りの少女』などを描く。

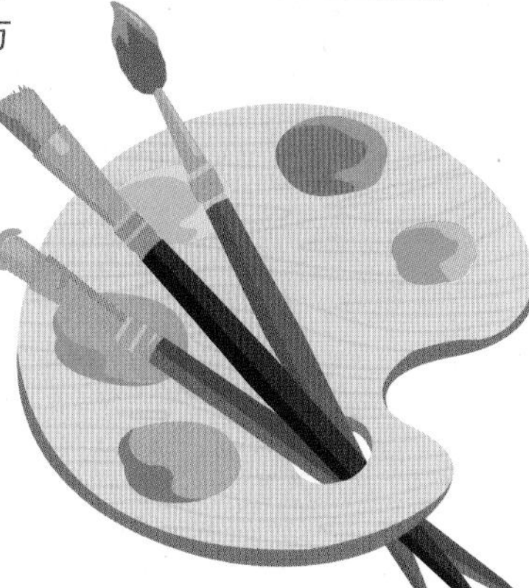

12月 30

534 ユスティニアヌス法典

ビザンツ（東ローマ）皇帝ユスティニアヌス1世の要請で編纂（へんさん）された一連の法律が、帝国全域で施行された。この法典は、今日のヨーロッパの多くの法体系の基礎となっている。

1986 ガス検知器

英国政府が、鉱山のカナリアを電子式ガス検知器に置き換える計画を発表した。カナリアは人間よりも有毒ガスに弱いため、鉱山ガスを早期に検知する目的で鳥かごに入れて坑内に持ち込まれていた。

この日が誕生日

1975 タイガー・ウッズ 米国のプロゴルファー。ツアー優勝数や獲得賞金額など数々の記録を持つ。

1984 レブロン・ジェームズ 米国のバスケットボール選手。史上屈指のバスケ選手のひとりとされ、NBA チャンピオンシップやオリンピックでの優勝を含む輝かしいキャリアを誇る。

他にもこんな出来事が

1922 ロシア、ウクライナ、ベラルーシ、ザカフカース（現在のジョージア、アルメニア、アゼルバイジャン）がソヴィエト連邦結成条約を承認し、ソ連邦が成立した。

1924 米国の天文学者エドウィン・ハッブルが、地球が属する天の川銀河の外に他の銀河が存在するという証拠を発表した。

1927 銀座線

アジア初の地下鉄が東京で開業（後の銀座線）。上野＝浅草間という短い距離の“地下の旅”のために2時間待ちの行列ができるほどの人気だった。

12月

31

他にもこんな出来事が

1935 C・ダロウがボードゲーム「モノポリー」の特許を取得。彼はその権利を玩具会社に譲渡。以来、このゲームは2億5000万セット以上が売れている。

1999 世界中で、2000年をミレニアムと呼んでその始まりを祝う大きなイベントが開催された。

2020 英国がEUからの離脱を完了（36ページも参照）。

1853

恐竜とディナー

英国ロンドンのクリスタル・パレス・パークで、展示品として制作途中のイグアノドン彫刻の腹の中で、制作者のベンジャミン・W・ホーキンスが友人たちを招いてディナー・パーティーを開いた。

1879

白熱灯

米国の発明家トーマス・エジソンが、ニュージャージー州メンロ・パークのエジソン研究所とその周辺を白熱灯で照らした。白熱電球の最初の公開デモンストレーション。

この日が誕生日

1948 ドナ・サマー 米国の黒人女性シンガーソングライター。1970年代にディスコ・ミュージックでヒットを連発し、エレクトロニックダンスミュージックの礎を築いた。

1995 ギャビー・ダグラス 米国の体操選手。2012年のロンドン五輪で、女子個人総合初の黒人金メダリストになった。また、女子団体でも金メダルを獲得した。

1907

タイムズ・スクエアの伝統

米国ニューヨークのロングエーカー広場（現在のタイムズスクエア）での年越しの祝いで、初めて「ボールドロップ」（新年のカウントダウンに合わせて、光るボールが旗竿を降りてくる）が行われた。この伝統は今も続いている。

Index

▼な

▼は

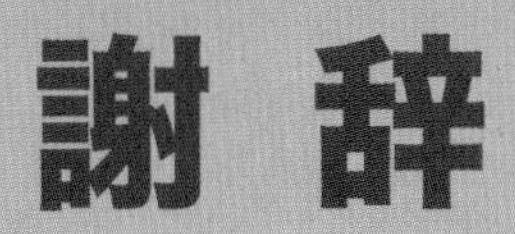

本書の制作にあたり、以下の方々に大変お世話になった。ここに記して心からの謝意を表する。 デザインワーク協力：Vikas Chauhan、Baibhav Parida。イラスト：Bandana Paul。編集協力：Avanika、Edward Aves、Kathakali Banerjee、Sreshtha Bhattacharya、Shaila Brown、Steven Carton、Ben Ffrancon Davies、Alexandra di Falco、Ian Fitzgerald、Ben Morgan、Rupa Rao、Neha Samuel、Anuroop Sanwalia、Pauline Savage、Vatsal Verma。カラーワーク：Neeraj Bhatia、Mohd. Rizwan、Vikram Singh。DTP協力：Vishal Bhatia。写真リサーチ：Vagisha Pushp。カバー：Suhita Dharamjit、Priyanka Sharma、Saloni Singh。校正：Victoria Pyke。索引作成：Helen Peters。

写真クレジット
写真の使用を許諾して下さった以下の方々にお礼を申し上げる。
（略語説明：a＝上、b＝下、c＝中、l＝左、r＝右、fr＝右端、t＝最上部）

123RF.com: Maria Averburg 331tc, Corey A Ford 284cla, Godruma 343ca, kaowenhua 330tc, kchung 47bl, OLEKSII Kovtun 77cla, Krisztian Miklosy 12c, Frederic Prochasson 187br, tang90246 303tr, Marguerite Voisey 86br; **akg-images:** Africa Media Online 13cr; **Alamy Stock Photo:** 504 collection 172tc, Abaca Press 101br, 293cr, 366cla, Abaca Press / Hamilton / Pool 21ca, Abaca Press / Julien Poupart 221cra, Abaca Press / Laurent Zabulon 47tl, AF archive 117tl, agefotostock / Damian Davies 267ca, agefotostock / Historical Views 150br, Akademie / © ® The Nobel Foundation 350cr, Jerónimo Alba 311br, Album 30tr, 209ca, 317cla, Album / British Library 14c, Allstar Picture Library Ltd 127tl, Allstar Picture Library Ltd. 354tr, 369tl, Alpha Historica 22tc, 225cl, 351tl, Evan El-Amin 213cla, Sally Anderson 242cra, Antiqua Print Gallery 200b, Dzianis Apolka 193bc, Archive Images 108br, Art World 317cr, Arterra Picture Library / van der Meer Marica 21b, Artokoloro 124cla, 360cla, Aviation History Collection 277tc, Greg Balfour Evans 144br, 260bl, Holly Bickerton 359tl, BNA Photographic 52tr, Kevin Britland 147bl, Paul Brown 182tr, Bygone Collection 178b, Kristin Callahan / Everett Collection 306br, Chronicle 63br, 65cra, 98cla, 313tl, 341br, Amy Cicconi 267b, Classic Image 201bl, classicpaintings 48c, Cola Images 29tl, David Cole 300crb, Collection Christophel 249tl, Wendy Connett 321br, Dennis Cox 198ca, CPA Media Pte Ltd 297br, CPA Media Pte Ltd / Pictures From History 23cra, 74cra, 141ca, 155cra, 199bl, 213, 356tr, Ian Dagnall 103tl, 215cr, 239crb, Darling Archive 188t, REUTERS / David Gray 296cra, DE ROCKER 112tr, Design Pics Inc / Carrie McLain Museum / Alaska Stock 38bl, DOD Photo 316cla, dpa picture alliance 327cra, 335tl, Oscar Elias 346tr, Everett Collection Historical 35tl, 48br, 98br, 121br, 124b, 270cra, 273tl, Everett Collection Inc 169cr, Everett Collection Inc / © 20thCentFox 58tr, Everett Collection Inc / © Abramorama 151cra, Everett Collection Inc / © Warner Bros 214tr, Everett Collection Inc / CSU Archives 314tr, Everett Collection Inc / Ron Harvey 96tc, 368cr, Falkensteinfoto 326b, 354cla, Nicolas Fernandez 275br, FLHC 1 345cra, FLHC 40 298tr, FLHC1112 169clb, GL Archive 28br, 89tl, 95b, 119crb, 193cr, 248tr, 262tr, Glasshouse Images 197clb, graficart.net 227cr, Granger Historical Picture Archive 307cr, Granger Historical Picture Archive, NYC 23b, 31r, 37b, 42cl, 48cl, 79tl, 84cla, 155br, 156br, 159tl, 175ca, 176tr, 189cr, 246b, 271tc, 278tl, 279bl, 320tr, 324br, 328tr, 339crb, 341tl, Granger Historical Picture Archive, NYC 240br, The Granger Collection 332clb, Tom Grundy 348bl, Derek Harris 236tc, harry 314b, Hemis.fr / Jean-Marc Barrere 111tl, Paul Hennessy 258cla, Heritage Image Partnership Ltd / © Fine Art Images 166cla, 261cra, Heritage Image Partnership Ltd / Historic England 265tc, Heritage Image Partnership Ltd / Image / Index 91tl, Heritage Image Partnership Ltd / National Motor Museum 94b, Hi-Story 166bc, 223bl, Historic Collection 89cra, 295crb, 308br, Historic Images 221cla, History and Art Collection 77cr, 270bc, Horizon International Images Limited 190bl, Hum Images 81cr, IanDagnall Computing 126tc, 142cla, 144c, 164ca, 185tl, 266br, 296cl, 325cla, 326ca, imageBROKER / BAO 18tc, imageBROKER / Frank Sommariva 17cra, imageBROKER / Jochen Tack 249br, imageBROKER / Oleksiy Maksymenko 331br, Horizon Images / Motion 307b, incamerastock 298cla, incamerastock / ICP 51bc, 333bc, INTERFOTO / History 99cb, 102tc, 118br, 153bl, 283ca, INTERFOTO / Personalities 318ca, Ivy Close Images 162tc, Jimlop collection 206tc, Robert Kawka 137cra, Keystone Pictures USA 82tc, 2d Alan King 46b, Art Kowalsky 271cr, Lebrecht Music & Arts 10ca, 198tr, 240tr, 277br, Frans Lemmens 320b, Steve Lindridge 107tl, LOC Photo 357tl, Suzanne Long 223ca, Lordprice Collection 264tr, Malcolm Park editorial 310br, MARKA / Gustavo Tomsich 138bl, mauritius images GmbH / Jose Fuste Raga 247cra, mauritius images GmbH / Skaya 206b, MediaPunch Inc 233crb, MediaPunch Inc / John Palmer 334b, MediaPunch Inc / Mpi04 353tl, Mikołaj Michalak 352clb, David Morgan 143tl, movies 177tc, MPVHistory 90b, Mr.Black&White 166tc, MusicLive 212bl, Melinda Nagy 315tl, NASA Archive 56bl, National Geographic Image Collection / Tom Lovell 105tl, Nature Photographers Ltd / Paul R. Sterry 33tc, Sergey Nezhinkiy / © Canada Post Corporation 97cla, Niday Picture Library 60cla, 63tc, 255b, 300tr, 342b, NPS Photo 174tr, Old Paper Studios 235cl, Matteo Omied 328b, PA Images 139cra, PA Images / Anthony Devlin 310tr, PA Images / F. Stimpson 267tl, PA Images / Joe Giddens 112clb, PA Images / Lauren Hurley 360bl, PA Images / Neil Munns 87tl, Sean Pavone 65b, Photo 12 / Regency Enterprises 67tl, The Photo Access / Steven Bullock 318br, Photo12 / Archives Snark 26clb, Photo12 / Elk-Opid 295bc, Pictorial Press Ltd 5crb, 5bl, 8br, 69tr, 69cl, 114tr, 138tr, 141br, 147br, 166cla, 167ca, 186tr, 196tr, 224cla, 292ca, 307tl, 324ca, 332br, 354b, PictureLux / The Hollywood Archive 228tr, Ian Pilbeam 32tc, PJF Military Collection 50cla, Norman Pogson 146cla, PRiME Media Images / Andrew Rowland 154tr, Purepix 164b, Yao Qilin / Xinhua / Alamy Live News 80cla, Stefano Ravera 104cla, Realy Easy Star 370tc, Realy Easy Star / Toni Spagone 132cl, Reuters / Brendan Mcdermid 20bl, Reuters / Dondi Tawatao 60b, Reuters / Eddie Keogh 192tr, Reuters / Kieran Doherty 195br, Reuters / Leonhard Foeger 291bc, Reuters / Paul Darrow 219br, Reuters / Shamil Zhumatov 254bc, RGB Ventures / SuperStock / Natalie Fobes 89br, Riccardo Mancioli Archive & Historical 24t, Colin Rich 14bc, Peter Righteous 310cla, William Robinson 305b, Sam Rollinson 39tc, Sabena Jane Blackbird 334c, Tom Salyer 337cra, SBS Eclectic Images 108cla, Scherl / Süddeutsche Zeitung Photo 72br, 192b, Science History Images 106tr, 172tr, 201tl, Science History Images / Photo Researchers 8cla, 66clb, 181cla, 243cl, 326cr, 361cr, Separisa 168bl, Shawshots 128tr, Enrique Shore 27bl, Ian Skelton 145tl, Mark Smith 97br, Paul Souders 140b, SPUTNIK 32b, 173cb, State Archives of Florida / Florida Memory 345cla, Steve Davey Photography 255tl, Stock Imagery 240ca, Laurie Strachan 105bc, Todd Strand 239bc, Süddeutsche Zeitung Photo 34bl, Süddeutsche Zeitung Photo / Jose Giribas 319br, Phil Talbot 53bl, TAO Images Limited / Tianchun Zhu 274bl, TCD / Prod.DB / © BBC Studios 286cla, The History Collection 41cra, 85tl, 93cr, 205bc, 282br, The History Emporium 115cl, The Keasbury-Gordon Photograph Archive 364crb, The NASA Library 44tr, The Picture Art Collection 64bl, 117tr, 194bl, 251bl, 256tr, 281crb, 308tr, 346cl, 367cr, The Print Collector / Keystone Archives / Heritage Images 24bl, The Sports Dude 229clb, Trinity Mirror / Mirrorpix 15br, 45bc, 159cr, 177bl, 238br, U.S. Department of Defense Archive 187cb, Universal Art Archive 191br, UPI / Matthew Healey 231crb, UtCon Collection 125bl, V&A Images 87br, Marco Valentini 150cla, Lucas Vallecillos 4bl, 224b, 357cra, Ivan Vdovin 99br, Mike Veitch 355tc, Vintage_Space 152cla, WENN Rights Ltd 305cr, White House Photo 25tc, Milo Winter 121tl, World History Archive 57crb, 80tr, 183cla, 195cra, 214cla, 245cr, 259c, 286bl, 291tl, 304tr, 316bl, 366crb, YAY Media AS 148tl, ZUMA Press / © Joe Scarnici 91cr, ZUMA Press / © Scott A. Miller 36tc, ZUMA Press, Inc. / © Nancy Kaszerman 106bl, ZUMA Press, Inc. / © Richard Ellis 290b; **Archives Automobile Club de Monaco:** 26cr; **Avalon:** Zha Chunming 276tr, DPA Picture Alliance / DB Microsoft HO 100clb; **Bridgeman Images:** 180tr, © Archives Charmet 195tl, © British Library Board. All Rights Reserved 137br, © Look and Learn 21cra, Look and Learn 297cra, Look and Learn / Peter Jackson Collection 98tr, National Trust Photographic Library 266cl, Peter Newark American Pictures 136bl, Peter Newark Military Pictures 130cra, © O. Vaering 288b; **© The Trustees of the British Museum. All rights reserved:** 43crb; **Eddie Clark:** 210br; **© Tim Davenport/WCS:** 146tr; **Dorling Kindersley:** Geoff Dann / Imperial War Museum, London 135tc, Frank Greenaway / National Birds of Prey Centre, Gloucestershire 238tc, James Kuether 292br; **Dreamstime.com:** Albertoloyo 7tl, Alessandrozocc 22bl, Aleutie 149tl, Steve Allen 180cb, Altezza 368bl, Evgeny Babaylov 337cl, Pierre-yves Babelon 92b, Bargotiphotography 216crb, BiancoBlue 114b, Bouncy390 35b, Carolina K. Smith M.d. 127tc, Chiradech Chotchuang 50bl, Delstudio 36b, Destina156 349cra, Torian Dixon / Mrincredible 272tc, Viorel Dudau 19bc, Eastmanphoto 133clb, EPhotocorp 311tl, Artem Evdokimov 90tr, Alena Fayankova 186cla, Sheila Fitzgerald 237br, Svetlana Foote 336tr, Ed Francissen 153cr, Fredweiss 29bc, Benjamin Albiach Galan 6ca, Roberto Galan 291cra (man illo), Christos Georghiou 365cra, Godruma 85bc (Border Collie), 369br, Golasza 171b, Roxana Gonzalez 183r, Gordzam 43t, Igor Groshev 327b, Jon Helgason 276cla, Hobbitfoot 46cla, Hutchinsphoto 306cl, Vlad Ivantcov 282c, Jemastock 76cla, Jorisvo 293br, Jossdim 52cla, Raymond Kasprzak / Rkasprzak 283br, Wendy Kaveney 51br, Alexander Kirch 29crb, Alexander Kovalenko 370cla, Jesse Kraft 211b, Lexigel 35crb, Liskonogaleksey 45cla, Macrovector 357b, Martin Malchev 82cla, Markwaters 332cra, Dzianis Martynenka 86bc, Mast3r 311bl, Mcwilli1 62b, Anton Medvedev 71tc, Melica 42crb, Meowudesign 86bl, Microvone 170br, Krisztian Miklosy 158br, Minnystock 362b, Jaroslav Moravcik 52br, Mspoint 274cla, Pavel Naumov 83tl, Niky 002 369tc, Mykola Nisolovskyi 306tr, Stepanenko Oksana 15ca, Olgacov 148bl, Sean Pavone 71b, 132tr, Martin Pelanek 233bl, PixMarket 300cla, Olha Pohorielova 321clb, Pzaxe 69tc, Radevica 41b, Md. Mizanur Rahaman 85bc, Sabelskaya 22ca, Sborisov 323b, Ljubisa Sujica 359crb, Tartilastock 196bl, TasFoto 27c, Dmytro Tolda 225t, Tomas1111 84b, 232cla, 288tr, Travelling-light 134b, Typhoonski 104b, Vally 320cla, Vectomart 366tr, Hannu Viitanen 287cl, Wernerimages 291cra (girl illo), Xpdream 37tc, Yakub88 94tc, Yekaterinalimanova 319tl, Vladimir Yudin 13b, Andhi Yulianto 348cl, Yupiramos Group 362cla; ESA: Mars500 crew 160cr, NASA 251cr; **Getty Images:** © ABC / Contributor / Oscar Duarte 69b, AFP 122tr, AFP / - 137cla, 352br, AFP / Agence France Presse / Central Press 246tr, AFP / Alexander Blotnitsky 335bl, AFP / Brian Bahr 171cra, AFP / Carl Court 234cra, AFP / Denis Balibouse 218tr, AFP / Fabrice Coffrini 275tl, AFP / John D Mchugh 74bl, AFP / Kim Jae-Hwan 312br, AFP / Manjunath Kiran 329clb, AFP / Mike Fiala 175clb, AFP / Olle Lindeborg 102tr, AFP / Patricia Castellanos 363ca, AFP / Philippe Lopez 157tl, AFP / Prakash Singh 142br, AFP / Richard Juilliart 259tl, AFP / Rodrigo Buendia 16b, AFP / Tang Chhin Sothy 262br, AFP / Ted Aljibe 126bl, AFP / Trevor Samson 47cr, Allsport / Mike Powell 226br, Archive Photos 88cr, Archive Photos / Fotosearch 315cb, 358clb, Archive Photos / Graphic House 19cla, Archive Photos / Handout / Library of Congress 329tl, Archive Photos / Hulton Archive 253bc, Archive Photos / Library of Congress 161t, Archive Photos / MPI 130br, Archive Photos / New York Times Co. 45tc, Archive Photos / Robert Alexander 20tr, Archive Photos / Space Frontiers 322crb, Archive Photos / Stock Montage 365cl, Terje Bendiksby / AFP 309b, Bettmann 6br, 28bl, 57br, 61br, 73cra, 111cra, 115b, 129ca, 131bc, 156tr, 188bl, 199cla, 225br, 227b, 230br, 233cla, 253tl, 289cr, 302t, 324bl, 343bl, 350bl, Hamish Blair 181bl, John Parrot / Stocktrek Images 163br, Bloomberg 272br, Bloomberg / Mike Kane 167tl, Bongarts / Lutz Bongarts 214br, Andrew Burton 123br, Larry Busacca 119tc, Michael Campanella 238cra, CBS Photo Archive 257tl, Corbis / Ken Glaser 206cra, Corbis Historical 256b, Corbis Historical / adoc-photos 281bl, Corbis Historical / David Pollack 61tl, Corbis Historical / George Rinhart 31bl, Corbis Historical / Hulton Deutsch 209br, Corbis Historical / Leemage 279ca, Corbis Historical / Library of Congress / Eadweard Muybridge 172b, Corbis Historical / Micheline Pelletier 287tl, Corbis Historical / Stefano Bianchetti 136cla, Corbis Historical / VCG / David Turnley 122b, Corbis News / Ira L. Black 151b, Corbis Premium Historical / Ira Wyman 190cla, Corbis Sport / Tim Clayton 257cra, David Cannon Collection 179ca, De Agostini / DEA / A. DAGLI ORTI 163tr, 241tl, De Agostini / DEA / Biblioteca Ambrosiana 167bl, 226cla, De Agostini / DEA / G. Nimatallah 78bl, De Agostini Picture Library 92tr, 344br, 349clb, DigitalVision Vectors / ZU_09 50crb, Fairfax Media Archives / Miller 162bl, Fairfax Media Archives / Scott Whitehair 168br, Jonathan Ferrey 116c, Focus On Sport 294cra, Stu Forster 274cr, Future Publishing / James Sheppard 68tr, Gamma-Keystone / Keystone-France 107bl, Gamma-Rapho / Chip HIRES 342cl, David Gray 359cra, Jeff Gross 222tc, Handout / Predrag Vuckovic 184t, Handout / SpaceX 42tr, Matthias Hangst 229cra, Frazer Harrison 72cla, Hagen Hopkins 207br, Hulton Archive 189b, 196ca, 220cla, 285cr, 313br, Hulton Archive / Apic 325cb, Hulton Archive / Central Press 210cra, Hulton Archive / Culture Club 336br, Hulton Archive / Evening Standard 168tr, Hulton Archive / Fox Photos 250cra, Hulton Archive / Heritage Images 244br, 252bl, Hulton Archive / Keystone 239tl, Hulton Archive / Klemantaski Collection 152tr, Hulton Archive / Miller 287br, Hulton Archive / Print Collector 201tc, 202c, 284b, Hulton Archive / R. Knight 219tl, Hulton Archive / Sam Shere 132br, Hulton Archive / Tim Graham 259bl, Hulton Archive / Topical Press Agency 70tr, Hulton Royals Collection / London Stereoscopic Company 86tc, Hulton Royals Collection / Princess Diana Archive 216cla, Icon Sportswire / Cynthia Lum 203br, The Image Bank / Tuul & Bruno Morandi 208cra, Imperial War Museums / Fg. Off. S A Devon 337bl, IWM / Sgt. Chetwyn 321tl, Yunaidi Joepoet 351crb, Liu Kaiyou / Moment 302b, Kyodo News 170clb, 193tl, Mark Leech 301tc, Morris MacMatzen 128clb, Fred W. McDarrah 185br, David McNew 93tl, Michael Ochs Archives 162br, Manny Millan 49b, Mirrorpix 200cla, Mirrorpix / Monte Fresco 194tr, Jack Mitchell / Archive Photos 173cr, Moment / Geoff Livingston 169b, David Paul Morris 14tr, National Hockey League / Jeff Vinnick 135tl, New York Daily News Archive / Harry Warnecke 364bl, NordicPhotos / Lilja Kristjansdo 110b, NurPhoto / Mauro Ujetto 347tc, Paris Match Archive / Gamblin Yann 358br, Popperfoto 178cl, 263tl, 305clb, 340bl, Popperfoto / Bob Thomas 173cla, Rolls Press / Popperfoto 129br, Ross Land 18b, Science & Society Picture Library 66bc, 75tl, 120tc, 143cra, 144cra, 149crb, 228br, 230tr, 264bl, 301br, 322bl, 348tr, Cameron Spencer 282t, Sports Illustrated / George Long 313cra, Sports Illustrated / Jerry Cooke 205br, Sports Illustrated / Tony Triolo 269cra, Jamie Squire 227tl, SSPL / Daily Herald Archive 179bl, 338tr, Stocktrek Images 347bl, Sygma / Thierry Orban 268b, Sygma / William Nation 294b, Karwai Tang / WireImage 330bl, The Asahi Shimbun 76br, 208bl, 289bl, The Image Bank Unreleased / Ignacio Palacios 70cla, The Chronicle Collection / Sahm Doherty 61cra, Toronto Star / Mike Slaughter 148tr, Toronto Star / Toronto Star 297clb, U.S. Coast Guard / Handout 116b, ullstein bild / Rudolf Dietrich 231tl, ullstein bild Dtl. 39cr, Photo12 / Universal Images 303br, Universal Images Group / Leemage 4tr, 220bc, Universal Images Group / Marka 198bl, Universal Images Group / PHAS 149bl, Universal Images Group / Photo 12 265cra, 277cl, Universal Images Group / Universal History Archive 15cl, 110cla, 365b, Ian Walton 232bl, WireImage / JAB Promotions 210cl; **Getty Images / iStock:** AlexPro9500 300bl, artisticco 211tl, Simon Dux 371bl, E+ / guenterguni 213b, E+ / JMichl 290tr, Givaga 353b, Srinivasan J 272cla, manpuku7 83c, Maurice Northrup 273b, pawel.gaul 96b, pictafolio 6crb, pseudodaemon 146b, Nicolas Tolstoï 292tr, ZU_09 75br; **Jorge Antonio Gonzalez:** 197ca; **Heritage Auctions, HA.com:** 184cb; **Library of Congress, Washington, D.C.:** LC-DIG-cwpbh-05089 252cla, LC-DIG-ds-00894 215bl, LC-DIG-ggbain-12476 / Bain News Service, publisher 68br, LC-DIG-ggbain-35680 130cl, LC-DIG-hec-16116 181cra, LC-DIG-npcc-17934 136tr, LC-DIG-ppmsca-02180 236cla, LC-DIG-ppmsca-03478 12tr, LC-DIG-ppmsca-54230 / Powelson, Benjamin F., 1823-1885 159bc, LC-USZ62-21222 280cla, LC-USZC4-1285 245tl; **Mary Evans Picture Library:** © The Royal Aeronautical Society (National Aerospace Library) 11t; **David L. Mearns / Blue Water Recoveries Ltd:** 134cla; **© The Metropolitan Museum of Art:** Bequest of Charles Allen Munn, 1924 312tr; **Marin Minamiya:** 109cr; **NASA:** 207tl, 248cla, 261tc, 312cla, DIGITAL 347tl, Brian Dunbar 108cr, ESA, NRAO / AUI / NSF and G. Dubner (University of Buenos Aires) 191tl, Aubrey Gemignani 154cla, JPL 55tc, JPL / Cornell University 30b, JPL-Caltech 223cr, NASAexplores 39bl, NSSDCA / Dr. David R. Williams 218b, Scientific Visualization Studio 286tr; **NAVY.mil:** 302cla; **Paul Cyr Photography:** 107cra; **Prosport International:** 81b; **Science Photo Library:** New Zealand American Submarine Ring Of Fire 2007 Exploration, Noaa Vents Program, The Institute Of Geological & Nuclear Sciences And Noaa-Oe 55br, Roman Uchytel 114cl, UIG / Dorling Kindersley 92cr; **Shutterstock.com:** 40tr, agencies 352tc, AlexAnton 59b, AP / Christian Palma 131cra, AP / Gene Smith 113bl, AP / Olivia Zhang 10b, AWI via ZUMA Wire / Stefan Hendricks 269br, Andrea Boohers 260cra, Samantha Crimmin 67b, Joshua Davenport 222bl, EPA / Kimimasa Mayama 117bl, EPA-EFE / Christian Bruna 291crb, James Fraser 58cl, Lukas Gojda 9, Kev Gregory 349tl, Dinesh Hukmani 158tr, J J Osuna Caballero 150crb, Kobal / National Geographic / J Chin 160l, Lukas Kovarik 299tl, The LIFE Picture Collection 203tl, The LIFE Picture Collection / Henry Groskinsky 17br, The LIFE Picture Collection / J R Eyerman 336cla, The LIFE Picture Collection / Loomis Dean 204tr, melissamn 77b, myphotobank.com.au 299b, Paragon Space Dev Corp 303tl, S-F 258tr, spatuletail 99cra, Stacia020 250bl, Studio77 FX vector 273clb, Simon Tang 339tc, The Art Archive 49tl, Un Photo / Sipa 269cla, vectorOK 177r, Nickolas warner 367cl, Perla Berant Wilder 281cra, Kev Williams 82b; **SkyDrive:** 246cla; **Courtesy of Smithsonian. © 2015 Smithsonian Institution:** photo by Jaclyn Nash 180cla; **©2020 Smithsonian Institution:** 66ca; **Alexander Turnbull Library, Wellington, New Zealand:** Photograph of protesters on the Maori Land March, College Hill, Auckland. Heinegg, Christian F, 1940- :Photographs of the Maori Land March. Ref: PA7-15-17. Alexander Turnbull Library, Wellington, New Zealand. / records / 22898633 / photographer, Christian Heinegg 263bl; **V&A Images / Victoria and Albert Museum, London:** 83crb; **vanburenlegacy.com:** Dan Ruderman 257b; **Wellcome Collection:** Great War image from the Shahnameh. Attribution 4.0 International (CC BY 4.0) 73tl, Edward Jenner vaccinating a boy. Oil painting by E.-E. Hillemacher, 1884 140cla

その他すべての画像：©Dorling Kindersley
詳しくはwww.dkimages.com を参照のこと。

26

2

8

11

10

13

5

31

17

24

23

16

28

25

22